UNE ÉDUCATION
PAR LA VIE
POUR LA VIE

La vie et l'œuvre de Frantisek BAKULÉ

Collection « PÉDAGOGIE CRÉATRICE »

Dirigée par François Faucher, animateur de l'Atelier du Père Castor, la collection « Pédagogie Créatrice » a pour but de présenter aux éducateurs et aux parents des expériences éducatives menées conjointement par des adultes et des enfants ou des adolescents.

Des adultes ont été amenés à inventer, de façon délibérée, de nouvelles formes de rapports entre eux et les enfants ; à chercher de nouvelles formes d'expression à l'intérieur de la famille, d'une classe, d'une école, d'une collectivité (une ville par exemple) ; à donner la parole à des jeunes jusqu'alors tenus pour des « gosses » et donc priés de se taire ; à sensibiliser des enfants, des jeunes à un type d'action correspondant à leur tranche d'âge et à aider à cette réalisation.

Il s'agit donc de présenter l'expérience lancée par les éducateurs ou parents, pionniers ou simplement insatisfaits, expériences réalisées en commun par ces adultes et les enfants dont ils avaient la charge et qu'ils ont su mobiliser pour cela.

Collection « PÉDAGOGIE CRÉATRICE »

Documents rassemblés par François FAUCHER
avec la collaboration de Lida ZARUBA et de Martine LANG

UNE ÉDUCATION
par la vie
pour la vie

La vie et l'œuvre de Frantisek Bakulé

Avant-propos de J. WITTWERT

Editions FLEURUS, 31, rue de Fleurus - 75006 PARIS

Collection « PÉDAGOGIE CRÉATRICE »

Sommaire

Avant-propos

Dans ces périodes de prétendues rénovations pédagogiques, tout se passe comme si la recherche pédagogique refusait d'utiliser les méthodes qui lui permettraient enfin de progresser rapidement. Quelles seraient donc ces méthodes ? Découvrir les authentiques disciples des grands éducateurs de tendance humaniste et populaire, c'est-à-dire de ceux qui ont pensé et organisé leurs activités éducatives en accordant une confiance raisonnable et raisonnée au dynamisme et à l'intelligence des petits de l'espèce. Après Comenius, Rousseau, Pestalozzi, Makarenko, Freinet, voici Bakulé le tchèque. Quels sont-ils ces disciples ? Pas toujours ceux qui s'en réclament et c'est là l'une des difficultés de la recherche pédagogique d'aujourd'hui. Allez donc trouver, en haut et moyen lieu à l'Education nationale des personnages qui ne reconnaîtraient pas la valeur de ces phares de la pédagogie humaniste. Les dissertations des concours puisent leurs sujets dans les œuvres de ces grands pédagogues. Lisez même les écrits officiels : tout ce qu'ont fait ces grands éducateurs est commenté favorablement. Mais où le bât blesse, c'est au passage à l'acte. Alors, là rien ne va plus. Les malheureux qui suivent sans précaution et sans aide les préceptes et les méthodes de ces grands maîtres voient souvent s'abattre sur eux les foudres de l'administration et en outre la vindicte d'une majorité de parents. C'est là leur sort, et il rejoint celui des Bakulé à ceci près qu'aujourd'hui, la censure est si subtile et si puissante qu'un seul homme, même de la trempe de ces derniers, ne peut plus tenter ce qu'ils firent.

Heureusement il existe des Bakulé qui s'ignorent : ce sont ceux qui réussissent avec les enfants, qui leur font réaliser des tâches variées, résoudre des problèmes complexes — au sens large — sans attenter le moins du monde à leur dynamisme et à leur joie de vivre, bref des éducateurs pour lesquels les expressions « tenir », « mater » les élèves n'ont aucun sens, si ce n'est un sens lié à la carcéralité et à la castration

La vraie méthode de recherche pédagogique consisterait à découvrir les maîtres qui enseignent et éduquent dans ce style réellement libéral ou mieux « libérateur » et à analyser — objectivement, scientifiquement, ces termes retrouvant alors leur valeur d'efficacité — leur personnalité, leurs comportements, leurs techniques, leurs attitudes dans leurs diverses activités éducatives, à en établir les très nombreux modèles et à fonder les principes du recrutement et de la formation des maîtres sur ces modèles.

Bakulé fut un de ces maîtres, avec un dynamisme, une foi, une efficacité puissamment concentrée et tendue vers ce qu'il savait être vérité pédagogique et vérité humaine. Que ce livre soit un nouvel élément d'information et d'analyse pédagogique progressiste ! Ce qui lui arriva ressemble tellement à ce qui arrive aujourd'hui aux novateurs isolés qu'on lit avec incrédulité des expressions comme celles-ci : « L'inspecteur, apprenant cela, interdit... », « ...il devint suspect aux autorités scolaires, etc. » Comme si la garantie d'être un véritable éducateur tenait déjà à l'inquiétude et à la réprobation de la hiérarchie officielle.

Et pourtant, les Bakulé connus et inconnus savent rendre les enfants compétents, heureux et créatifs. Pourquoi donc ne pas suivre la méthode à l'instant proposée ?

Ne serait-ce pas tout simplement parce que nous vivons dans des sociétés où l'éducation ne doit viser qu'à former des hommes selon des besoins déterminés en dehors des avis des intéressés, c'est-à-dire des hommes plus ou moins instruits selon ces besoins et surtout non-créatifs ? Il est donc fondamentalement dangereux pour ce type de société qu'une éducation puisse déboucher sur la compétence, le bonheur et la créativité d'un trop grand nombre.

Si les partisans d'une éducation nouvelle ne craignent pas de tels objectifs, ils doivent faire connaître Bakulé au plus grand nombre.

J. Wittwer,
Professeur à l'Université de Bordeaux II.

Introduction

Frantisek Bakulé [1] était universellement connu avant la dernière guerre.

Contemporain de Dewey, il fut avant Makarenko, avant Freinet l'un des pionniers de l'éducation nouvelle. Ferrière l'appelait « notre moderne Pestalozzi » et le président du Bureau français d'Education voyait en lui « le génie de l'éducation en personne ».

La vie et l'œuvre de Frantisek Bakulé se confondent en une lutte épique. Rien n'était impossible à cet utopiste de l'éducation.

Modeste instituteur de village en Bohême, au début du siècle, Bakulé remet en cause les méthodes d'éducation de son époque et réclame le droit de faire des expériences pédagogiques. Il prouve que même en classe, dans l'enseignement collectif, on peut appliquer avec succès « la discipline libre ». Il devient le « collaborateur-conseiller » de ses élèves, instaure le « libre style » (causeries, réunions, textes libres, journaux d'élèves...) et initie les enfants à la vie publique.

Toute son action tend à établir des relations authentiques avec ses élèves. C'est l'enfant qu'il faut servir, le programme peut attendre.

---

1. Se prononce Frantichek Bakoulé.

En butte à l'administration austro-hongroise [2], Bakulé quitte l'enseignement public, un an avant la « grande guerre ».

Il crée et dirige à Prague, chez le professeur Jedlicka, un institut pour enfants handicapés. Par le jeu et les travaux manuels, auxquels il donne la priorité sur l'enseignement scolaire, par l'amour et par l'art, Bakulé apprend à chacun de ses élèves handicapés un métier et leur rend dignité et indépendance.

Survient la guerre de 14-18, Bakulé ouvre l'institut aux soldats mutilés qui se joignent aux enfants. Enfants handicapés et adultes mutilés fabriquent ensemble des prothèses orthopédiques.

Bakulé innove encore en créant une coopérative de production de jouets, administrée par les enfants eux-mêmes.

En 1919, de nouvelles difficultés l'obligent à quitter l'institut Jedlicka. C'est alors qu'il entreprend, sans aucun moyen matériel, avec ceux de ses élèves qui ont décidé de le suivre, la création d'un foyer ouvert à tous les enfants. Bakulé rassemble les enfants moralement menacés d'un faubourg de Prague, les intègre à son petit groupe d'estropiés et met en pratique ses idées sur la coéducation des enfants sains et des enfants handicapés.

Avec eux, il crée une chorale qui soulève l'enthousiasme de tous les publics, même ceux de l'Allemagne et de la Hongrie des années 1930. Il entreprend avec son chœur une croisade de la paix qui les conduira jusqu'aux Etats-Unis.

Les 200 concerts donnés en France, en 1929, laissent encore aujourd'hui, un souvenir ineffaçable aux auditeurs de l'époque.

L'institut Bakulé, construit grâce aux recettes du chœur et à un Prix d'honneur, devient alors un carrefour de pensées, accueillant philosophes, poètes, musiciens, peintres et éducateurs.

En 1938, Bakulé espère publier en France, sous le titre *La puissance de l'éducation* [3], un ouvrage rassemblant ses notes et réflexions. Une suite de bouleversements économiques et politiques ont constamment ajourné ce projet. Jusqu'à ce jour, même en Tchécoslovaquie, bien peu de l'œuvre de Bakulé a pu être

2. La Bohème qui aspire à l'indépendance, n'est encore qu'une province de l'empire austro-hongrois.
3. Voir plan en Annexe 2, page 243.

publié, malgré les remaniements entrepris par Bakulé lui-même, en 1954 [4].

Bakulé est mort en 1957, oublié de tous, sauf de quelques fidèles.

Une telle richesse d'expériences à une époque où il fallait tout inventer, dans les conditions les plus défavorables d'un pays dominé par une administration étrangère, nous a convaincu d'entreprendre une recherche sur la vie et l'œuvre de Bakulé.

Chez Bakulé, la personnalité est tout, le système inexistant. Il pratique une pédagogie de l'instinct, une pédagogie de l'instant. Une telle expérience qu'il faut replacer à son époque, est inimitable dans le détail mais reste essentielle.

L'ouvrage que nous présentons comprend de larges extraits de documents rassemblés à Paris, complétés à la suite d'un récent voyage à Prague de documents confiés par le Musée pédagogique de Prague, par d'anciens élèves et par la veuve de Bakulé.

Voici l'œuvre, voici l'homme, le plus souvent présentés par Bakulé lui-même. Son souffle passe à travers ses écrits, son intuition géniale de l'enfant doit encore inspirer et enthousiasmer, non seulement les éducateurs ou les parents, mais aussi les adolescents et les handicapés eux-mêmes.

---

4. Bakulé a remanié son projet initial, sous forme de trois ouvrages : *Les enfants pauvres, Le chœur Bakulé, A Mala Skala.*

CHAPITRE 1

Bakulé instituteur de village

Frantisek Bakulé est né le 18 mai 1877 en Tchécoslovaquie, à Lidmovice près de Vodnany, dans une famille d'agriculteurs relativement aisés.

Son père, libre penseur, propage les idées nouvelles auprès des paysans. Sa mère, très pieuse, soigne les malades avec dévouement. Quand Frantisek Bakulé tombe gravement malade, sa mère promet : « Si mon fils guérit, il sera prêtre. »

A onze ans, Frantisek entre au petit séminaire de Pisek. Il loge dans « une espèce de caserne » où les aînés ont une grande influence sur les petits. Au travail scolaire, Frantisek préfère la lecture à laquelle il s'adonne en cachette.

A quatorze ans, Frantisek éprouve ses premiers doutes religieux et n'accepte plus l'idée de devenir prêtre. Il confie à son père son désir d'être instituteur. Malgré l'opposition de sa mère, il va à l'école primaire supérieure de Pribram où les sujets étudiés, plus concrets que l'enseignement reçu au petit séminaire, l'intéressent davantage.

Pendant ses études, Frantisek est souvent en conflit avec ses professeurs. S'il cède à la bienveillance, il s'élève contre les ordres. Il refuse d'obéir à des arguments tels que « tu es obligé », ou bien « il ne faut pas ». Il se fait parmi ses maîtres des amis qui l'aiment beaucoup mais il s'y fait aussi des ennemis implacables.

Ses résultats scolaires sont irréguliers : il est premier de sa classe puis, redouble ou ne monte dans la classe supérieure qu'avec beaucoup de difficultés. En morale ses notes varient de « Très Bien » à « A peine passable ».

Frantisek est cependant admis à l'école normale de Pribram avec la mention « Très Bien ». Durant les quatre années qu'il y passe, il entre à nouveau en conflit avec ses professeurs, car il accepte mal la discipline et l'arbitraire de l'école normale qui étend son autorité jusqu'à l'extérieur de l'école. Il s'insurge contre l'enseignement du « mot à mot » qui sanctionne par des notes insuffisantes les élèves qui en disent plus que le manuel !

Dès la première année, Bakulé discute une note qu'il considère comme injuste ; il obtient gain de cause, le directeur lui-même fait repasser à Bakulé l'examen et le note « Très Bien ».

En seconde année, Bakulé fonde avec cinq de ses condisciples le « Club des encyclopédistes ». C'est l'occasion d'une nouvelle friction avec l'école, car les membres du club contestent le principe des billets de confession.

En quatrième année, il trouve en sa logeuse, âgée de 70 ans, une complice compréhensive, avec laquelle il discute de littérature.

A sa sortie d'école normale, malgré des résultats excellents, il n'aura pas de mention car sa conduite est interprétée comme « dictée par le seul désir de s'opposer à ses maîtres ». En 1897, Bakulé passe son baccalauréat et devient instituteur.

Premier poste d'instituteur : 1897-1898 à Rapice près de Kladno

Apprendre à enseigner

Le premier souci de Bakulé est d'obtenir la discipline par d'autres moyens que ceux qu'il a subis. Il adopte une attitude de camaraderie, mais il s'y prend très mal et les garçons le chahutent. A contrecœur, il doit se résoudre à la verge, d'usage très courant à cette époque. Jugeant la fessée humiliante, il essaie de frapper sur la paume de la main. Il ne sait pas donner les coups, et fait saigner l'un de ses élèves.

Bakulé dit alors aux enfants, comme par défi :

« Racontez à vos parents que je vous ai « coupé » la main.
Vous verrez que demain ils viendront se plaindre.

— Monsieur, nous ne dirons rien ! »

Les enfants tiennent parole. Il a suffi de cette unique expérience
pour convaincre Bakulé de l'inutilité des coups. Tout en conservant son autorité, c'était le premier pas vers une complicité entre
Bakulé et ses élèves.

Il finit par trouver l'attitude qui permet aux enfants d'adopter
un comportement libéré :

« C'est en 1897 que j'ai été nommé instituteur. Mon désir
le plus ardent était de devenir un maître entièrement différent
de ceux qui m'avaient préparé à cette profession. C'est pourquoi j'ai dirigé mes efforts avant tout vers la libération de
l'enfant. Cette condition préalable était nécessaire pour me
permettre d'exercer avec succès ma mission éducative [5]. »

Pendant les vacances scolaires, Bakulé analyse les échecs de
cette première année d'enseignement. Il constate que leur cause
essentielle réside dans le fait qu'il connaît mal les enfants, leur
façon d'être, leur milieu socioculturel. Il décide, dès l'année suivante, d'essayer de vivre le plus près possible de ses élèves. Les
problèmes qu'il aura en tant qu'éducateur, il les réglera, à sa façon
(en dehors de toute recette pédagogique).

Second poste : 1898-1899 à Druzec, près de Kladno

L'année suivante, Bakulé est nommé à Druzec, village minier,
qui est alors un lieu de pèlerinage. L'Eglise a une grande influence
sur la façon de penser des habitants.

Bakulé s'occupe de l'éducation spirituelle des familles de « ses »
enfants. Il constate qu'apprendre à vivre en société à un enfant est
une partie importante de l'éducation, à donner aussi bien à l'école
qu'à la maison.

---

5. Extrait de la conférence donnée par Bakulé, à Heidelberg, le
4 août 1925, à l'occasion du 3ᵉ Congrès international de pédagogie.

3

Pendant deux ans, Bakulé va tous les soirs au café pour lire à haute voix le journal aux consommateurs, et leur raconter ce qui se passe dans le monde. Il fulmine contre les jeux de hasard, contre l'abus de l'alcool et du tabac. Les gens l'écoutent malgré son jeune âge et Bakulé devient « une personnalité du village » : le voici conseiller général à la mairie.

Bakulé découvre l'œuvre de Tolstoï, et, à travers elle, il révise sa façon de vivre pour lui donner une dimension nouvelle par la réflexion et par la recherche de valeurs spirituelles.

Les *Essais pédagogiques* de Tolstoï [6] ont influencé pendant plus de vingt-cinq ans les pédagogues tchèques. Ils ont marqué Frantisek Bakulé qui décide immédiatement, comme à son habitude, de s'en inspirer pour son travail et de tenter d'appliquer les mêmes principes dans sa classe de Druzec.

Pour développer les possibilités créatrices de chaque enfant, Bakulé affiche dans sa classe des reproductions de peintures tchèques qu'il renouvelle régulièrement. Par ailleurs, il exige une diction parfaite pour lui-même comme pour ses élèves. Sa sensibilité innée pour le chant, incite Bakulé à créer une chorale d'enfants à trois puis à quatre voix. Les chants sont si beaux que les gens du village viennent écouter sous les fenêtres ouvertes de l'école.

L'influence de Tolstoï se manifeste également dans la façon dont Bakulé enseigne la rédaction et les travaux manuels. Bakulé utilise déjà la méthode de travail « des yeux fermés » pour mieux se concentrer.

Les travaux d'élèves sont publiés sous la forme d'une revue : *La Jeune Liberté* comprend quatre rubriques, chacune rédigée par deux garçons et par deux filles.

1. Evénements intérieurs et extérieurs à l'école
2. Sciences
3. Humour
4. Dessins

Pour préparer les enfants à la vie publique, Bakulé instaure dans

---

6. Les seuls *Essais pédagogiques* de Tolstoï traduits en France, ont été publiés en 1925 chez A. Delpeuch, sous le titre *Mémoire Boulgakof sur l'éducation.*

sa classe une autogestion. Il fait découvrir à ses élèves la vie administrative du village, les différentes fonctions de la vie publique. C'est ainsi qu'illégalement, Bakulé a mis en pratique au siècle dernier ce qui deviendra « l'instruction civique obligatoire », lorsque bien plus tard la Tchécoslovaquie sera indépendante [7].

Les réunions de discussion conduisent les enfants à établir leur jugement. Ils préparent à l'avance les sujets des débats.

Ils élisent eux-mêmes leur président : d'abord Bakulé, auquel succédera un de leurs camarades, Bakulé deviendra alors « citoyen » au même titre que les autres.

Peu à peu, les enfants écrivent les événements intéressants du village dans leur journal et le font pénétrer dans les familles. L'inspecteur de l'enseignement apprend l'existence du journal, qu'il juge « subversif ». Il y découvre un article consacré à Masaryk [8], considéré alors (1899) comme un personnage aux idées dangereuses.

L'inspecteur interdit le journal dès le cinquième numéro : « La politique ne doit pas entrer à l'école. »

Bakulé remarque chez ses élèves, garçons et filles, plusieurs cas d'onanisme et découvre les conditions déplorables dans lesquelles ils vivent (promiscuité, manque d'hygiène...). Il propose au directeur de l'école d'inviter les parents pour envisager avec eux l'éducation sexuelle de leurs enfants. Averti, l'inspecteur jette les hauts cris.

Bakulé passe outre et parle tout de même aux enfants. Il obtient d'eux des témoignages de confiance qui le renforcent dans l'idée qu'il est nécessaire d'aborder les problèmes sexuels avec les enfants.

Bakulé relate ses premières expériences d'instituteur

« J'ai créé mon premier chœur d'enfants en 1898, dans un morne pays de mines de houille et de fer. J'avais vingt-et-un ans. L'enfer des fosses noires et des hauts-fournaux brû-

---

7. Depuis 1618, les Tchèques étaient sous la domination austro-hongroise.

8. T. G. Masaryk (1850-1937), premier Président de la République tchécoslovaque en 1918.

5

lants avait fait naître en moi le sentiment social, et aussitôt la volonté de faire quelque chose pour préparer un avenir meilleur aux enfants chétifs des esclaves de ce pays maudit.

Oui, je voulais les armer, afin qu'ils deviennent capables, un jour, de lutter pour une vie sociale et économique meilleure.

Nous fondâmes un journal scolaire, que nous rédigions et écrivions nous-mêmes. Nous faisions des exercices oratoires. Nous assistions, quand nous le pouvions, à toutes les manifestations publiques de la région. Tout cela pourrait leur servir un jour.

Mais, à côté de cette préparation pour l'avenir, il fallait trouver un moyen de leur rendre le présent plus supportable. Il fallait réagir contre l'atmosphère déprimante du milieu, paralyser l'influence morbide du pays noir, des maisons noires, des mineurs noirs.

Il fallait allumer le feu d'une vie intérieure et d'une aspiration ardente vers le soleil et les fleurs. Ce moyen, je le trouvai dans le chant, la chanson, le chant choral surtout, auquel tous les enfants peuvent prendre part, et où, à la beauté musicale de la mélodie, s'ajoute la beauté de l'harmonie ; le chant choral, qui impose une discipline rigoureuse, une discipline joyeuse, qui fait prévoir toute la beauté, la force et l'efficacité d'une action de la multitude tendant vers un but commun.

C'est là le mobile qui me fit créer mon premier chœur d'enfants. L'impulsion en fut donnée par le sentiment de révolte d'un instituteur devant les conditions de vie dont souffraient les enfants de son école.

Hélas ! La vie de mon premier chœur fut brève, de même que celle de notre journal et de notre cercle oratoire. Le journal fut confisqué, les réunions de discussion interdites, le chœur dissous. Et l'instituteur factieux, qui irritait l'atmosphère brûlante de ce pays industriel par des expériences pédagogiques dangereuses (c'est ainsi qu'en jugeait l'Administration) fut envoyé dans un pays tranquille, où de calmes paysans cultivent les oignons et les concombres [9]. »

En effet, sa collaboration avec le maire progressiste, sa sympathie pour les mineurs en grève, valent à Bakulé son déplacement de Druzec à Kozly.

Troisième poste : 1899-1901 à Kozly

Bakulé est nommé à Kozly, (région où aucun instituteur ne souhaitait aller). Cette fois-ci, Bakulé entre en conflit avec le curé du village qui lui reproche d'être « libre penseur », et qui, du haut de sa chaire, dresse la population contre lui. Mais Bakulé organise un théâtre, fonde une société éducative et bientôt toute la jeunesse se rassemble autour de lui. Il formule un programme culturel : « Nous mettons l'accent sur le travail éducatif pour que chacun sache utiliser son temps de loisir, pour que l'éducation devienne une des nécessités premières de la vie. »

Dès 1900, Bakulé propose et organise avec ses collègues des cycles de conférences dans neuf communes.

Le curé se déchaîne et porte plainte au Conseil de discipline :
« Bakulé est une brebis galeuse, il a chassé le Christ et Marie de l'école. Il ne fait plus dire à ses élèves " le Seigneur soit loué " mais seulement " bonjour " ou " bonsoir ". Il ne censure pas le mot " amour " dans les chansons populaires qu'il fait chanter à ses élèves. »

Bakulé se défend ; après des péripéties judiciaires en cascades, il gagne finalement son procès contre le curé, cas unique à une époque où l'Eglise était toute puissante.

Mais, traduit devant le Conseil de discipline, Bakulé se voit supprimer son avancement et il est déplacé dans une région encore plus reculée.

Malade, épuisé par trois mois de procès, Bakulé arrive le 1er novembre 1901 dans une région de montagne déjà sous la neige.

---

9. Extrait de la conférence « L'éducation par l'art » donnée par Bakulé vers 1927.

Quatrième poste : 1902-1912 à Mala Skala

Le premier jour, l'inspecteur accueille Bakulé par ces mots :

— Alors c'est vous, ce Bakulé ! Ne pensez pas que vous puissiez faire ici ce que vous avez fait ailleurs !

— Regardez-moi et vous verrez que c'est moi qui ai le plus besoin de paix, répond Bakulé qui tient à peine sur ses jambes.

Après un moment de découragement, Bakulé décide de se soigner énergiquement. Il analyse sa conduite et sa nervosité : « Est-il nécessaire de crier si un enfant laisse tomber un crayon, ou lorsque la porte grince ? » Il cherche l'attitude à adopter pour chaque circonstance.

Bakulé ne tarde pas à établir des contacts, non seulement avec la population mais aussi avec de jeunes instituteurs. Il les incite à observer les enfants d'une façon discrète et objective, pour que leur enseignement s'appuie sur les connaissances et les curiosités des enfants. Il s'efforce d'armer intérieurement les instituteurs, de les « libérer » pour qu'ils puissent lutter contre la « bureaucratie scolaire ». Les directeurs d'Ecole Normale s'inquiètent ; Bakulé risque d'ébranler le respect dû à l'autorité.

Bakulé s'explique sur sa façon d'enseigner :

En 1900, j'ai adopté pour devise : « Voie libre pour l'éducateur et liberté pour l'enfant. »

J'ai pour mission, cette année, de donner l'enseignement à des citoyens du monde âgés de six ans. Il n'existe chez eux que des instincts, pas de raison. De simples paroles n'ont sur eux presque aucun effet. Il serait vain de vouloir convaincre Miloche qu'il n'est pas raisonnable de descendre une pente à toute vitesse, avant qu'il se soit lui-même cassé le nez en courant sur la pente abrupte d'une montagne. Joseph ne reconnaîtra la supériorité physique de Frantik que lorsque celui-ci l'aura battu à plusieurs reprises.

C'est d'après ces données que doit s'organiser mon activité éducative : épier toutes les occasions de placer les enfants dans une situation leur permettant de s'enrichir d'une expérience qui représente pour eux une chose vécue.

Nous calculons. Je montre aux enfants sur le boulier ce que représentent 3 fois 2. Quelques élèves accourent et tendent les mains pour compter eux-mêmes. Ceux qui n'ont pas encore compris l'importance de l'arithmétique ne manifestent même pas le désir de jouer avec les boules, ils nous observent de leur place avec plus ou moins d'intérêt. Pépi Stransky est occupé d'une chose plus urgente. La semelle de sa chaussure est béante et il s'efforce, en frappant avec son plumier, de fermer cette ouverture afin d'avoir les pieds au sec en sortant de l'école.

— Pépi, viens ici et montre-moi comment on fait cela.

Distrait de son occupation par mon appel et par un coup de poing de son camarade, il lève la tête.

— Viens me montrer cela !

Pépi a l'impression d'être pris sur le fait. Pourquoi ne lui dis-je pas, ce que je veux qu'il me montre ? Il n'a aucun désir d'aller au boulier. Comme il ne sait rien, les enfants se moquent de lui. Il baisse la tête et continue à s'occuper de sa chaussure.

Me voici acculé. Je connais Pépi. Je lui dis donc doucement :

— Pépi, laisse ton soulier, je t'aiderai ensuite à le raccommoder. Viens maintenant me montrer combien font 3 fois 2.

Mais c'est déjà trop tard. Pépi ne vient pas. Je sais que je ne serai pas obéi, mais je me dis que l'incident peut devenir intéressant et j'ordonne d'un ton sévère.

— Stransky, viens au boulier !

Pépi Stransky met son doigt dans le trou de sa chaussure.

— Va, Stransky ! lui disent les enfants en l'encourageant.

Mais il ne bouge pas. Je feins une grande irritation :

— Stransky, si tu ne viens pas tout seul, j'irai te chercher !

Ma menace n'a d'effet que sur la chaussure dont quelques chevilles de plus cèdent au moment où Stransky met sa main dans le trou. A cet instant, je me souviens du conseil que nous a donné un pédagogue officiel, à savoir qu'une menace doit toujours être exécutée, et déjà je m'avance vers Stransky.

— Viens-tu ? dis-je, tout près de lui.

Il ne me regarde pas. Je saisis l'enfant des deux mains pour le redresser. Mais je l'ai relevé trop vigoureusement, et Pépi, léger comme une plume, se débat en l'air. Je l'emporte par-dessus les têtes des enfants vers le boulier.

Peine perdue. Dès qu'il a posé le pied par terre il trépigne de rage, crie et lève le poing pour frapper.

— Oh ! il veut frapper le maître ! s'écrient les enfants.

Sans un mot, je me tourne vers le boulier, en pensant : « Je n'ai que ce que je mérite. Pourquoi ai-je fait violence à ce garçon ? »

Nous rangeons à nouveau les boules du boulier. Pépi nous tourne le dos. Naturellement, il ne daigne pas regarder l'objet vers lequel je l'ai entraîné si violemment.

— Viens étudier avec nous, Pépi, dis-je doucement, un instant après.

Pépi tape du pied.

— Tu ne sauras rien, tout le monde se moquera de toi, tu resteras ignorant, viens donc !

Le garçon tape du pied toujours plus fort.

— Pépi, tu n'es pas sage. Je te traite en camarade et tu me traites en ennemi. C'est bien. Soyons donc des ennemis.

Je ne veux plus te voir et tu ne garderas pas non plus ta place au milieu de mes amis. Tu resteras seul au fond de la salle et, puisque tu ne veux pas étudier avec nous tous, tu resteras après l'école et tu étudieras seul.

Mais Pépi reste logique avec lui-même.

Je me vois obligé de le renvoyer de force au dernier banc, il devient furieux, prêt à frapper, et rien ne peut le décider à prendre part à la leçon. Lorsque, la leçon terminée, les enfants se lèvent pour la prière, Pépi fond en larmes. Pendant la prière, il s'habille pour partir. Il pose son sac sur le banc et met sa casquette dessus ; puis il sort ses gants de sa poche et, les ayant suspendus à son cou par l'attache qui les retient, y passe ses mains. Pendant ce temps, il ne cesse de pleurer et ne prie pas avec les autres. Et lorsque les enfants quittent leurs bancs, il se joint à eux.

— Tu restes après l'école, Stransky, lui dis-je en lui barrant le chemin.

Le gamin pleure de plus belle et s'arc-boute de tout son corps contre moi pour m'écarter de son chemin.

Je me penche vers lui et, l'attirant tout près de moi, je lui parle doucement :

— Pépi, tu n'es pas raisonnable. Tu luttes avec moi, sachant bien que tu ne peux pas me renverser, car je suis beaucoup, beaucoup plus fort que toi.

Je te ferai voir que ce n'est pas intelligent de se disputer lorsqu'on est sûr de perdre. Tu iras donc à la maison quand cela me plaira et non pas quand tu le voudras. Tu resteras après l'école, Stransky, lui dis-je avec fermeté, mais calmement, afin de ne pas l'irriter.

Au bout d'un instant, je lui dis de nouveau très doucement :

— Mais, Pépi, je sais que tu peux être raisonnable quand tu le veux. Donc, écoute ; si tu vas de toi-même à ta place, je ne te garderai qu'un petit instant, mais si tu me bats et que tu cherches à t'échapper, je te porterai là-bas au fond de la salle, je t'y tiendrai et je t'y garderai longtemps. N'oublie pas que je suis le plus fort et que je te vaincrai si tu te querelles avec moi.

Je sais que l'enfant, au milieu de ses larmes et de son excitation, n'entend pas toutes mes paroles ; il perd le fil de mon discours et ne comprend pas bien ce que je lui dis. C'est pourquoi je répète mes explications avec quelques variantes.

Pépi se calme, se retire lentement de mes bras, s'assied à son banc, sanglote et se mouche avec ses gants...

— Tu vois, c'est maintenant seulement que tu commences

à comprendre comment il faut agir. Rappelle-toi, répété-je qu'il n'est pas sage de se quereller quand on est certain d'être battu.

Et tu as été méchant avec moi. Tu voulais me battre. Pourtant je ne te bats jamais. Réfléchis à ce que tu as fait aujourd'hui et juge toi-même ce qui était bien et ce qui était mal. Eh bien, qu'en penses-tu ?

Je le prends par le menton et je lui lève la tête.

Un léger sourire passe sur le visage barbouillé de l'enfant.

— Ah ! si tu pouvais voir comme tu es sale ! Regarde un peu tes mains. Tu les prends pour des mouchoirs de poche ! Je ne pourrais pas même t'embrasser si je le voulais, de crainte de me salir. Maintenant, rentre à la maison !

J'entendis vaguement dire, du pas de la porte, au milieu du bruit que faisait Pépi avec ses gros souliers :

— Au revoir, monsieur l'instituteur.

Le lendemain, en entrant dans la classe, j'aperçois le visage souriant de Stransky qui me salue d'un banc reculé.

Mon sale petit a, ce jour-là, les cheveux humides et soigneusement peignés, et il est reluisant de propreté, autant que cela lui est possible.

A peine ai-je avancé le boulier que Pépi se penche en avant et manifeste le désir d'entrer en relation d'amitié avec cet objet qui avait été hier la cause de notre conflit. Je fais un signe d'assentiment et Pépi court vers le boulier. Il calcule 3 fois 2 (il l'a étudié avec son camarade Brejcha, avant mon arrivée), pousse des cris de joie, saute comme un cabri et retourne en courant à son banc.

Je n'eus pas, ce jour-là d'élève plus studieux que Pépi Stransky.

Est-il nécessaire de tirer une leçon pédagogique de l'incident que je viens de relater ? Je voudrais cependant ajouter ceci : un de mes collègues me disait un jour qu'il avait à l'école un garçon appartenant à une famille dont tous les membres avaient eu affaire avec la justice. L'enfant s'engageait déjà sur cette voie. Même en agissant avec douceur, on n'obtenait rien de lui : « Comment traiteriez-vous un tel individu ? », me demanda-t-il.

« Je ne saurais vous dire en ce moment comment j'agirais dans chaque cas particulier ; cela dépend des circonstances et de la nature du délit. Mais j'agirais dans tous les cas avec amour, de façon à ce que l'enfant sente que je l'aime et que cela me peine de voir que, par une mauvaise habitude ou par son manque de raison, il s'attire des difficultés dans le présent et se prépare très probablement un avenir malheureux.

J'agirais conséquemment et constamment de telle sorte que l'enfant se persuade que mon seul but est de lui apprendre comment on doit agir ou ne pas agir pour faire son chemin dans la vie et vivre heureux dans la société. »

Puis je racontai à mon collègue l'histoire de Pépi Stransky et j'ajoutai : « Si je n'avais tenté qu'une fois d'user de douceur, je n'aurais sans doute pas réussi à corriger mon petit élève. Ce n'est pas un acte exceptionnel de bonté qui a converti Pépi ; ce qui a amené ce garçon à la raison et aussi, comme je l'ai appris plus tard, au repentir, ce n'était pas seulement le fait que je l'embrassais de tout mon cœur, c'était aussi la pensée, éveillée en lui par mes paroles sincères, que j'avais toujours été aimable et bon pour lui. »

Et ici j'ajoute :

Si ce mode d'éducation devait conduire à une soumission aveugle, je le réprouverais. Ce que je désire obtenir par ce moyen, c'est que l'enfant se place devant le problème en observateur non prévenu et en juge, en conservant son plein droit de douter et de résister [10].

Bakulé adapte donc sa doctrine libérale à son enseignement, abandonne les punitions sévères, refuse de s'appuyer sur l'autorité due au maître, il proclame : « Discipline libre, école libre. »

Il organise à nouveau ses enfants en société autonome, il leur fait prendre conscience de la nécessité d'une activité et d'une vie

---

10. Propos extraits de la conférence prononcée par Bakulé, à Heidelberg, le 4 août 1925.

organisée en prenant toujours comme point de départ les intérêts des enfants et l'expérience qu'ils peuvent tirer de leurs propres actions.

L'étude de la nature, des œuvres littéraires et artistiques, seul ou avec les enfants, permet à Bakulé de réaliser son dessein : « développer en l'homme une pensée libre et des sentiments artistiques. »

Bakulé met en pratique la devise
« par l'éducation vers l'art »

Un enseignement éducatif ne prend pas comme point de départ l'emploi du temps mais la liberté de l'écolier, sa sensibilité, son intérêt et son affection. Le style est l'art le plus usuel et le plus nécessaire. Le style scolaire n'est que l'étude d'une routine toute formelle. Le « style libre » mène à l'expression de la personnalité et peut être un art.

Tous les instituteurs n'ont pas entièrement approuvé ma façon d'agir. Celle-ci a pourtant trouvé un écho dans l'esprit et dans le cœur de nombre de jeunes maîtres. Ils se sont fait connaître et se sont mis à travailler dans le sens de mes idées.

Il était à craindre que le relâchement d'une discipline sévère fît dévier les instincts des enfants, mais j'ai trouvé, pour prévenir ce danger, deux moyens efficaces : l'amour et l'art.

L'amour domine dans le cœur de mes petits sauvageons et les maintient unis ; l'art ennoblit les esprits et les cœurs.

Mon amour n'est pas l'indulgence d'un supérieur affable et bienveillant ; non, c'est une camaraderie faite de sincérité et de dévouement.

Je ne tiens pas à être une haute autorité, et cela n'est pas nécessaire. Il suffit à mon amour-propre que mes élèves ne me prennent pas pour un imbécile et qu'ils voient en moi simplement un compagnon que l'âge, l'expérience et les études mettent à même d'en savoir plus long qu'eux, mais qui partage volontiers avec eux ce surplus.

Ayant consacré à mes seuls élèves toutes mes pensées et tous mes actes, à l'école aussi bien que hors de l'école, j'ai bientôt persuadé les enfants et leur entourage que j'étais un ami sincère des enfants, et il n'en fallait pas davantage pour accomplir des « miracles » dans l'enseignement et dans l'éducation.

Après la classe, les enfants ne rentraient pas chez eux quand le temps était mauvais, ou même lorsque le jeu ou le travail auquel ils étaient occupés leur plaisait.

Parfois, je les emmenais à la campagne, ou ils m'accompagnaient à la maison.

Partout je n'existais que pour eux. Je satisfaisais leur curiosité, qu'ils manifestaient par de multiples questions et je faisais en sorte que cette source ne tarît jamais. Par mes suggestions, je suscitais toujours quelque nouvel intérêt.

Ma classe était comme une source d'où la vie jaillissait sans cesse avec force.

J'étais si plein de joie et de bonheur que je finissais par entraîner même les enfants qui se tenaient encore éloignés de nous.

Après l'amour agissant, l'art était le moyen le plus efficace dont je me servais pour gagner et ennoblir le cœur et les sens de mes élèves.

Mais, ici aussi, j'ai suivi des sentiers non tracés.

D'abord, je n'admets pas d'art spécial à l'usage des enfants. Je leur rends accessibles l'art et la beauté, qu'ils aient été ou non conçus à leur intention.

Je mettais à la disposition des enfants ma collection de livres ; garçons et filles de douze et treize ans lisaient avec moi les meilleures œuvres de la littérature universelle.

Oui, ils lisaient avec moi, car mettre à la portée des enfants une collection de livres ne signifiait pas simplement, pour moi, leur en permettre l'accès ; c'était venir au milieu des enfants, vibrant encore de joie sous l'impression des beautés littéraires afin de leur faire partager cette joie et cette impression et éveiller en eux le désir de les connaître et de les éprouver.

Les enfants lisaient ensuite avec moi, ou seuls, et accouraient pour me faire part de leur joie, ou pour me poser des questions sur ce qui leur était inintelligible.

Leurs réflexions et leurs demandes me permettaient de connaître de quelle façon et dans quelle mesure ils avaient compris l'œuvre d'art, et je m'efforçais consciencieusement de développer leur compréhension et leur jugement, de stimuler leur intelligence et d'approfondir leur sensibilité.

Je me souciais beaucoup plus de tout cela que de la récitation des leçons apprises dans les manuels et je réduisais celle-ci au minimum. Je ne tolérais la récitation en classe que pour rendre supportables mes relations avec les autorités scolaires.

Ce n'est pas seulement par le livre, l'image et la belle musique que je captivais les enfants, mais avant tout, par la vie elle-même, par la nature et sa riche palette colorée. La vie active des habitants de notre contrée montagneuse, l'industrie du pays et son commerce, enfin les montagnes elles-mêmes, avec leurs rochers pittoresques, leurs versants couverts de forêts, les ruisseaux et les rivières me fournissaient un riche matériel d'enseignement.

En conduisant mes élèves partout, je leur apprenais à lire dans le livre de la vie et de la nature, plutôt que dans les manuels scolaires, et ainsi, je leur ouvrais les yeux, les oreilles, tous les sens.

Je leur parlais de tout, puis les encourageais à réfléchir, à se faire un jugement personnel et à exprimer librement leur opinion.

De cette manière, mes élèves n'étant pas les imitateurs passifs de mes pensées sur la vie et sur l'art, mais ayant la possibilité d'exprimer librement leur avis, soit en actes, soit en pensées, il se produisit des résultats surprenants : ils se mirent à créer eux-mêmes, d'abord dans les formes littéraires ou plastiques connues ; puis ils donnèrent à leurs travaux un caractère personnel (...)

En premier lieu, je leur appris à étudier l'expression du visage. D'après le contour des traits, la contraction des muscles des yeux, de la bouche et de la peau du front, les enfants s'accoutumèrent à discerner l'humeur et l'état d'âme.

Ils imprimèrent dans leur esprit les diverses expressions du visage, apprirent à les observer soigneusement et à retenir ce qu'ils avaient vu.

Après avoir franchi ce degré où ils prenaient conscience de ce qu'ils voyaient, mes élèves s'avancèrent d'un pas de plus, ils firent jouer les fibres de leur sensibilité.

Je leur appris non seulement à discerner l'état d'esprit du sujet observé, mais à se placer eux-mêmes dans cet état d'esprit, à le sentir, à le vivre.

Sous l'impulsion du sentiment, intervenant entre l'activité de l'œil et celle de la main, les enfants donnaient une forme à leurs premières révélations artistiques, créatrices et formatrices : impressions visuelles enrichies de l'apport de leur sensibilité. Ils dessinaient d'abord ce qui s'offrait à leur vue, puis les objets évoqués dans leur esprit par le souvenir ranimé par le sentiment, enfin les images créées par leur imagination. La possibilité de voir et de reproduire librement favorisait le développement des facultés d'expression individuelles, facultés que je cultivais en encourageant et en stimulant tous les goûts et penchants personnels, de sorte que chaque création de mes élèves portait son cachet propre.

Un fait remarquable est qu'il est possible à l'éducateur de développer chez les enfants des facultés d'expression qu'il ne possède pas lui-même, et aussi de porter le développement de leurs talents à un degré dépassant celui de ses propres aptitudes.

J'ai cessé de croire au « talent inné », héritage des parents. Je me suis rendu compte qu'il est possible de développer toutes les énergies créatrices chez les enfants normaux, non atteints de maladies nerveuses. Il ne s'agit que de créer l'atmosphère, l'entourage qui éveille les facultés de l'enfant, lui donne l'occasion de les révéler et le met à même de les cultiver.

J'ai acquis la conviction que la chose la plus souhaitable pour l'éducateur, est de se laisser inspirer par l'instinct pédagogique et que le maître devrait être, en même temps qu'un éducateur, un artiste. J'entends par là qu'il ne doit pas être seulement un travailleur dont toute l'activité pédagogique consiste à suivre les directives données par les livres et à préparer soigneusement les leçons, mais aussi un improvisateur capable de résoudre en toute occasion, au moment voulu, n'importe quel problème d'éducation.

De plus, il doit posséder l'esprit d'initiative, savoir trouver le moyen d'éveiller les fonctions musculaires ou cérébrales qui resteraient mortes si elles n'étaient stimulées par quelque influence extérieure.

L'éducateur, enfin devra choisir des méthodes propres à développer les aptitudes de ses élèves jusqu'à en faire des qualités artistiques.

Je suis persuadé que l'on trouverait un nombre suffisant de ces éducateurs-créateurs si la profession de maître d'école était appréciée comme elle doit l'être au point de vue économique et social. Beaucoup se voueraient à l'éducation, qui aujourd'hui, utilisent leurs énergies créatrices dans d'autres domaines ; cela amènerait sans doute une stagnation momentanée dans ces domaines, toutefois le capital retiré à ces derniers serait bientôt restitué à la société avec intérêts, car les artistes-éducateurs feraient naître des énergies créatrices chez un si grand nombre d'individus, que ceux-ci combleraient à leur tour dans une large mesure les vides produits dans tous les domaines de l'activité.

Mes expériences pédagogiques à l'école m'ont mis souvent en conflit avec les autorités scolaires. La conséquence en était toujours la même : moralement j'étais vainqueur, officiellement j'essuyais un échec [11].

Les résultats qu'il obtient encouragent Bakulé à mener une action de propagande intense auprès des instituteurs : voyages, conférences, articles dans la presse se succèdent.

Bakulé présente ses expériences d'éducateur de la manière la plus vivante, la plus concrète possible, rejetant les visions théoriques et les schémas abstraits.

---

11. Extrait de la conférence de Bakulé, donnée à Heidelberg en 1925.

Voici comment Bakulé procédait pour provoquer la discussion et la diriger, pour initier et exercer les enfants à la création imaginative, pour les inciter à des essais littéraires et à des manifestations artistiques, pour développer leur esprit critique et conduire ainsi ses élèves à l'analyse et à la comparaison.

Je lus aux enfants l'un des devoirs qu'on m'avait remis :

L'ONDIN [13]

Dans un profond abîme, un ondin avait son palais. Ce palais était tout en cristal. L'ondin en sortait pour aller à la chasse. Il

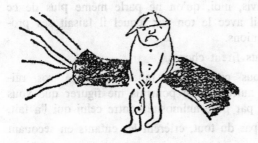

------

12. Extrait de *Une expérience pédagogique : les Ondins,* brochure parue à Mala Skala, en 1906.

13. Nom donné aux génies des eaux, dans les mythologies de Scandinavie et d'Europe centrale.

prenait au filet les gens qui se baignaient, et jetait leur âme dans des marmites. C'était un méchant compère. Il avait sur lui un paletot vert, dont le pan gauche laissait dégoutter de l'eau sans arrêt. Aux jambes il avait des pantalons collants, et aux pieds des souliers. Sa tête avait les cheveux flottants. Il éparpillait aussi dans les prés les meules de foin des cultivateurs.

— Eh bien, demandai-je, comme les enfants se taisaient, est-ce que cela vous plaît ?

— Guère, fit Madela avec une moue, et Pépa proclama énergiquement :

— A moi, pas du tout.

Jan se leva mi-comique, mi-grave :

— Je suis d'avis, moi, qu'on ne parle même plus de ce devoir, déclara-t-il avec le ton sur lequel il faisait ses propositions aux réunions.

Plusieurs enfants firent chorus.

— Puisque vous condamnez, faites connaître vos raisons, déclarai-je, autrement je pourrais me figurer que vous écartez ce devoir par pure animosité contre celui qui l'a fait.

— Non, non, pas du tout, crièrent les enfants en secouant la tête.

— Alors donnez vos raisons ! repris-je impérieusement.

Muller se leva :

— Je n'ai rien éprouvé à la lecture que vous avez faite. Ça n'avait pas l'allure d'un conte de fées, mais d'une description toute ordinaire.

— Tu veux dire que cette rédaction n'éveille pas en toi les impressions que te fait ressentir un conte de fées, que le ton n'y est pas.

— Justement.

— Et elle n'a pas non plus de vie, intervient Joseph. Il a écrit ça comme ça. Avant de commencer, il ne s'est rien représenté, il n'a rien ressenti vivement.

— En effet, le devoir de Lidmovicky n'est que la rédaction sans vie de souvenirs gardés d'une histoire lue ou entendue sur les ondins : l'endroit où ils habitent, l'aspect qu'ils ont et ce qu'ils font. C'est un récit trop général, il vaut pour tous les ondins, et voilà pourquoi il manque de vie.

— Et comment s'y prendre pour y mettre de la vie ? demandèrent quelques enfants.

— Comme ceci : je dépeins un ondin bien déterminé, que je me représente comme un être réel, existant, à un moment déterminé, et en un lieu précis.

— Mais, comment faites-vous pour vous le représenter comme ça, puisque vous n'en avez jamais vu ? objecta Lidmovicky.

— J'ai pour cela de l'imagination. C'est avec celle-ci que je modèle en moi un ondin d'après ce que j'ai entendu raconter autrefois sur les ondins, et aussi d'après les images que j'en ai vues. J'y ajouterai du nouveau, en m'inspirant de ce que je sais des bords de l'eau, et de la vie dans l'eau.

— Et nous, avons-nous aussi de l'imagination ? interrogea l'un des tout-petits.

— Bien sûr, le tout est de savoir s'en servir.

— Alors apprenez-nous ! demanda aussitôt Vania.

— Je vais vous apprendre mais auparavant dites-moi encore les autres défauts du devoir que je viens de lire.

Mais l'intérêt et l'attention des enfants étaient déjà en miettes. Quelques-uns d'entre eux seulement s'efforçaient, en fermant à demi les yeux, de se rappeler le fond et la forme de la rédaction lue, tandis que d'autres discutaient de leur côté sur les particularités de l'ondin et la plupart ne se préoccupait et ne parlait déjà plus que de savoir « comment on fait l'imagination » et comment j'allais bien le leur apprendre. Maria Holub et Madela — qui toutes deux adoraient critiquer — firent encore remarquer que le devoir était mal composé : on racontait d'abord ce que fait l'ondin, celui-ci n'étant décrit qu'après, et on recommençait encore à dire ce qu'il faisait. Elles ajoutèrent qu'à un passage, la forme était bien fade, le mot « avait » s'y trouvant répété plusieurs fois de suite...

Pendant leurs explications, Vania ne cessait de me rappeler ma promesse au sujet de « cette imagination ».

— Nous ne pouvons plus y tenir !

— Il va nous arriver quelque chose ! menaça Tonka.

— Alors, je ne peux vraiment plus vous faire attendre.

— Silence ! Conférence sur la manière de faire des ondins qui vivent avec l'imagination ! cria Jan.

Muller le rappela à l'ordre :

— Tu ferais mieux de te taire et d'écouter pour que l'instituteur puisse commencer...

— Cachez-vous les yeux, et posez la tête sur votre pupitre !

Jamais les enfants ne furent plus empressés et plus prompts à obéir. En un clin d'œil, le champ des têtes fut à bas, comme fauchées. Elles reposaient sur les pupitres.

— Chassez de votre pensée l'endroit dans lequel vous vous trouvez, et représentez-vous intensément tout ce que je vais vous décrire...

Je me tus un instant, puis je repris, en feutrant ma voix :

— Il fait nuit... Près de l'île des Seigneurs, l'Yser bruit sourdement... Sur les flots calmes de l'abîme, la lune épand sa lumière argentée... Tout alentour, des buissons, tout noirs... Regardez dans l'abîme, l'onde s'entr'ouvre...

Ah ! Quelque chose en a jailli et s'est élancé sur la rive !... C'est un ondin ! Vous le voyez ?...

— Nous le voyons bien ! s'écrièrent quelques-uns des enfants, sans rouvrir les yeux.

— Hou, il y a une ombre qui le suit ! cria Vania qui possédait une imagination extraordinairement vive.

— Et comment est-il fait ? demandai-je.

— Il est tout maigre, comme celui de Schwaiger [14] dans l'album, il a un grand nez... détailla Vania.

_____

14. Hanus Schwaiger (1854-1912) : peintre tchèque, illustrateur de livres pour enfants.

— Mais moi, je ne vois rien ! s'écria quelqu'un.

— Ni moi non plus !

— Avez-vous déjà vu quelqu'un à la nuit tombante, dehors, demandai-je aux « non-voyants ».

— Moi oui !

— Moi aussi !

— Alors, représentez-vous une silhouette d'homme dans ce genre au bord de l'abîme. Ça y est ?... Figurez-vous maintenant que le gaillard s'est retourné face à la lumière de la lune, et qu'il a une tête comme le « Roi des Grenouilles » de Bocklin [15]...

— Brr, ce qu'il est laid ! fit Tonka avec un frisson.

— Il roule les yeux hors des orbites.

— Et il a oublié sa casquette à la maison.

— Il ne porte pas de casquette !

— Et tu parles d'une gueule... Oh, là, là...

Et les remarques et les bons mots de pleuvoir ! Toutefois, Joseph restait muet, la tête plongée dans les mains, immobile. Je me rendais compte qu'il avait l'esprit tout occupé à se représenter son ondin à lui. Aussi l'incitai-je à parler :

— Dis-nous Joseph, comment est fait celui que tu vois ; nous essaierons, nous aussi, d'en apercevoir un pareil au bord de l'abîme.

— Il a un œil qui dit « zut » à l'autre, commença Joseph, il a des cheveux comme des herbes, et il est boursouflé...

— Eh oui, comme toutes les créatures des eaux, fis-je le coupant, pour montrer comment l'imagination peut créer avec l'aide du jugement ; il a la figure couverte d'une peau huileuse, comme une peau de poisson... Regardez ses mains, ses mains aussi sont comme enflées...

— Et il a entre les doigts des membranes rougeâtres, comme l'Ondin de Novak [16] qui est à la cave sur un tonneau, interrompit Muller.

---

15. Bocklin, peintre suisse.
16. V. Novak (1870-1949) ; musicien tchèque, élève de A. Dvorak.

23

— Et il a aussi une ceinture pareille...

— Et un foulard autour du cou...

— Mais mes petits amis, dis-je en arrêtant les exclamations des enfants, il me semble que nous fabriquons notre ondin rien qu'avec des choses tout simplement volées ; Vania nous a imposé la représentation de L'Ondin de Schwaiger, moi je lui ai collé la tête du « Roi des grenouilles » de Bocklin, et vous voilà en train de l'habiller avec les habits de L'Ondin de Novak, encore heureux que vous ne vous soyez pas souvenu de celui d'Alès [17], sans ça il y passait lui aussi. Comme ça, notre imagination n'a pas eu besoin de trop se fatiguer ; ce n'est qu'en combinant des parties connues et toutes faites qu'elle a créé un nouvel ensemble.

Or à présent, forçons notre imagination à faire œuvre originale : représentez-vous, sur les bords de l'abîme l'Ondin de Novak... bon, maintenant, modifiez-lui son visage pour le rendre scélérat... sournois... distendez-le en largeur qu'il prenne l'aspect d'une grenouille.. Puis changeons tout son aspect extérieur ; donnons-lui un long, long cou mince, juchons au sommet une grosse tête branlante, avec une figure bonasse et bêbête... il a un corps tout décharné... une jambe torse et paralysée...

— Je le vois déjà traîner la jambe sur la berge ! cria encore Vania.

— Moi aussi !

— Et maintenant, essayez encore de vous créer, chacun pour soi, un ondin bien à vous. Mais ne nous communiquons pas nos idées, pour ne pas nous gêner.

Après un instant de silence où rien ne bougeait, je dis :

— Que chacun maintienne son ondin sous son regard, et qu'il l'observe en train de faire quelque chose : l'ondin va sauter dans l'eau. Comment s'y prendra-t-il ?

— Il sautera la tête la première !

— Pourquoi comme ça ?

---

17. M. Alès (1852-1913) ; le plus connu des peintres tchèques, aussi bien des adultes que des enfants, illustrateur de livres pour enfants.

L'ondin d'Alès

— C'est comme ça que font les grenouilles.

— Parfait, c'est sur les façons de faire des animaux aquatiques que tu juges de celles de l'ondin, qui est également un être aquatique.

— Flac ! Il a déjà fait le plongeon, cria Vania.

— Représentez-vous ce qu'il fait ensuite, et racontez !

— L'eau s'est refermée sur lui et ça fait des ronds, dit Muller.

Joseph continua :

— Il fend l'eau si fort que cela fait un couloir derrière lui.

— Il a tourné à droite pour passer sous la rive, et il s'est glissé dans un trou noir.

— C'est le couloir d'entrée de son palais, expliquai-je.

Quelqu'un arrêta l'élan de notre imagination :

— Moi, je ne peux pas me représenter un palais !

— Tu n'as qu'à te figurer que notre ondin est un pauvre paysan, et que chez lui c'est tout à fait comme dans nos baraques terrestres. Place seulement la chaumière au fond de l'abîme, sous l'eau, fais pendre autour d'elle des herbes aquatiques, le tout au milieu des poissons qui circulent... Y es-tu ?

— Oui !

— Racontez un peu ce que vous voyez chez les ondins !

— La femme de l'ondin est debout sur le seuil. Elle attend son mari.

— Elle est toute blême et toute triste. Ça doit être une jeune fille noyée, comme dans la poésie d'Erben [18], dit Tonka.

L'imagination des enfants commençait à créer aussi une action. Je les encourageai dans cette voie :

_____

18. J. Erben (1811-1870) poète et écrivain très populaire en Tchécoslovaquie. Tous les enfants tchèques apprennent à l'école, _L'Ondin_, d'Erben, qui conte les malheurs d'une jeune fille noyée prisonnière d'un ondin.

— Elle lui dit bien quelque chose, sans doute.

— Elle dit : « Sois le bienvenu. Tu rentres déjà ? »

— Et elle lui demande s'il n'apporte pas une âme.

— Et l'ondin ?

— Il n'a rien répondu, et il a fait claquer la porte méchamment.

— Suffit ! dis-je, en coupant court soudain aux exclamations des enfants. Relevez la tête et rouvrez les yeux ! Les enfants obéirent et, clignant des paupières sous l'afflux du jour, ils promenèrent des regards tout étonnés sur la classe.

— Ah ! Ce qu'il fait jour !

— Et l'ondin a fichu le camp, ajouta Platek en écartant les bras.

Quand les enfants eurent repris leur calme, je leur demandai :

— Eh bien, vous vous rendez compte, à présent, comment procède l'imagination ?

— Un peu ! railla Joseph, elle chaparde des choses connues, et puis avec ça, elle en fait de nouvelles.

— Mais elle peut aussi travailler plus « honnêtement » : elle modifie nos représentations selon ses besoins. Ce sont les acquisitions faites par nous en observant attentivement tout ce qui nous entoure, qui la guident alors. Vous n'avez qu'à vous rappeler comment les boursouflures de l'ondin et l'huileux de sa peau nous ont été suggérés par nos représentations des animaux aquatiques ; et son plongeon la tête la première — par celui de la grenouille. Tout comme ces représentations des choses, l'imagination construit de même les événements, l'action. Tonka nous a fait penser à la jeune fille de L'Ondin d'Erben, et sur-le-champ votre imagination s'est mise à tisser une histoire. C'est ainsi qu'un malheur, un accident de chasse, une inondation et d'autres événements de ce genre peuvent offrir à votre imagination un thème propice à développements...

Cela ne vous dirait-il rien d'essayer de créer un ondin, à peu près comme nous venons de le faire, le vôtre, avec son habitation et en inventant quelque incident de son existence...?

— Et de l'écrire, n'est-ce pas ? compléta Vania avec un hochement de tête en signe d'assentiment.

— Mais oui. Cela m'intéresserait de voir ce que vous avez, les uns et les autres, d'imagination créatrice.

— Et « voler » ? c'est aussi permis ? questionna Jan.

— Pour ce genre de vol, il n'y a pas de gendarme. Mais ce serait plus honorable de créer chacun un ondin qui soit bien le vôtre.

— Le mien sera bien à moi ! affirma Vania qui était, de tous les enfants, celui qui s'intéressait le plus aux ondins.

— N'oubliez pas ce qui rend une description vivante !

— Ben, il n'y a qu'à en décrire un seul, fit Holubova.

— Deux si tu veux ! (Vania plein de zèle criait déjà : moi j'en ferai deux...) Mais l'essentiel, c'est d'écrire comme si tu avais effectivement sous les yeux l'objet décrit, et comme si tu avais réellement pris part à l'aventure rapportée.

— Il faut nous représenter l'ondin aussi vivant que nous le sommes nous-mêmes, fit Joseph pour aider à mon explication, et j'ajoutai : et parlant et agissant de même. Son foyer, créez-le, si vous voulez, d'après l'intérieur de nos maisons... Seulement, prenez garde à bien mettre tout en harmonie avec l'élément dans lequel vit l'ondin : l'eau. D'ailleurs je ne veux pas dire par là que vous ne pouvez le décrire que comme un être tout à fait semblable à nous. Si votre imagination en est capable, faites votre ondin et tout son milieu entièrement différents de ce que nous sommes, nous, et de ce qu'est notre milieu...

Le lendemain, c'était dimanche [19].

Vania vint se mettre près de moi, et sans s'occuper des autres enfants, il s'assit à la table où ils avaient leurs écritoires. La seconde d'après, sa plume grinçait déjà sur le papier, au-dessus duquel se penchait et se relevait (tour à tour) la tête du garçon, la langue entre les dents.

---

19. Bakulé était disponible pour les enfants même le dimanche.

— Qu'est-ce que tu écris donc avec tant d'application ? demandai-je.

— Mon ondin, fit-il entre ses dents, sans même me regarder.

— Mais les conversations vont te gêner ! repris-je en montrant les groupes d'enfants bavardant à haute voix.

— Pas de danger, j'ai déjà tout là, tout prêt, dans ma cervelle, je ne fais qu'en prendre copie...

Il écrivit les deux première pages sans relever la tête. A la troisième, déjà, il s'arrêtait par instant et jetait des regards sur ses camarades. Pendant ce temps-là, les fillettes s'étaient assises à la table et esquissaient des chapeaux d'après les revues *Modes de Paris* et les garçons, assis par terre près du poêle, déployaient les figurines d'un jeu d'échecs.

— Attendez, les gars, j'ai fini tout de suite ! leur cria Vania en allongeant le cou ; nous allons faire une partie !

Il se remit à écrire avec ardeur, mais, lorsque j'eus pris connaissance de son travail, je vis bien, par la fin de celui-ci, que je ne m'étais pas trompé en devinant qu'il ne prenait plus une « copie » mais qu'il se contentait de résumer ce qu'il avait dans la tête au sujet de l'ondin.

« Ce soir-là, un ondin était assis depuis le matin dans les buissons. Il était de mauvaise humeur, car il n'avait encore rien pris. Il commençait à faire nuit, et l'ondin, furieux, reprit le chemin de son palais.

— Alors, Papa, qu'est-ce que tu as pris ?

— Rien !

— Rien, eh bien alors qu'est-ce que je vais faire pour le souper ?

Sans répondre, l'ondin passa dans la resserre où il tenait ses provisions. Là sur un rayon, il y avait, retournés le fond en l'air, plusieurs petits pots. Il en souleva deux et en sortit un couple d'âmes. Celles-ci étaient déjà toutes couvertes de moisissures. L'ondin les essuya un peu avec son mouchoir et les apporta à sa femme.

— Puisqu'on n'a rien d'autre, il n'y a qu'à nettoyer ces âmes et à les accommoder aux poivrons !

Puis il s'assit à la table de la cuisine.

La maman faisait la cuisine. Sous la table traînait un chat, qui se lustrait le poil. Un petit mioche se tenait au pied de la table ; il venait de faire l'instant d'avant une petite mare sous lui, et maintenant il pataugeait dedans.

Tout à coup, on entendit un grincement bruyant. Le mioche en eut un tel sursaut qu'il tomba à la renverse. Les ondins tournèrent leurs regards vers la porte. C'était leur locataire qui venait d'entrer dans la cuisine.

L'ondin avança une chaise pour le faire asseoir.

Ils demeurèrent une minute sans rien dire.

— Eh bien, compère, tu as fait bonne chasse ?

— Ah la chienne de journée ! Pas la moindre prise.

— C'est tout pareil pour moi !

— Je crois bien, reprit au bout d'un instant le locataire, que nous ne prendrons plus grand-chose cette année.

— Ça c'est sûr...

— Dis-moi, mon homme, tu veux souper tout de suite, ou attendre à plus tard ?

— Euh ! allons, sers-nous tout de suite.

La dame servit les âmes sur la table.

— Si vous voulez, venez vous mettre à table avec nous.

— Je vous remercie bien. Et puis, ma foi, je prendrai bien une âme.

Le locataire se pourlécha quand il eut fini, puis :

— C'est pas tout ça, il faut que j'aille me coucher pour me lever demain matin de bonne heure.

— Tu poses tes filets demain ?

— Dame ! Demain c'est fête, il viendra sûrement se baigner quelque gamin. Alors, bonne nuit !

— Bonne nuit !

Le lendemain matin le locataire se leva à six heures. Il se

passa la serviette sur la figure et s'élança sur la rive. Il installa son filet, puis s'assit au pied d'un saule et s'endormit...

Il fut tiré de son sommeil par la voix de l'ondin :

— Hep ! Debout ! Tu as quelqu'un dans ton filet.

Le locataire se précipita à l'eau. Il trouva un homme dans le filet. C'était un Docteur. Il le traîna chez lui. Là, il l'éventra et tira l'âme dehors. Elle faillit lui échapper, mais il la rattrapa prestement. Il la serra sous un pot. Quant au corps, ils se le partagèrent amicalement avec l'ondin. Ils le transportèrent dans la chambre aux provisions. Madame Ondine le désossa et jeta les os au chien.

— Maintenant, c'est assez pêché pour aujourd'hui. Va te donner un coup de peigne et mettre tes habits du dimanche, et vous irez tous les deux avec le locataire à la messe, dit-elle à son mari.

— Ma foi, tu as raison.

Il fit comme sa femme le lui avait conseillé. Il blagua avec le locataire tout le long du chemin, jusqu'à l'église. Là, ils firent leurs prières, puis ils rentrèrent à la maison.

La table était déjà mise et les attendait. Ils firent bonne chère puis allèrent faire la sieste.

Le lendemain ils se remirent en chasse...

Le mioche a grandi ! Il sort déjà quelquefois avec son papa pour l'aider à chasser...

Au bout de quelque temps, le papa mourut. Son fils l'enterra. Alors il chassa seul.

Maintenant il se porte fort bien ! Il ne pêche plus, parce que c'est l'hiver.

« Si vous êtes curieux de voir l'ondin, allez vous baigner et plongez bien profondément, mais il faut ne pas savoir nager. »

Il y avait en note au bas de la page :

« Voici comment j'ai composé ce récit : le soir en me couchant je me suis bien enfoncé sous les draps, et j'ai observé l'ondin. Je l'ai tellement étudié qu'ensuite je ne pouvais plus m'endormir. Je n'ai pour ainsi dire pas dormi de toute la nuit. »

Le lundi, Vania me remit un quart de feuille couvert de son écriture :

— Ajoutez cela à mon Ondin, ça en fait encore partie.

« Une fois dans la semaine, l'ondin vint passer un moment chez leur locataire, qui était malade. Il entra chez lui, et alla s'asseoir à la table, sur le banc.

— Eh bien, comment ça va ?

— Un petit peu mieux.

— Le médecin est venu ?

— Oui.

— Et qu'est-ce que c'est que vous avez ?

— C'est sûrement qu'on m'a jeté un sort.

— Là, là, c'est une sale maladie, hein ?

— Je vous crois.

— Je vais vous en raconter aussi une bonne, reprit l'ondin. Une fois, j'étais allé chez notre Seigneur faire une commission. On était justement en train d'y faire des galettes. Ils m'offrirent de ces galettes. Le roi ne cessait de dire qu'il devait me connaître, et il ne cessait de fixer les yeux sur moi. Et qu'est-ce que vous pensez ? Au bout d'un moment je me suis senti mal, et je n'ai même pas pu faire la commission dont j'étais chargé, et j'ai été obligé de m'en aller. Après ça, je suis resté deux jours sans chasser. C'est mon gars, le petit François qui m'a soigné. »

*
**

Les autres aussi m'apportèrent des compositions sur l'ondin. Je lus aux enfants celle de Vania. Ils rirent et assaillirent l'auteur de lazzis.

— Vania, demande donc à la femme de ton ondin la recette des âmes aux poivrons, tu me la copieras ? lança une des fillettes.

— Il faudrait d'abord que tu aies une âme, répartit Vania.

— Est-ce que c'est nourrissant ? railla Joseph.

— Si les ondins sont pansus comme des tonneaux, c'est pas de lécher les murs !

Madela secouait la tête d'un air d'incrédulité :

— Alors, chez les rois, on fait aussi des galettes ?

— Dame ! Je ne l'aurais pas dit, si ça n'était pas.

— Et combien payait-il de loyer, le locataire ? Est-ce que les chiens doivent aussi quelquefois porter la muselière chez les ondins ?

J'interrompis les enfants :

— Vous ne voudriez pas dire quelque chose de plus sérieux sur le travail de Vania ? Ne serait-ce qu'indiquer les passages qui vous ont plu et pourquoi ?

— Moi, ce qui m'a plu, fit Joseph, c'est la conversation chez le locataire malade. C'est tout à fait les propos que tiennent les compères.

— Moi, c'est l'idée des âmes aux poivrons, dit Simkova, il ne m'était encore jamais revenu aux oreilles qu'on puisse faire des âmes aux poivrons.

Madela ne put y tenir. Hochant la tête d'un air d'importance, elle dit :

— Mais voyons, il n'y a que Vania qui sache, tu sais bien...

— Est-ce que le récit de Vania vous fait l'effet de la vie ? coupai-je.

Joseph soutint ardemment que oui :

— Ça c'est sûr. C'est tout à fait dans la vie comme Vania écrit. Voyez comme il décrit ce qui se passe dans la cuisine, quand la femme de l'ondin fait cuire les âmes ! Et ensuite, lorsqu'est arrivé le locataire, qu'on lui a offert une chaise, et que tous ont gardé le silence un moment. Cela se passe souvent ainsi, quand quelqu'un vient « passer un moment ». Peut-être bien qu'il débourrait sa pipe, ou bien ne savait pas par où commencer, et ceux de chez les Ondins attendaient ; c'est pour cela qu'il y a eu un instant de silence.

— Parfaitement, Vania sait peindre d'une manière très réelle les scènes et les faits ; et les propos de ses personnages sont si vivants que nous les entendons effectivement en train de causer, et nous voyons les gestes qui accompagnent leurs discours. Rien dans son travail ne nous fait l'effet d'être inventé : les personnages avec leur milieu sont dépeints comme s'ils existaient réellement, leurs propos et leurs actes nous semblent résulter nécessairement de leurs besoins réels. Rappelez-vous les scènes de la cuisine avant et après l'arrivée du locataire, ainsi que la conversation qui se déroule alors... Et ce que j'apprécie tout particulièrement, c'est que Vania raconte tout simplement, comme il est habitué à parler lui-même, sans imiter, ni par le choix des mots, ni pour les phrases, aucun modèle littéraire ; même les propos de ses personnages sont sans recherche, rappelez-vous la conversation entre l'Ondin et le locataire malade ! Et Vania est de plus économe, il n'écrit sur chaque chose que ce qu'il faut, il n'enjolive pas son œuvre de remarques inutiles, de traits d'esprit, etc.

Il nous faut enseigner ces qualités à Madela. Les travaux qu'elle fait continuent à porter la marque du beau style de nos vieux morceaux choisis, et des œuvres littéraires célèbres : elle a des mots choisis hors de propos, impropres, plats et elle « fait des phrases ». Ce qu'elle écrit n'est ni du style populaire, ni de la pure langue écrite, c'est un mélange des deux. Madela aura à se décider pour l'un ou pour l'autre ; elle montre plus d'aptitude pour le premier, le style populaire, ce sera donc pour celui-ci qu'elle se décidera. Et elle devra également apprendre la sobriété d'expression.

Je vais vous lire ce qu'elle a fait sous le titre « Chez l'ondin » et nous tâcherons de débarrasser son travail des enjolivements inopportuns, de remplacer les mots mal choisis par les mots propres et exacts et de remanier les phrases de façon à ce que le tableau tout entier soit d'un même style et sans rien qui détonne [20]...

---

20. La suite des textes libres les Ondins se trouve en Annexe 1, p. 231.

Lorsque Bakulé publie les résultats de ses expériences pédagogiques, elles ne sont pas toujours comprises, même par les instituteurs :

Quand je publiai les résultats de mon expérience pédagogique, « travaux littéraires des enfants des écoles », la plupart des lecteurs me considèrent comme le plus effronté des charlatans : je faisais passer pour des travaux d'enfants mes propres œuvres.

C'était là, pour moi, un compliment. On était étonné de ces travaux. Et pourtant, il est bien vrai qu'ils avaient été écrits par les enfants. Quand je réussis à le prouver, cela provoqua un revirement. De nombreux instituteurs, pleins de zèle me demandèrent ma recette : comment fabriquer « vite et facilement » des écrivains avec les enfants des écoles...

Cette douloureuse incompréhension de la quantité aussi bien que de la qualité du travail pédagogique ne fut pas la seule dont j'eus à souffrir. Les journaux pour enfants et les « coins de l'enfance » de certains quotidiens se mirent à multiplier les productions littéraires d'enfants ; mauvaises à faire pleurer. La forme en était scolaire, la matière banale. Evidemment, les auteurs avaient été formés « vite et facilement ». Leurs maîtres ne comprenaient pas, ou ne voulaient pas comprendre, que mes enfants à moi avaient fait un long et solide apprentissage de la vie et de la littérature avant d'arriver aux résultats que j'avais publiés.

Mes souffrances ne devaient pas s'arrêter aux journaux d'enfants et aux « coins de l'enfance ». Des instituteurs dévoués ne ménagèrent pas leur argent pour faire connaître au public leur grand zèle pédagogique. Ils publièrent les œuvres de leurs élèves sous forme de livres ! Et ils couronnèrent cette folie en soutenant que les seuls auteurs convenant aux enfants étaient les enfants. « L'auteur-enfant est, paraît-il, le plus proche du lecteur-enfant. Celui-ci le comprend mieux que des auteurs adultes. Donc, les récits écrits par les enfants doivent figurer en première place dans les livres de lecture scolaire ! »

J'étais navré de voir cette incompréhension.

Le « style » de mes gamins et fillettes n'était pas une routine obtenue par un entraînement mécanique pendant des leçons de composition. C'était le résultat de l'éveil et du développement de l'observation individuelle, des sentiments, de l'intuition, du jugement, et enfin de l'éducation de la langue. C'est-à-dire, l'utilisation de toutes les particularités que l'enfant doit à son milieu familial et au pays dans lequel il vit.

Naturellement, je ne me bornais pas aux choses que les enfants assimilent, à leur façon, dans leur entourage. Je m'appliquais à ce qu'ils acquissent une base solide de pensées et de sentiments. Je leur apprenais à s'enrichir méthodiquement de tout ce qui pouvait leur permettre de s'élever intérieurement.

J'éveillais et j'éduquais en eux une réceptivité prompte et juste, je réveillais et je développais leur sensibilité et leur apprenais non seulement à « lire » rapidement ce que leurs sens percevaient, mais aussi à l'apprécier aussitôt par le jugement et à le transformer par leur fantaisie en de nouvelles valeurs. J'attachais une grande importance à la façon individuelle dont chaque enfant s'exprimait. J'affirmais et je développais en chacun les originalités de vocabulaire qui le caractérisaient.

Puis, en m'appuyant sur les œuvres des grands écrivains du monde dont le style est le plus caractéristique, j'apprenais aux enfants à reconnaître, à apprécier et à goûter la qualité artistique d'une forme littéraire.

J'entraînais les enfants à faire de nombreux essais en exprimant leurs impressions sous la forme qui leur était propre ou en imitant des exemples littéraires caractéristiques. Ils arrivèrent ainsi à acquérir une maturité de style remarquable.

Les riches connaissances qu'avaient mes enfants des choses de la nature, de la société, de la littérature, de l'art plastique et de la musique, leur donnaient des impulsions et des sujets pour leurs essais littéraires, dont le « style » était l'expression même de leur personnalité [21].

L'action de Bakulé renforce l'hostilité des pédagogues traditionnels contre les expériences pédagogiques tandis que ses résultats, sa conviction enthousiasment les jeunes éducateurs qui rêvent de pratiquer une pédagogie expérimentale.

C'est un tollé général, lorsque Bakulé propose aux instituteurs, à la conférence du district, de créer des « classes libres » et lorsqu'il réclame pour « l'instituteur instruit et consciencieux le droit de faire des expériences pédagogiques ».

Les conflits se succèdent plus que jamais.

Pendant toute cette période, Bakulé vit à l'hôtel ; l'hôtelier met de grandes tables à la disposition des enfants qui se réunissent après l'école avec Bakulé. Les plus grands restent parfois tard. Le directeur de l'école en prend ombrage et répand des calomnies sur Bakulé.

Un jeune collègue prévient celui-ci et lui propose de témoigner en sa faveur. Avec cet appui, Bakulé réagit et le directeur se voit contraint de lui présenter des excuses, par contre l'inspecteur menace de le révoquer.

Bakulé se rend auprès du nouveau préfet de police et lui fait part de ses difficultés. Après l'avoir laissé parler un long moment, le préfet répond :

« Je vous remercie de votre franchise. Je vous remercie d'avoir tant de courage. Vous m'avez convaincu. Je vais pouvoir agir. Rentrez sans inquiétude à Mala Skala. »

Renversement comique de la situation : le préfet fait suspendre l'inspecteur, mettre à la retraite le directeur et nomme Bakulé directeur de l'école ! L'amitié entre Bakulé et le préfet se renforce, ils partagent le même goût pour la littérature russe. Le nouvel inspecteur est bienveillant.

Quelques années de répit, quelques années de réflexion, d'observations et d'applications permettent à Bakulé d'enseigner aux mêmes enfants qu'il suit de classe en classe pendant plusieurs années durant. Il veille à ne pas attirer l'attention sur lui par ses discours et renonce à donner des conférences.

---

21. Extrait de la conférence *L'éducation par l'art*, donnée par Bakulé, vers 1927.

Première année : l'inspecteur visite la petite classe. Les enfants sont perchés sur les tables comme les oiseaux sur une branche. Chaque enfant s'intéresse à tout, n'a peur de rien. Bakulé laisse les enfants s'exprimer librement (ce qui n'était pas habituel à l'époque). Ils ne lèvent pas la main, sont assis où ils veulent, les plus petits à côté de Bakulé ou sur ses genoux.

L'inspecteur trouve cette discipline « tout à fait libre, bizarre, contre la loi, mais si charmante qu'il ne peut rien reprocher ».

Toutefois, il conseille à Bakulé de revenir, pour l'année suivante, à une discipline plus orthodoxe.

L'année suivante, dans la seconde classe, nouvelle inspection.

Les enfants entourent l'inspecteur, lui parlent de fleurs qu'ils viennent de cueillir. L'inspecteur gêné ne sait que dire. Bakulé dit aux enfants : « Vous parlez tous à Monsieur l'Inspecteur, mais il ne vous a rien demandé. Attendez ! »

Les enfants abandonnent les fleurs à regret. L'inspecteur interroge, les enfants répondent si gentiment que l'inspecteur sourit. Les enfants lui tendent la main et l'inspecteur est conquis.

Les inspections de troisième et quatrième année se dérouleront dans le même climat.

A cette époque, un inspecteur d'une circonscription voisine, intéressé par le travail de Bakulé, lui rend visite puis lui envoie des instituteurs en stage, pour que ceux-ci s'impreignent des méthodes et du style de vie que Bakulé pratique avec ses élèves à l'école et hors de l'école. Mais les stages, tolérés jusqu'ici par l'administration, sont interdits le jour où l'on apprend que Bakulé a reçu la visite d'un révolutionnaire russe et celle d'autres « éléments subversifs ».

En 1911, Bakulé est invité par les instituteurs de la ville voisine, à donner une conférence. Il improvise devant les élèves de l'Ecole Normale. Les jeunes écoutent avec enthousiasme et Bakulé se laisse entraîner par son sujet et parle de sa propre expérience malheureuse à l'Ecole Normale.

Ses propos interprétés comme une critique de l'actuelle Ecole Normale de Jicin, provoquent la réaction de l'un des professeurs.

Plainte est déposée contre Bakulé par le conseil de professeurs auprès de l'inspection générale.

Pour apaiser les esprits, l'inspecteur, favorable à Bakulé, tente de régler l'affaire par une bonne réprimande et la menace d'un nouveau déplacement en cas de récidive.

Mais à la rentrée, l'incident n'est pas oublié. L'inspecteur général et l'inspecteur d'académie arrivent à Mala Skala :

« On peut souffrir Bakulé à titre de curiosité, mais il ne faut pas que son exemple se propage, surtout parmi les jeunes instituteurs ! »

Bakulé comprend où l'on veut en venir.

L'inspecteur d'académie se rend seul dans sa classe pendant deux jours, alors que dans les autres classes il est accompagné de l'inspecteur local.

Bakulé craint la spontanéité de ses élèves surtout pendant la leçon d'histoire qu'il enseigne d'un point de vue sociologique. Pour canaliser les réponses, il interroge lui-même les enfants.

L'inspecteur écoute, note et reste toute la matinée dans la classe. Puis il interroge volontairement les moins doués et les nouveaux de la classe.

A la récréation, l'inspecteur interroge deux petites filles sur les commentaires de Bakulé à propos des illustrations affichées au mur. Parmi les images de géographie et d'histoire se trouvent des illustrations de chansons populaires, dont un sujet nu. C'est le « scandale » !

Bakulé se voit reprocher par l'inspecteur : « sa paresse, ses méthodes démodées, ses entreprises pédagogiques et scolaires illégales et ses erreurs ».

— Les enfants se réjouissaient de vous voir et de vous montrer ce qu'ils savaient, répond Bakulé... Mais vous êtes venu avec des lunettes noires. Je croyais pourtant que sur un point nous serions d'accord : vous avez été le premier inspecteur à citer Tolstoï et précisément ses pages sur la liberté.

— Je reconnais que vous avez une façon assez intéressante d'expliquer. Il est possible que vous deveniez un jour un bon instituteur.

Néanmoins, Bakulé doit contresigner un rapport qui conclut en ses termes : « Bakulé est tout simplement un instituteur ignorant dont la spécialité est d'employer différentes méthodes excentriques pour enseigner et éduquer. »

Bakulé restera encore un an à Mala Skala, avant d'accepter d'aller à Prague, éduquer des enfants handicapés.

Ce dessin et les suivants sont de Jarousek dit Sarkan (voir p. 66)

CHAPITRE 2

Bakulé et les enfants handicapés

Mars 1913-Janvier 1919

Le chœur des élèves Bakulé de Mala Skala est invité à venir chanter à Prague, pour la cérémonie d'ouverture du Congrès de Radiologie, le 7 octobre 1912.

La personnalité originale de Bakulé est alors remarquée par le chirurgien orthopédiste Jedlicka qui soigne et opère les adultes estropiés et parfois aussi des enfants.

Le professeur Jedlicka avait l'intention d'ouvrir à Prague une maison d'éducation pour les enfants infirmes. Il cherchait un instituteur qui ne soit pas esclave de la routine, pour l'aider. Cet instituteur devait avoir outre un esprit lucide, un bon cœur ; qu'il ne frappe pas les infirmes, ne les mette pas à genoux parce que certains n'auraient même pas la possibilité de le faire.

Jedlicka proposa à Bakulé de diriger cet institut.

Bakulé hésite puis accepte cette offre inattendue :

Quitter Mala Skala pour aller à Prague, c'est échanger la nature vivante, contre le pavé inerte et désert des rues de la ville.

C'est quitter mes enfants ! Des garçons et des filles avec lesquels j'ai vécu pendant douze ans... Abandonner ces enfants auxquels j'ai appris — bien avant qu'ils ne commencent à aller à l'école — à reconnaître et à aimer les fleurs, les arbres, les ruisseaux, les rochers, les insectes, les oiseaux ! Ces enfants qui, depuis six ans déjà sont mes élèves, qui ont vécu avec moi d'innombrables joies, et qui m'ont payé par la joie que j'ai reçue d'eux...

Les quitter pour aller chez des infirmes au corps disgracié...

(. . .)

Mais les infirmes ont besoin d'une plus grande aide encore que les enfants d'ici, qui ont la santé et les moyens de bien vivre leur vie...

La raison vint à l'aide du cœur, je me dis :

« Ici, tu ne pourras plus faire grand-chose de nouveau en tant qu'instituteur. Tout ce que tu pouvais faire de neuf à l'école communale, tu l'as fait. Chaque pas que tu essaies de faire en dehors de la voie tracée par le règlement, est puni... Si tu fais encore quelque chose ici, ils te renverront de Mala Skala dans un quelconque trou perdu. »

Alors j'ai écrit au Professeur Jedlicka :

« (. . .) Oui. Ce sera avec plaisir que je vous aiderai à organiser à Prague, un institut pour les infirmes et que j'y travaillerai... Je dois franchement avouer que je ne sais ni comment ni avec quoi. Je n'ai encore jamais vu un institut d'éducation pour enfants estropiés. Je n'ai rien entendu, rien lu à ce sujet [1]... »

Le professeur Jedlicka envoie à Bakulé des documents sur les établissements allemands de ce type et lui conseille d'aller les visiter, car à l'époque il n'en existe aucun dans l'empire austro-hongrois.

---

[1]. Toutes les citations de ce chapitre sont extraites du manuscrit de Bakulé, *Les enfants pauvres.*

Bakulé part en voyage d'études en Allemagne :

Poussé par la curiosité, je parcourais tous les instituts pour infirmes les plus connus d'Allemagne : à Dresde, à Berlin, à Neudorf, à Magdebourg, à Hanovre et à Leipzig.

Je ne découvris rien de surprenant ni d'étonnant. Dans aucun de ces instituts, je n'ai trouvé ce qui m'aurait complètement satisfait, même pas dans leur ensemble.

Je pensais que m'y serait révélée une façon spéciale d'éduquer et d'enseigner, destinée à ces enfants si particuliers que sont les infirmes.

Je n'ai trouvé dans toutes ces institutions que des écoles semblables à toutes les autres. Au programme habituel, on n'avait ajouté que quelques leçons de travaux manuels, ceci afin de préparer les infirmes aux métiers artisanaux avant qu'ils ne quittent l'école pour l'atelier.

Pour les éducateurs allemands, le but principal de l'éducation des infirmes était de faire du mendiant un travailleur capable de gagner sa vie. « Le travail redressera la tête de l'infirme », jugeaient-ils avec raison, et par « son travail, il restituera à la société, ce que son éducation a coûté. »

Tout ceci est juste en soi. Mais ce miracle — que l'infirme ait conscience de sa valeur, qu'il ait confiance en lui — n'est pas causé par quelques heures de travaux manuels, ajoutées au programme habituel de l'école publique. On n'atteint pas un but si élevé en augmentant les leçons. C'est l'éducation et non l'instruction qui fait redresser la tête.

Chaque institut que j'ai visité en Allemagne avait son caractère propre : une façon particulière d'éduquer et de soigner liée à la personnalité de son directeur.

— *L'institution de Dresde :* (Institut de la Reine Carole) était gérée par une société de bienfaisance. Tout, dans l'immeuble calme, caché dans un grand jardin, respirait cette bienfaisance. Les enfants se blottissaient contre les vieillards, gens dignes et aimables, qui leur servaient de surveillants. Les infirmes se sentaient bien dans cet abri agréable où ils étaient choyés en compensation du triste sort que la nature leur avait réservé.

Mais comment supporteront-ils les vents rudes lorsqu'ils quitteront l'institut et se retrouveront au milieu de la lutte pour la vie, parmi les étrangers souvent sans scrupules, parmi les égoïstes insensibles et les concurrents grossiers ?

« Non, tu n'élèveras pas de telles plantes de serre dans ton institut », me disais-je, après ma visite à l'institution de Dresde.

— *L'Institut de Berlin* était en pleine ville, annexé à l'hôpital. Le Directeur de cet établissement était à la fois chirurgien et professeur d'université. Il s'efforçait de corriger le mal dont la nature avait frappé ces infirmes, à l'aide d'opérations chirurgicales et de traitements orthopédiques.

Il essayait de redresser leur corps déformé, de rendre leurs membres plus souples, plus aptes à travailler.

En réfléchissant, je me disais que, cependant, ce n'est pas tout ce dont les infirmes ont besoin, que ce n'est qu'une partie des soins que l'on doit leur donner pour les préparer à la vie...

— Le Directeur de *l'Institut de Magdebourg,* ressemblait à un paysan, par sa taille robuste, et par ses manières. Ses vêtements témoignaient qu'il passait plus de temps à l'étable et dans les champs qu'au bureau et à l'école.

Après une rapide visite de la maison, il me mena au jardin. Pas de fleurs — mais une avalanche de légumes ; la plus petite parcelle de terre était exploitée ! Parmi les planches de carottes, de choux, de persil, d'oignons, de choux-fleurs, fourmillaient des infirmes. Chacun travaillait avec ardeur ! Ils bêchaient, sarclaient, désherbaient, arrosaient avec une ingéniosité et une dextérité qui étonnaient étant donné leur handicap physique.

Le directeur m'emmena vers un bâtiment où se trouvaient quatre-vingts porcs : « Nos infirmes s'en occupent tout seuls. Ces petits les aiment beaucoup. N'est-ce pas ? »

Ce qu'affirmèrent avec fougue les infirmes qui se pressaient derrière nous dans l'étable. Le soir, quand je réfléchis à ce que j'avais vu dans cet institut, je me dis : « Il me semble que ce paysan-éducateur est sur le bon chemin avec ses infirmes. »

Longtemps je pensais à ses moyens et à ses façons éducatives, qui, en beaucoup de points s'accordaient avec ce que moi-même j'avais reconnu comme bon pour l'éducation préparant à la vie. Ceci, non seulement pour les infirmes que jusqu'ici je n'avais pas connus, mais aussi pour les enfants normaux.

Oui, utiliser le travail physique pour éduquer, le travail physique véritable, tel que la vie nous le demande, non pas comme complément d'un horaire scolaire courant, comme complément d'une activité intellectuelle, mais surtout comme point de départ et base de tout le travail d'éducation et d'instruction. Si la maison de Magdebourg me captivait par le fait qu'elle utilisait aussi le vrai travail physique pour l'éducation des infirmes, la dernière que je visitai, celle de Leipzig, m'attira par son esprit.

— *L'institution de Leipzig*

Dans celle-ci seulement, j'ai eu l'impression que les pensionnaires ne sentaient pas qu'ils étaient infirmes. Ils m'accueillirent d'un cri joyeux, avec des chants et des rires enthousiastes. Non, ce n'était pas comme ça : ils ne m'ont pas accueilli. Ils riaient, chantaient, hurlaient uniquement pour leur propre joie. Ils fêtaient l'anniversaire du triomphe des soldats allemands sur les Français à Sedan en 1870 ! Alors, quand je suis arrivé chez eux, ils ne m'ont pas accueilli mais assailli en guerriers. Lorsque je traversai le parc qui entourait la maison pleine de tapage, une troupe d'indiens a bruyamment surgi des buissons et sauté sur moi, les têtes parées de plumes, les joues teintées de couleurs de guerre, les mains pleines d'armes... C'était des indiens étranges : à l'un manquait le bras, à quelques autres les jambes ; d'autres encore avaient la colonne vertébrale déformée. Ceux qui rampaient sur le ventre avaient le bas du corps paralysé de telle sorte qu'ils ne pouvaient pas se tenir sur leurs pieds. Mais aucun visage d'indien ne reflétait un sentiment d'insuffisance. Au contraire, de leurs yeux sortaient de petites flammes de combativité féroce et de vaillance pleine de foi.

Le lendemain, je revis mes indiens, cette fois-ci « en civil » : des écoliers écoutant une leçon d'histoire. L'institutrice, jeune, pleine de vie, répétait avec eux une leçon, permettant ainsi à ses élèves, de se réjouir encore une fois, des événements qui s'étaient déroulés à Sedan.

A la question « qui avait remporté la victoire ? », un « Nous » explosa dans la classe !

Dans une voiture était assis un garçon d'environ treize ans. Il avait les deux jambes amputées aux cuisses, et le bras droit, à l'épaule. Avec la main gauche, il se frappait la poitrine et hurlait comme un fou « Nous, nous, nous », même après que les autres se fussent tus.

Pendant la récréation, je sortis avec les infirmes. Là, j'aperçus deux garçons appuyés au mur, qui regardaient avec plaisir ma haute taille. L'un avait de petites béquilles et l'autre redressait son corps en appuyant ses bras sur ses genoux. Quand je passai près d'eux pour la seconde fois, ils me saluèrent respectueusement et l'un me demanda :

— Avez-vous été soldat ?

— Non, je ne l'ai pas été et je ne voudrais pas l'être.

Les deux enfants me dévisagèrent avec mépris et me tournèrent le dos. Je fus très impressionné par cette attitude nationaliste et guerrière. (...)

Le soir, je pensais à tout ce que j'avais vu. C'était la dernière étape de mon voyage d'étude. A Dresde, les infirmes dans le sombre et calme milieu d'un vieux parc, dans l'ancienne maison, sous la protection de vieilles gens, qui n'attendent plus rien de la vie. L'impuissance de la vieillesse a fait d'eux des éducateurs bienveillants et doux mais sans esprit d'entreprise et sans hardiesse. Ils ne sont plus capables de montrer comment il faut se battre avec les obstacles qui se mettent en travers du chemin de la vie. Ils donnent à leurs élèves seulement ce qu'eux-mêmes souhaitent le plus :

la tranquillité et la douceur. Par une prudence exagérée, ils font de ces enfants des plantes de serre qui ne supporteront pas le vent rude d'une nature libre, où il n'y a pas seulement le soleil souriant, mais aussi des orages et des bourrasques...

La maison de Leipzig est le contraire de celle de Dresde : elle est située dans un jardin clair, le soleil y pénètre par de multiples fenêtres. A côté des petits élèves, vivent des jeunes gens, sans amertume, pas encore fatigués de la vie, qui, par leurs rires et leurs chants, ont pu réveiller la joie de vivre chez leurs pauvres élèves (peut-être par leur seul exemple) ; les infirmes eux-mêmes rient et chantent.

Mais, nulle part n'existait la joie pure.

Comme l'institutrice savait bien fouetter l'enthousiasme guerrier dans une pauvre épave de corps humain, pour que son élève en arrive à se frapper la poitrine en hurlant sans discernement à la manière des hommes préhistoriques !

L'éducateur des infirmes de Magdebourg, à la fois, éleveur enthousiaste de cochons et producteur de légumes, avait créé un milieu plus pacifique et plus fécond pour ses élèves.

Oui, oui ! C'est d'après les idéaux personnels et les penchants de l'éducateur lui-même, que se crée le milieu éducatif. Cela je le savais depuis longtemps. Ce que j'ai vu dans les instituts allemands d'éducation pour infirmes m'a seulement confirmé dans cette idée.

Et dans ma tête commença à se dessiner « mon propre Institut » pour l'éducation des infirmes.

Je créerai un milieu fort, éducativement efficace. Je le remplirai d'un autre idéal que celui vu en Allemagne. Les enfants infirmes riront aussi ; ils chanteront aussi, comme ceux de Leipzig ; mais la source de leurs rires et de leurs chants sera la gentillesse de leur cœur. Ils riront et chanteront parce qu'ils sentiront que, même pour eux la vie a des joies. Oui, je leur ferai connaître la joie du travail qui sera continuellement leur ami, leur éducateur. Il les affirmera et les armera pour les combats de la vie. Ce ne sera pas seulement un complément aux heures de travail intellectuel : au contraire, le travail sera leur point de départ et la base d'activités multiples et intenses par lesquelles ils répondront à ce que la vie leur demandera.

La vie, l'expérience de la vie, à côté du travail physique, sera leur éducateur avant tout.

Et l'idéal ? Le plus haut : être un homme bon et noble. Les infirmes démontreront que dans un corps déformé peut habiter un esprit droit. Ce sera mon apport à la construction de l'Institut des enfants tchèques. C'est décidé. J'irai chez les infirmes. Là, je pourrai tenter beaucoup d'expériences comme instituteur et éducateur, derrière le mur de l'Institut, derrière ce mur qui me protègera des surveillances impériales, royales, des bureaux scolaires autrichiens.

Bakulé écrit au Professeur Jedlicka en posant ses conditions :

Je viendrai, mais à condition que vous me donniez une liberté complète dans mon travail d'éducateur et d'instituteur, et que vous fassiez en sorte que je ne sois pas atteint par ceux qui veillent à ce que l'on forme en citoyens autrichiens les enfants tchèques.

En février 1913, le Professeur Jedlicka invite Bakulé à Prague pour définir leur accord :

Jedlicka accepte mes projets d'organisation de l'institut et me promet de ne pas intervenir dans mon travail, et aussi, de me couvrir auprès de l'autorité autrichienne.

Ensuite il m'emmène à Vysehrad. Là, au cœur des vieilles fortifications de Prague, il s'arrête près d'un bâtiment de deux étages, sale et laid. On l'appelle « Pologne » ; il est habité par les pauvres de la périphérie. Dans la cour se trouve une maisonnette aussi sale que le bâtiment, mais vide.

« Vous commencerez ici, me dit-il. Quand les maçons auront arrangé les murs, vous y emménagerez et ferez de cette maison un joli nid pour vos prochains élèves. La ville de Prague m'a promis des appartements pour reloger les habitants de la grande maison. Lorsqu'ils la quitteront, vous aménagerez aussi cet immeuble pour l'institut. »

Premiers jours à Prague. En mars 1913, Bakulé aménage la petite maison.

A Prague, les premiers temps, j'étais triste. La petite maison, le prochain « joli nid », était, c'est vrai, déjà propre, mais vide et déserte. Presque vide, aussi, était la pièce qui devait me servir de chambre...

C'est bien comme cela, me suis-je dit en traversant toutes les pièces de la maison. Et, m'asseyant sur mon lit de camp, je réfléchis à la façon dont j'arrangerai tout.

Au moins, tout sera comme tu le désires, approprié à tes projets. Tu ensemenceras sur une surface vide...

Les jours suivants, Bakulé s'affaire, achète des meubles, surveille le travail des ouvriers, prépare tout ce qui est nécessaire pour le fonctionnement de l'Institut.

Avant la fin du mois de mars, l'aménagement de « l'Institut pour le traitement et l'éducation des infirmes » est terminé. Au premier étage, dans le voisinage de ma chambre, j'ai installé un atelier, la pièce essentielle de l'Institut. Là, les élèves se réuniront pour le travail.

Au même étage, deux dortoirs pour les enfants et, entre eux, une petite chambre pour l'infirmière ; elle sera une « maman » pour les enfants, une ménagère et une cuisinière pour tout l'Institut. A l'entresol, le bureau, la cuisine, la salle à manger et le dépôt de matériel pour le travail. Dans le grenier, j'installe une petite chambre pour deux jeunes filles qui seront les « sœurs » des élèves et les aides pour le ménage de l'Institut.

Bakulé choisit ses collaborateurs :

Au mois d'avril, mes collaborateurs commencèrent à se réunir. De Hanovre est arrivée la « maman ». Le professeur Jedlicka l'avait envoyée dans un institut afin qu'elle voit comment diriger le travail qui l'attendait à Prague.

En même temps, sont arrivées Marjanka et Miluska, deux de mes anciennes élèves de Mala Skala, pour être les « sœurs » des infirmes.

Marjanka, la soliste de mes chanteurs de Mala Skala, était une orpheline qu'un lointain parent attelait aux travaux les plus durs, à l'étable comme à la maison. Elle aimait ardemment la lecture et avait une riche imagination et un cœur sensible.

Lorsque je l'entendais chanter, je savais ce qui se passait en elle. Et comme elle chantait du matin au soir, j'étais toujours renseigné sur son humeur et ses idées !

Miluska, issue d'une famille de onze enfants, aimait bien apprendre à l'école. Elle était, aussi, soliste de mes chanteurs de Mala Skala et avait un alto merveilleux.

Elles avaient toutes les deux quatorze ans. Elles étaient invitées à Prague pour aider à créer une ambiance joyeuse dans un milieu qui deviendra une société d'enfants handicapés.

Les enfants vont aider des enfants, les pauvres vont aider des pauvres.

L'arrivée des premiers enfants :

Le premier *Vojta,* vient de la montagne du Nord. Fils d'un ouvrier tisserand ; beau garçon, bien bâti, mais quels bras ! A la place du bras droit, il n'a qu'un moignon auquel s'attache à angle droit une main à trois doigts.

A la place du bras gauche, un avant-bras de quelques centimètres avec une main à quatre doigts tordus. Aux deux mains, manquent les pouces. Avec ses quatre doigts tordus, il lui est impossible de donner une poignée de main ; il arrive juste à bouger un peu les doigts, lentement, d'une façon saccadée.

Jusqu'à présent, la vie de Vojta n'a guère été joyeuse. Il n'a connu que la pauvreté. Du matin au soir il regardait son père tisser. Ses sœurs anémiques préparaient le fil à tisser et sa mère cherchait, inlassablement, à nourrir et faire vivre la famille... Avec ce travail, ils avaient à peine de quoi ne pas mourir de faim. Vojta, lui, aidait seulement à manger le pain... Tant qu'il alla à l'école, il ne se rendit pas compte qu'il n'était qu'un parasite pour sa famille.

Cette idée brutale lui vint à quatorze ans, quand, restant toute la journée à la maison, il vit tous les autres membres de sa famille travailler durement, sans relâche. Et il ne pouvait en rien les aider... il n'était bon à rien !

Son âme d'enfant s'assombrit. Après quelques tentatives sans succès, Vojta perdit tout espoir de pouvoir faire quelque chose d'utile. Il en vint à détester la vie : alors il chercha à s'en débarrasser et, ainsi, à débarrasser sa famille du poids mort qu'il était.

C'est dans cet état d'esprit qu'il nous parvint...

Après Vojta, arrive *Jarousek*. Il a cinq ans et demi, sa maman nous l'apporte sur son dos. Ses petites jambes sans muscles, paralysées, n'ont pas pu le porter jusqu'à nous. Il ne peut se servir de ses jambes que lorsqu'il se soutient avec ses bras ; autrement il court comme un chiot — à quatre pattes.

— Jarousek, montre à Monsieur le Directeur comme tu sais bien dessiner !

La mère sort de sa poche un petit morceau de papier chiffonné et un tout petit bout de crayon. Elle pose le papier sur une chaise et donne le crayon au garçon. Sans tarder, sur la surface du papier, un long train se met à rouler, fumant copieusement. Un train avec tout ce qu'il faut à un train qui se respecte ; de la locomotive, avec sa cheminée, son sifflet et ses bielles, au tander avec son tampon et sa lanterne. Et la mère ajoute :

— Oh, Jarousek, il dessine tout le temps quand il est seul à la maison. Il n'est pas admis à l'école à cause de son handicap, alors il reste seul car je suis veuve et dois gagner ma vie en portant le charbon. Le matin, je lui prépare un grand pot de café et du pain, pour la journée. Je lui donne aussi des bouts de bois et des petites boîtes pour jouer, et du papier et un crayon. Je vous en prie, prenez-le dans votre Institut, peut-être deviendra-t-il un peintre, parce que s'il reste, sans aller à l'école, tout le temps assis à la maison à regarder par la fenêtre, je ne sais pas...

— Eh bien, nous essayerons d'en faire un peintre, dis-je, coupant court aux discours de la mère.

Et Jarousek, (surnommé plus tard Sarkan), est entré dans notre nid.

Le troisième arrivant est Sylva :

Agé d'une quinzaine d'années, il est du même pays et du même milieu que Vojta.

Mais il y a une grande différence entre les deux garçons : Vojta est né handicapé, Sylva l'est devenu.

Un logement humide et malsain, une nourriture insuffisante ont provoqué chez lui une décalcification qui a terriblement tordu sa colonne vertébrale... Sylva est un petit bossu au corps court, aux jambes longues et minces, qui respire avec difficulté. Il n'est pas fait pour le dur métier de tisserand et sa famille n'est pas en mesure de lui trouver un autre travail. Et malgré tout cela, dans cet être minuscule se cachaient de vrais trésors... Il suffisait d'en trouver la clé !

Frantisek :

Nous avons été obligés de nous battre, avec l'aide de l'Administration, pour notre quatrième pensionnaire. Sa mère ne voulait pas s'en séparer... Frantisek est né sans bras — sans la moindre trace de bras. Cela ne l'empêche pas d'être le pire coquin du village ! Il sort vainqueur de toutes les bagarres, grâce à ses attaques inhabituelles et à ses « trucs » de lutteur. Il attaque avec la tête : un coup de tête sous la ceinture de l'ennemi ! Ou bien il fait un croche-pied. Une fois par terre, le rival est entouré et maintenu d'une jambe et battu avec l'autre jambe...

L'instituteur de son village natal, lui a appris beaucoup de choses. Il a commencé, avec succès, à éduquer ses pieds en mains. Il lui a même appris à écrire avec son pied.

Frantisek n'est pas affecté par la situation de sa famille. Son père est bûcheron, sa mère et ses sœurs fabriquent des brosses à la maison. Tous travaillent... et boivent assidûment, même Frantisek.

Sa mère envoie le garçon sur le chemin de la gare. Là Frantisek fait la révérence à tous les passants qui lui jettent des pièces. Le petit malin, ramasse la monnaie avec ses orteils et met les pièces dans la poche intérieure de sa veste, sous les yeux étonnés des passants.

Sa mère sort l'argent des poches de Frantik, et l'échange contre « ce liquide qui donne l'oubli ». Il est vrai qu'elle ne triche pas : Frantisek a sa part d'alcool !

Maintenant vous comprenez pourquoi elle ne voulait pas s'en séparer : il était sa mine d'or ! Un bien comme cela, ceux qui le possèdent n'aiment pas le perdre !

Elle nous l'a conduit uniquement parce que l'Administration l'a obligé à le faire. Vous devinez aussi quel aurait été l'avenir de Frantik s'il était resté sous la direction de sa mère...

Jenda :

Il est venu après Frantisek. Nous ne le voulions pas au début. Son père l'a apporté sur son dos, de la même façon que Jarousek nous est arrivé sur le dos de sa mère. Lorsque Jenda fut descendu du dos paternel et assis par terre, il nous apparut clairement qu'il était déficient mental. Il avait une tête démesurément grosse, des yeux sans lumière, des dents abîmées et la salive lui coulait des lèvres. De plus, il était paralysé au-dessous de la taille et ne pouvait pas tenir sur ses jambes. Pour se déplacer, il rampait sur les bras en traînant derrière lui, son corps.

Le projet de l'Institut était d'accepter des enfants handicapés moteur, sans déficience mentale.

C'était une bonne résolution : il y avait des milliers d'estropiés et les places dans l'Institut étaient rares. Cela relevait donc du bon sens, de ne prendre que ceux pour lesquels nous avions un espoir, ceux pour qui notre enseignement pouvait éveiller un intérêt. Ceci est une position facile à comprendre... sauf pour le père d'un enfant arriéré...

Bakulé finit par accepter Jenda. Il pense que pour sa pédagogie expérimentale, il est bon de faire une exception à la règle.

Ainsi Jenda fut accepté parmi nous et jamais je n'ai regretté ma décision...

Après ce que je viens de vous raconter sur les cinq premiers arrivants de notre petite maison, vous pouvez imaginer le genre de pensionnaires que l'on nous envoyait et de quel milieu familial venaient nos handicapés.

Le premier souci de Bakulé est d'instaurer une liberté complète pour ses enfants ; ainsi pourra-t-il mieux les observer.

C'est par le jeu qu'il commence leur éducation et qu'il exerce leurs aptitudes morales et physiques. Profitant de l'inclinaison qu'ont les enfants à imiter les grands, Bakulé les conduit insensiblement du jeu aux travaux ménagers, puis au travail physique dans les ateliers.

Le jeu, qui pour les enfants est l'activité la plus naturelle et la plus commode, le jeu révèle l'âme des enfants et leurs aptitudes physiques, il satisfait leur besoin de mouvement et d'activité.

Les enfants s'adaptent à leur nouvelle vie :

J'avais maintenant douze enfants. Ils commençaient à s'habituer à la vie calme de la petite maison.

Le prêtre, Aloïs Tylinek, nommé catéchiste de l'Institut, propose sa collaboration. J'ai été conquis par ce prêtre sincère. Mes estropiés aussi. Ils aimaient bien ses visites. Il savait non seulement leur parler mais aussi jouer avec eux. L'accord entre nous venait de ce que nous étions tous deux des marginaux ; moi, j'étais contre les autorités publiques ; lui, contre celles de l'Eglise. Son entrée dans notre maison ne changea rien à notre vie.

Mais l'Administration austro-hongroise nous tira de ce paradis... Les premiers cercles officiels qui se sont intéressés à nous, ce furent naturellement les autorités scolaires. Elles nous ont demandé avant tout, comme de juste, notre programme. Peu importait à ces Messieurs que ce fût le premier établissement de ce genre existant en Bohême, en Autriche et même dans le monde ; qu'il fallût observer, étudier ce nouveau type d'écoliers, acquérir de l'expérience, chercher, examiner, adopter, essayer, puis écarter, réprouver, améliorer et réformer. Envoyer le progamme ! Cela est prescrit par le texte de la loi, et il faut obéir à la loi. J'ai donc envoyé un programme, puis, la conscience tranquille, oubliant les autorités, je me suis attaché, corps et âme, à mes enfants.

Bakulé expose le type d'enseignement qu'il entend donner à ses enfants handicapés :

Que faut-il à nos enfants, au plus tôt ? Le plus indispensable ? En les regardant tous... leur apparence et leur façon d'être me donnent raison : il ne leur faut pas de matières scolaires...

Voilà Frantik qui tente d'ouvrir une porte. La poignée

en est haute et le garçon petit. Eh bien, il te faudra un long entraînement, petit garçon, pour arriver à la hauteur habituelle d'une poignée de porte. Tu ne peux pas donner des coups de pieds pour demander son ouverture si tu as besoin de rentrer...

Ouvrir des portes est très utile dans la vie de tous les jours. De cela, tu en auras besoin... Et combien d'autres situations semblables auras-tu à résoudre, Frantisek, pour pouvoir bien entrer non seulement dans une pièce, mais dans la vie...

Et Jenda ! Essayez de lui donner un abécédaire et de lui apprendre à mettre une lettre à côté d'une autre, un mot après l'autre ; de les collectionner pour faire une phrase... Collectionner, oh ça, oui. Mais à la façon d'une pie : tous les clous qui traînent dans l'atelier, les bouts de bois, les vis, les bouts de ficelle ou d'osier. Tout cela, oui, car, de ces choses réelles pour l'esprit de Jenda, on peut faire des inventions magnifiques. Par exemple enfoncer un clou dans une planche, ficeler un écrou et faire passer par l'ouverture un fil de fer...

Collectionner, amasser des choses, mène vers une activité en rapport avec ses capacités — ayant un sens, une utilité pour Jenda. Sur ce chemin-là, il arrivera davantage près de ce qu'il lui faut dans la vie que par les chemins de son abécédaire... Combien de marches, de degrés il te faudra gravir, Jenda, avec ton corps et surtout ton esprit paralysés pour atteindre un niveau suffisant, pour entrer par la bonne porte, dans le savoir. De toute façon, vous avez tous les deux assez de temps pour penser à l'avenir et vous pouvez profiter de ce temps pour apprendre autre chose, et vous n'êtes pas pressés de suivre le programme scolaire...

Pour Vojta et Sylva c'est autre chose ! Ils savent, eux, qu'ils ne sont bons à rien malgré leur certificat de fin d'études. A ceux-là il faut apprendre rapidement ce qu'ils ne savent pas encore : il faut qu'ils sachent rapidement que, même eux, déshérités par le sort — peuvent vivre. Vivre sans mendicité, sans être un poids pour la société. Vivre heureux ! Mais ils ont déjà trouvé leur but : ils ne perdent pas de temps à philosopher. Ils ont trouvé leur but : ils y vont tout droit ! Vojta, un crayon enfoncé entre ses quatre doigts malhabiles s'exerce à dessiner des lignes droites et des courbes de toutes sortes...

Avec Sylva, nous avons conclu un pacte. Il est assis sur un tabouret — sous la fenêtre pour avoir la lumière du haut — et avec un couteau, il sculpte un cadre en bois...

Maintenant j'espère que vous comprenez pourquoi il était prématuré de songer à la lecture, à l'écriture et au calcul...

Je ne pensais donc plus ni à l'école, ni aux programmes, et je cherchais, cherchais sans relâche, les voies par lesquelles les membres de ma communauté sortiraient de leur enfer spirituel pour être conduits à leur place, au milieu de la société. Ils ne devaient pas être des parasites que l'on tolère par pitié, mais des membres productifs capables de se procurer eux-mêmes ce dont ils avaient besoin pour vivre. Je me dis : « mes enfants doivent apprendre à vivre. » Bien. Il faut donc qu'ils sachent ce qu'est la vie, la vraie vie, celle qui se joue hors du coin obscur où ils se sont blottis jusqu'ici ; la vie telle qu'elle bruit hors de la petite maison où, en ce moment, ils se serrent contre moi. Ils doivent connaître cette vie dont les exigences sont grandes et toutes différentes de celles pour lesquelles je devais, à l'école, les munir de recettes d'après les fameux programmes ; la vie telle qu'elle est ; qui tour à tour nous broie et nous comble ; la vie où nous luttons jusqu'au sang et où nous marchons parfois d'un pas léger et insouciant vers le bonheur. Voilà à quoi ils doivent être préparés. Comment ? Mais par la vie elle-même. Il n'existe pas de meilleur maître. La vie devra donc s'approcher des enfants, se faire connaître à eux, dire ce qu'elle veut.

Alors, j'ouvris portes et fenêtres toutes grandes à la vie pour qu'elle pût arriver jusqu'à mes petits, tout près, jusqu'à toucher leur corps, à effleurer leur esprit.

Comment Bakulé amène les enfants à se prendre en charge.

Je fondais une société de petits enfants, mais une vraie société, comme en constituent d'habitude les grandes personnes. Et je m'attachai à ce que tous les enfants s'y sentent heureux, et qu'ils ressentent comme une vraie perte d'en être exclus...

Pour en faire partie, chaque membre avait des devoirs qu'il lui fallait remplir sans faille. Au début, il ne s'agissait que de tâches simples : celles dictées par les besoins courants des petits handicapés...

Lorsque je vis que tous les petits « citoyens » s'étaient habitués et se plaisaient bien chez nous, je me décidai à organiser leur vie à l'Institut de manière à leur donner un bon caractère et à les préparer à la vie à l'extérieur.

Sans tarder, je me mis à élaborer mon projet. Non pas en prêchant — les mots passent en coup de vent, sans toucher les oreilles de ceux à qui nous les adressons, ils ne touchent pas l'esprit, ne secouent pas le cœur.

Il me fallait absolument atteindre ces deux puissances-là !

Il me fallait éveiller un intérêt réel et vivant pour tout ce qui devait les préparer à la vie.

J'essayai donc de préparer dans notre communauté, des situations semblables à celles que nous rencontrons dans la vie — ce qui conduirait mes élèves à des réflexions, à des décisions et même à l'action. De petites performances et de grandes actions pour que les membres du groupe aient l'occasion, ensemble ou séparément, de voir qu'ils ont un rôle à jouer dans la vie civique de notre petite maison, que par leur travail ils sont utiles à la communauté.

Je commençais avec les aînés. J'invitai et reçus dans mon bureau, avec cérémonie, Vojta et Sylva.

— Les garçons, dis-je, j'aimerais rassembler tous les habitants de notre maison dimanche après-midi. Dites-moi comment faire ?

— Eh bien ! nous le leur dirons, proposent les garçons.

— C'est vrai, c'est simple ! Mais voyez-vous, je voudrais que cette réunion soit quelque chose de spécial. Un événement. Que les enfants l'attendent avec joie, y pensent avec impatience.

— Alors là, nous ne savons pas comment faire, avouèrent-ils.

— Et si nous faisions comme font les adultes ?

Chez nous, au village, c'est le tambour qui annonce tout, dit Sylva.

— Mais nous n'avons pas de tambour chez nous. Ne peut-on faire autrement ?

— Ah ! je sais, dit Votja, quand j'allais en ville j'ai vu qu'on se servait d'affiches pour convoquer les gens aux réunions. J'essaierais bien de faire une affiche !

— Très bonne idée ! Mais il y a parmi nous des petits qui ne savent pas lire. Comment veux-tu que l'affiche écrite les intéresse ?

Silence chez les garçons. Réflexion. Sylva reprend à nouveau :

— En ville, il y a bien des publicités avec des images ! Si nous faisions une affiche dessinée ? Cela devrait attirer même les petits. Et ils voudront savoir ce qui est écrit à côté du dessin. Alors ceux qui savent lire pourront aider ceux qui ne savent pas encore.

Nous nous mettons d'accord sur le texte, et les voilà prêts à réaliser leur projet : Sylva doit s'occuper de la mise en page ; Vojta de tout ce qui est écrit.

Nous nous séparons assez cérémonieusement, ce qui ne manque pas de les surprendre — d'habitude nous étions très familiers... Mais c'était le premier pas vers le réveil de leur orgueil. En les consultant avec sérieux, en leur confiant un travail important pour notre communauté, je voulais leur montrer que j'avais besoin de leur collaboration.

En moins d'une heure Vojta et Sylva sont de retour dans mon bureau et me montrent leurs œuvres !

Sur le dessin de Sylva, un garde-champêtre, tambour en bandoulière, et des villageois autour, en train de l'écouter.

Vojta avait écrit le texte.

Je donne mon accord pour une exécution définitive !

— Mais où allons-nous faire les affiches, pour que les enfants ne les voient pas avant que nous ne les ayons terminées et collées au mur ?

— Et pourquoi veux-tu les cacher ?

— Pour que ce soit une surprise !

— D'accord ! Vous pouvez travailler dans mon bureau ! »

Le jour de la réunion !

Dimanche, bien avant l'heure de la réunion, l'atelier ressemble à une ruche ! Tous les enfants sont là et aussi leurs « sœurs » et leur « maman ». Au milieu de la foule, domine Jenda sur sa chaise spéciale... Lorsque j'entre, l'assemblée se tait. Je m'installe sur l'établi qui a ainsi l'honneur de devenir pour l'occasion la chaire du Président. Après avoir très officiellement (et inutilement) demandé le silence, je commence mon discours :

— Mesdames et Messieurs ! (Ceci fait sourire Frantik, mais visiblement lui fait plaisir car il se tient tout de suite plus droit !) Je vous ai réunis à l'aide des affiches faites par Sylva et Votja pour vous consulter sur la façon dont nous allons mener notre vie dans cette maison. Vous êtes un peuple libre ! Chacun de vous pourra dire ce qu'il pense. Et pour que notre Conseil soit mené comme il se doit, je vous demande de m'accorder la présidence pour cette réunion, moi qui vous ai réunis. Etes-vous d'accord ?

La réponse est unanime : « Oui ! »

— Bien. A partir de maintenant, vous demanderez la parole en levant le bras. Frantik peut lever la jambe. Moi, en qualité de Président, je vous donnerai la parole les uns après les autres. Vous vous sentez bien ici, dites-vous. Beaucoup mieux qu'avant. Du matin au soir, vous pouvez jouer dans l'atelier plein de jeux et d'outils ; ou dans la cour sur le tas de sable et sur la pelouse. Mais croyez-vous que vous pourrez continuer éternellement à vivre ainsi, sans soucis ?

Tous me regardent un peu étonnés.

— Non, vous ne le pouvez pas et c'est pour cela que je vous ai réunis. Mais que faut-il faire ?

— Bien apprendre nos leçons ! répondent les petits, comme on leur a dit à l'école.

— Apprendre à gagner de l'argent, pensent les plus grands.

— Travailler, est la réponse de Sylva, l'aîné.

Vojta le regarde. Travailler. Bien sûr...

— Facile à dire, dit-il. Sylva a deux bras et deux mains ! Et je vois son visage attristé se pencher.

Je regarde Frantisek. Il semble plus petit tout à coup et ne dit rien — lui si bavard d'habitude... Il me faut vite intervenir :

— Oui, travailler, leur dis-je. Vous ne vous doutez pas que Sylva a trouvé le médicament miracle qui guérira toutes vos maladies. Le travail vous aidera à gravir les échelons. Il vous enrichira — non seulement en argent (ce qui vous donnera la possibilité d'acheter ce qu'il vous faut pour vivre convenablement) — mais aussi en joie ! La joie de vivre qui est plus précieuse que la fortune ! Aujourd'hui, je peux assurer à Vojta, à Frantisek et à tous ceux que la nature sans pitié voulait rejeter hors des rangs des travailleurs, qu'elle n'y réussira pas si eux, veulent le contraire ! Mais il faut le vouloir très fort et avec persévérance. Nous nous unirons dans notre résistance contre la nature méchante !

Comment réarmer les enfants ?

J'essayai de les persuader que la nature n'aurait pas raison. Je proposai aux enfants un défi à la nature :

— Toi Vojta, tes bras ne sont pas faits pour un dur travail. Tes bras, nous les entraînerons à un travail, et par revanche à un travail d'art !

— Toi, Frantisek, tu te tiendras le plus droit possible. Il

faut vouloir encore plus. Tu vas rire de la nature ! Tu as de bonnes jambes : tu les rééduqueras par le travail comme si c'était des bras...

Je les persuadai avec fièvre... Il ne faut pas le vouloir un jour, mais se battre avec persévérance, autant de temps qu'il est nécessaire.

Mon discours n'était pas tombé dans les oreilles de sourds. Les yeux s'éclaircissaient et je lisais en eux l'espoir et la volonté. Ils venaient d'apercevoir la lumière du phare. Sauvés ! Je me trouvais porté, par mes propres paroles et leur action sur les enfants, par la joie d'avoir mis ces enfants sur le chemin qui mène au but que je veux leur faire atteindre... Mais...

Les doutes de Bakulé

Ma conscience se réveille et me crie : n'est-ce pas de la démagogie ? Ne suis-je pas en train de violer leur liberté de petits handicapés qui se laissent « avoir » par mon don d'orateur ? N'ai-je pas amené, par mes paroles, Sylva à lancer la devise « travailler » ? — Je leur propose de travailler, mais le travail est-il vraiment le salut ? Moi le défenseur de la liberté de pensée, ne suis-je pas en train de devenir un démagogue ?... Je les regarde encore une fois... Leurs yeux brillent, ils parlent tous à la fois : ils sont remplis de leurs projets personnels !

Que vont-ils devenir ? Quel métier vont-ils choisir ? Comment l'apprendront-ils ?

Le terrain est prêt. Il ne sera pas difficile de les amener à se donner des lois, à mettre volontairement, et même avec enthousiasme, leur vie jusqu'à présent libre dans les formes rigides d'un programme de travail...

Un débat s'en suit : Que nous faut-il tout de suite ? De quoi avons-nous besoin pour l'avenir ?

Chacun fera de son mieux pour s'occuper de tout ce dont il aura besoin pour sa vie quotidienne : se laver, s'habiller, faire son lit, prendre part à l'entretien des parties communes de l'Institut (salle de bains, dortoir, atelier, couloir, cour, pelouse, jardinage et travaux manuels).

Ce que certains ne pourront pas faire à cause de leur handicap sera fait par les autres, mais seulement les travaux qui sont hors de leurs possibilités pour le moment. Ils formeront ainsi des groupes d'amis, et les enfants feront connaissance avec la solidarité. En aidant aux travaux ménagers, ils feront économiser à l'Institut, l'argent qui aurait été dépensé pour payer des employés. Cet argent servira à acheter ce dont ils auraient été obligés de se priver...

Les fainéants ne seront pas tolérés. Ils seront exclus des jeux et de tout ce qui leur est agréable aussi longtemps qu'ils resteront oisifs. Dès qu'ils montreront la volonté de se joindre aux travailleurs, ils seront réadmis au sein du groupe. Ceux qui travaillent d'une manière assidue seront mis en valeur et les autres suivront leurs directives — non pas comme des esclaves qui ne réfléchissent pas — mais comme des ouvriers libres, intelligents, qui reconnaissent la valeur de leurs meneurs. Ils feront front contre ceux qui voudraient violer ou faire mauvais usage de leur bonne volonté et les mener sur les chemins hasardeux...

Par leurs différents emplois à l'atelier et à la maison, les enfants trouveront le travail pour lequel ils sont le mieux doués malgré leur handicap. Dès que cette décision sera prise, ils feront tout leur possible pour apprendre au mieux et concurrencer d'une façon valable les travailleurs non handicapés.

Notre réunion dura jusqu'au soir. Les enfants se dispersèrent enchantés et remplis de bonnes résolutions : « Tout de suite au travail... » « A partir d'aujourd'hui, ils feront tout... »

La vie s'organise

La vie de la maisonnée change. Nous ne jouons plus : nous travaillons. Par l'expérience, les enfants connaîtront non seulement la raison du travail mais aussi la joie d'un devoir bien accompli. En travaillant, ils oublient leurs misères. Jenda oublie ses jambes « bonnes à rien », Frantisek est fou de joie quand il arrive à façonner avec ses pieds le premier objet valable.

63

Notre nouvelle devise devient : « Pour la vie et la société, éduquons par la vie même et dans la société, pour le travail, par le travail. »

Travailler, pour les enfants cela semble simple. Mais moi, je me trouve devant d'autres problèmes. Tant qu'il s'agit de leur apprendre à boutonner leurs vêtements, à faire leur lit, et même à balayer et à garder la maison propre, je me débrouille tant bien que mal !

Mais pour leur apprendre la vannerie, la menuiserie, la reliure... Comment faire ? Et là, je me retrouve, moi instituteur, dans la position comique du petit élève disant : « Excusez-moi, je ne sais pas, nous ne l'avons pas encore appris... »

La formation d'un instituteur est, de loin, incomplète. Ce que j'ai appris durant mes études suffisait pour enseigner dans une école ordinaire. Mais ici ?... Ce que je sais de la vie pratique et du travail manuel, je l'ai appris chez mes parents. Maintenant, la question se pose : comment enseigner quelque chose que je ne sais pas faire moi-même ?

Je prends alors la décision de devenir apprenti. D'apprendre immédiatement ces métiers...

D'abord la vannerie, que je juge bien adaptée aux possibilités de mes élèves : ce n'est pas seulement un travail mécanique, mais aussi, un travail artistique. Pendant mon apprentissage, j'apprends à fabriquer les petites figures de Jirsak [2]. Ce sont de petits bonshommes faits avec des pommes de pin, marrons, glands, branches, têtes de pavot [3]...

La fabrication de ces figurines fut une aubaine pour l'Institut. Frantik était particulièrement habile à les façonner et lorsque l'Institut, bien plus tard, en arriva au stade de la commercialisation, ces figurines se vendirent très bien ! Mon apprentissage continua par la menuiserie. Je pensais que plus tard, nous pourrions fabriquer des jouets en bois et que la création de nouveaux modèles plairait sûrement à mes enfants. La fabrication et la vente de ces jouets leur donneraient un moyen de gagner de l'argent...

---

2. Educateur tchèque.
3. *Je fais mes jouets avec des plantes,* Albums du Père Castor, Flammarion, 1931.

Après la menuiserie, j'appris à travailler le cuir, le métal, la reliure, le cartonnage. Mes apprentissages successifs étaient suivis attentivement par les enfants ! Chaque jour en rentrant, j'étais obligé de leur montrer tout ce que j'avais appris de nouveau et ils essayaient ensuite de faire la même chose. Ils avaient hâte d'apprendre à construire...

Je comprends pourquoi beaucoup d'enfants n'aiment pas apprendre : on les oblige à faire des choses dont ils n'auront besoin que beaucoup plus tard, quand ils seront grands — et les enfants sont impatients ! Il faut leur enseigner des choses qu'ils sentent utiles tout de suite.

Ce qu'ils aimaient par contre, c'était travailler, fabriquer des objets utiles pour eux, pour la maison, pour nos visiteurs, et même plus tard, pour le commerce.

Comment est né l'atelier de vannerie ?

La « Maman » brûle la table de la salle à manger en y posant un plat trop chaud. Au cours d'une conversation, j'amène les enfants à comprendre que pour éviter que la table ne soit brûlée, il faut un dessous-de-plat ; et qu'un tel objet peut être très utile. Et c'est le commencement de l'atelier de vannerie...

Comment Jarousek apprit à dessiner :

Un jour la mère de Jarousek vint voir son petit garçon, elle m'apprit comment son fils avait acquis une telle routine dans le dessin des locomotives. De la fenêtre devant laquelle il restait toute la journée, Jarousek avait une vue sur la gare. Là, comme dans un kaléidoscope, la scène se transformait devant les yeux du petit garçon ; les trains s'arrêtaient au milieu du tintamarre et des coups de sifflet... Les gens arrivaient, partaient, s'interpellant, riant, ou parlant gravement.

Un jour, dans la chambre froide, la vitre s'embua sous l'haleine de l'enfant. Mais, même ainsi, on pouvait distinguer la gare. Le gamin eut une idée magnifique. Il esquissa sur le verre embué, avec le doigt, la silhouette des bâtiments de la gare, et ainsi, l'inscrivit dans le cadre de la fenêtre. Cette découverte le prit tout entier. Il essaya de représenter d'autres choses qu'il pouvait voir à travers la vitre. C'était là une belle distraction pour le petit prisonnier. Comme cela l'ennuyait de voir les images disparaître du carreau, sa mère lui donna un crayon et du papier afin qu'il essayât de dessiner sur ce papier, ce qu'il avait gribouillé avec son doigt sur la vitre de la fenêtre... Du papier, l'image ne fuirait pas...

Dessiner des petites machines, des maisons, des hommes et des animaux avec le doigt, sur le verre, ou avec un crayon sur le papier, cela devient pour Jarousek une passion. Ce fut ainsi qu'un artiste de cinq ans et demi put m'étonner par son dessin d'un train.

Le récit de la mère de Jarousek me rappela des expériences analogues que j'avais faites en ce qui concerne le dessin, lors d'essais avec les enfants de Mala Skala. Cela me donna l'idée de la route naturelle sur laquelle s'était déjà engagé Jarousek et qu'il devait poursuivre afin d'atteindre le but espéré par sa mère.

— Voudrais-tu être le peintre que ta maman souhaite ?

Jarousek venait de mordre à pleine dents sa tartine et il ne réussissait pas à avaler assez vite pour pouvoir répondre immédiatement. Il manifesta donc son assentiment par plusieurs hochements de tête.

— Et dois-je donc te raconter ce que tu vas faire désormais chez nous pour devenir rapidement un peintre ?

Jarousek secoua la tête. Des sons indistincts sortirent de sa gorge pendant qu'il avalait son pain.

— Eh bien ! je vais te le dire.

Jarousek déposa sa tartine, se mit à quatre pattes, vint près de moi et grimpa sur mes genoux.

— Tu dois donc faire toujours ce que tu faisais à la maison sur la vitre et sur le papier.

Le petit garçon jeta un coup d'œil sur les trois fenêtres de notre atelier, dressa son index et déjà s'apprêtait à gagner les fenêtres.

— Attends ! Tu dois faire autrement, mieux, plus parfaitement. Voilà comment : d'abord, tu regardes avec soin ce que tu veux dessiner — par exemple cette chaise qui est là. Jarousek regarda la chaise.

— Assure-toi du nombre de ses pieds, de quelle manière ils se présentent : note la hauteur, la largeur du dossier ainsi que la surface du siège.

Le futur peintre ouvrait tout grands les yeux vers la chaise et à chacune de mes remarques, opinait de la tête.

— Puis, tu fermeras l'œil gauche et tu dessineras cette chaise avec l'index de la main droite.

Jarous me regardait, tout perplexe et maintenait son index dressé, immobile en l'air.

— Je sais qu'il te manque ici une fenêtre. Mais au lieu de dessiner cette chaise sur la vitre, dessine-la seulement dans l'air. Avec le bout de ton doigt, trace ses contours comme tu l'aurais fait sur une vitre.

Jarousek dessina avec circonspection une chaise dans l'air.

— Bien. Et encore une fois. Encore une fois ! Maintenant regarde la chaise avec tes deux yeux et veille bien à te rappeler son aspect et à comprendre comment tu dois la dessiner. Encore une fois. Ferme un œil. Dessine-la avec le doigt dans l'air. Et bien ! Et avec attention !

Jarousek fit le tout comme je le lui avais conseillé.

— Et maintenant, ferme les deux yeux et dessine à nouveau la chaise.

Jarous ferma également le second œil, mais son doigt resta immobile dans l'air...

— Mais je ne la vois pas dit-il !

— Alors souviens-toi de son apparence ; représente-toi la chaise et esquisse-la avec le doigt comme tu l'as fait quand tu la regardais avec un seul œil.

Jarous l'esquissa lentement, prudemment, plusieurs fois avec son index dans l'air.

— Ça y est.

— Bien. Tu as du papier, un crayon, et comme tu l'as

dessinée avec le doigt dans l'air, dessine la chaise avec le crayon sur le papier !

Il n'y avait rien de nouveau pour Jarousek. Il savait déjà tout cela. J'avais voulu seulement, par tout ce que je lui avais fait faire, lui inculquer comment il devait désormais procéder pour dessiner des objets qu'il avait vus. Et surtout comment, par ce procédé, il graverait leur image dans sa mémoire, d'une manière ineffaçable, en vue de les reproduire quand il ne les aurait plus devant les yeux.

Je ne veux pas expliquer une méthode de dessin et je ne raconterai pas davantage comment j'initiai l'enfant à la correction du dessin, comment je le mis au courant de ce que sont la perspective, la plastique, etc.

Je vous dirai seulement ce qui survint après ma première leçon. D'abord chez Jarousek, enclin à souffrir de cette « maladie » éclata tout de suite la fièvre du dessin. Elle dégénéra en passion et finalement devint une pure et simple habitude. Rien de ce qu'il rencontrait, n'échappait à son index et sans cesse il avait à sa portée un papier et un crayon afin de pouvoir vérifier qu'il avait bien dessiné l'objet dans l'air, de trouver les fautes et de les corriger, en comparant le dessin avec l'objet.

D'ailleurs, il ne se borna pas à dessiner des objets. Il en vint à dessiner nos animaux et les personnes de son entourage. Même nos invités étaient pour lui des modèles involontaires, surtout s'il apercevait en eux un trait intéressant : il se postait devant eux, les toisait avec soin des pieds à la tête pendant un instant, puis fermant l'œil gauche, tendait l'index et consciencieusement entamait tout le processus que je lui avais enseigné. Et ensuite, avec l'image dessinée sur le papier, il se tenait devant son modèle et étudiait « si cela avait réussi » !

Peu de temps après son arrivée à l'Institut, Jarous contamina toute la maisonnée avec sa passion du dessin — comme ce fut le cas pour l'écriture plus tard !

A chaque pas on se heurtait chez nous à un gosse qui, un œil ou les deux yeux fermés, dessinait dans l'air ! Certai-

nement, dans tout Prague, il n'y avait pas d'air aussi grif-
fonné que dans notre petite maison !

Cela facilita beaucoup mon travail de professeur d'écriture
et cela accéléra au maximum le succès des enfants quand
j'eus besoin de les initier au dessin pratique et appliqué,
lorsque ce griffonnage-amusement dut se transformer (et se
transforma) et un travail intéressant et utile. Car ils s'étaient
habitués à examiner attentivement l'objet, à retenir son image,
à changer ses contours en lignes, à comparer et à corriger.
Et plus tard, à comparer la ligne donnée avec la verticale
et l'horizontale, à déterminer la nature des courbes, etc., le
dessinateur a en effet besoin de posséder cette technique.

Mais voici le plus important : en coordonnant constamment
l'œil et la main, les enfants parvinrent finalement à faire
passer, pour ainsi dire dans le bout de leurs doigts, l'image
qu'avaient vue leurs yeux et à exécuter en s'en jouant, des
copies de l'image qui s'était enregistrée sur leur rétine... Le
développement du sens du dessin chez mes petits infirmes
fut accéléré aussi par le fait que, jamais, ils ne fouillaient le
dessin. Ce que, à la sueur de leur front, les enfants parvien-
nent à coucher sur le papier à dessin au bout de quelques
heures, les miens arrivaient à le terminer en un clin d'œil :
un trait par ci, un autre par là, et c'était fini. Parfois (et dans
les débuts cela arrivait souvent) le résultat n'était pas fameux.
Dans ce cas-là, on se mettait à griffonner tant qu'il restait un
blanc sur la feuille (bien entendu, nous n'encadrions pas nos
dessins)... On griffonnait jusqu'à ce que le dessinateur, ainsi que
celui qui le contrôlait, soient satisfaits tous deux ! En principe, on ne gommait pas, sauf, à la grande rigueur, pour mettre en valeur la ligne jugée définitive.

On apprend à dessiner en dessinant de la même manière
qu'on apprend à lire en lisant, à raboter en rabotant, à faire
des cabrioles en les faisant ! Ma tâche consistait à chercher
les occasions de faire dessiner les enfants avec amour et
intérêt. Je voulais qu'ils arrivent à considérer le dessin comme
quelque chose qui, le plus tôt possible, soit un avantage dans
leur vie.

Les petits voyaient leurs aînés plus avancés, orner leur

production destinée à nos hôtes : coupe-papier, petits cadres, menus souvenirs.

Bien sûr, eux aussi voulaient faire des ornements. Pourquoi pas ? Montrez-nous donc, mes petits, que vous êtes capables de faire quelque chose de convenable, car il ne faut pas gâcher le matériel qui est très cher. Voilà du papier ; ce n'est que lorsque vous m'aurez prouvé que ce que vous voulez faire, est effectivement un ornement et pas seulement un gribouillage qui n'a pas de sens, que je pourrai vous donner une planche à dessin !

Et les petits, tenaces et assidus, avaient la patience de promener leur crayon sur le papier jusqu'à ce qu'ils obtiennent la planche ! Ils mettaient ensuite autant de temps pour passer du crayon à la plume, au pinceau ou à la pointe à pyrograver. Patiemment, mais les dents serrées, ils allaient, car ils connaissaient, ils voyaient clairement leur but.

Vous pouvez imaginer la tête que faisaient ces moutards quand ils étaient assis à leur table de travail, à presser d'une main (ou simplement de leur moignon) le petit soufflet, l'autre main tenant la pointe rougie au réchaud à essence, pour graver dans du bois taillé en forme de petit cœur, l'ornement qu'ils avaient eux-mêmes inventé. Il leur a fallu peiner pour avoir un jour le sentiment d'être des créateurs et des dessinateurs utiles, et avant d'en arriver au stade d'un homme qui compte...

Il en fut de même, non seulement en ce qui concerne le dessin, mais aussi la peinture, le modelage, la sculpture sur bois, la ciselure : toujours de nouvelles méthodes de travail, de nouvelles manières d'observer, d'expérimenter, de surmonter les obstacles, de les maîtriser, de vaincre... Doit-on s'étonner que de cette manière, nos petits infirmes soient devenus bientôt — et déjà à l'école — des dessinateurs professionnels remarquable, des peintres, des modeleurs, des sculpteurs sur bois et, finalement, des créateurs d'œuvre, des artistes ? »

La classe-atelier

Notre salle de classe ressemble peu à une salle de classe habituelle ! Nous l'appelons « atelier », mais — pour plaire au moins un peu à la bureaucratie scolaire — nous avons trois pupitres (en général vides) placés dans un coin de la salle. Ils ont fait place nette pour les établis, les étagères, armoires et caisses contenant notre matériel.

Notre matériel ? Il ne s'agit pas d'abécédaires, de cahiers, de porte-plumes et de crayons... mais de couteaux, scies, tournevis, rabots, marteaux, limes, tire-lignes, compas, ciseaux, colle, peinture, pinceaux, aiguilles, poinçons, etc. La chaire, un objet de luxe, a fait place à un établi. Sur le mur, il n'y a plus d'emploi du temps répartissant les matières et les heures. L'enseignement chez nous est continu du matin au soir : c'est tout ce qui peut nous intéresser dans notre travail, notre vie...

Les connaissances ainsi assimilées sont-elles supérieures à celles acquises en classe ? Jugez-en vous-même :

Comment, en travaillant, l'envie de « savoir » s'est éveillée chez les enfants :

Nous avons acheté des planches de tilleul pour la fabrication de jouets. Nous les regardons et comparons leurs caractéristiques avec celles d'autres essences d'arbres. Et la discussion est entamée sur le tilleul qui donne ces planches : Comment et où grandit le tilleul ? Pourquoi les gens aiment-ils cet arbre ? Qu'a-t-on déjà écrit à propos du tilleul ? (poésies que nous apprenons par cœur). Comment travailler le bois ? L'industrie du bois ?

Pour sculpter le bois, nous avons des couteaux. De quelles sortes ? Comment les fabrique-t-on ?... La métallurgie nous conduit à la géologie et à l'histoire du fer, le couteau à l'histoire de l'humanité !

Le couteau ne coupe plus. Pourquoi ? Comment l'aiguiser ? Nous apprenons la différence entre les matériaux plus ou moins durs, perméables, friables, etc. D'après des exemples concrets, j'arrive à enseigner la chimie, la physique et d'autres matières...

Nous avons une meule dans l'atelier. En quoi est-elle faite ? En grès ? D'où vient le grès ? Quelles sont les différentes sortes de grès ? L'industrie de la céramique, la faïence... Comment fonctionne une meule ? Le levier, l'axe de transmission, la force, le changement de force, la force d'inertie, le balancier...

Nous limons : qu'est-ce que le frottement ? La chaleur ? Le refroidissement ? etc.

Nous avons sans cesse de quoi parler, de quoi apprendre !... Il vous semble peut-être que nos connaissances sont désordonnées ? Eh bien non, au contraire : elles sont organisées, d'une façon pratique, pour le travail et pour la vie.

Et dans ce bon contexte, ces connaissances s'inscrivaient facilement et d'une manière durable dans la mémoire... De temps en temps, nous allions les voir, là, dans les profondeurs du souvenir pour les sortir, jouer avec elles... Ces jeux consistaient à trier nos connaissances d'après les matières et avant la fin des jeux, nous étions heureux de constater que notre savoir grandissait...

La grande différence entre notre école, nos classes et nos élèves — et ceux d'une école ordinaire, c'est qu'il n'y a pas chez nous de distraits ni de paresseux. Les élèves ne chahutent pas à l'Institut ! Par contre, après la leçon, il leur arrive de faire quelques cabrioles !

Mes élèves parlent quand ils veulent ; quand ils ont quelque chose à dire — et c'est souvent ! Ils ont beaucoup de choses sur le cœur. Ils ne parlent jamais pour ne rien dire : leur cœur et leur cerveau ne réagissent que lorsque la vie le leur demande.

Une autre spécialité de notre classe : un petit de cinq ans est à côté d'un garçon de quatorze ans. Un garçon sans bras, à côté d'un enfant dont les jambes sont sans vie... Chaque enfant aborde d'une manière différente les matières principales. Il travaille d'une façon personnelle, à sa manière. Chaque enfant a besoin, individuellement, de l'enseignant. Il lui faut une aide à la mesure de ses difficultés. C'est difficile pour l'instituteur.

Comment Bakulé enseigne l'histoire [4].

De la somme de savoir contenu dans les manuels, j'essaie d'extraire ce qui est indispensable pour une bonne culture générale. Le sujet choisi est discuté en profondeur avec les élèves. En essayant d'établir des rapprochements ou des liens entre le sujet traitié et la vie que les enfants connaissent, en mettant l'accent sur les aspects qui peuvent leur servir à eux ou à leur proche, à l'humanité en général, tout de suite ou plus tard.

Ceci donne aux enfants l'habitude d'apprendre en profondeur, d'éviter tout ce qui est superficiel et les incite à approfondir leurs connaissances hors même de l'école et hors des programmes officiels en abordant des sujets auxquels l'école n'a jamais pensé.

Pour enseigner l'histoire, entre autre, j'attache le cœur de l'enfant à un personnage historique par exemple, en évitant le schéma « mort » des livres d'histoire, en le présentant comme un personnage vivant, dans le contexte vivant de son époque. Ainsi, la vie de J. Hus ne finit pas sur le bûcher de Constance, Jan Hus ne disparaît pas dans les vagues du Rhin, les paroles de ce combattant restent gravées dans le cœur des hommes. Jan Hus demeure vivant pour son peuple, à tout instant. Il reste l'exemple d'un lutteur qui n'a pas hésité à sacrifier sa vie pour la vérité. L'esprit de Jan Hus doit vivre en chacun de nous.

Je n'ai jamais regretté le fait que mes enfants ne connaissent pas ou aient oublié les dates des règnes de Ferdinand I, II, ou III ou si ces derniers ont régné plus ou moins longtemps. Je me contentais d'expliquer à mes élèves que c'était des Habsbourg et que les Habsbourg ont opprimé

---

4. Passage des *Enfants pauvres* supprimé dans la version de 1954.

notre peuple pendant de longues années. J'expliquais avec beaucoup de détails comment le peuple tchèque avait su résister et comment il fallait faire pour qu'un oppresseur comme les Habsbourg ne puisse revenir nous occuper.

C'est de cette façon que je présentais l'histoire à mes élèves, uniquement des faits et des personnages qui pouvaient avoir une portée éducative.

Comment les enfants surmontent leur handicap physique :

Comment Frantisek, sans bras, apprit à boutonner le dernier bouton du col de sa cape :

Conseillez-le. Montrez-lui comment faire. Ne riez pas. Moi, un jour, je me suis trouvé dans cette situation... Frantisek vient de recevoir une cape neuve, d'une dame qui habille gratuitement tous nos enfants. Il aime s'habiller à la mode ! Il jette la cape sur ses épaules et va dans la rue pour montrer comme il est chic ! Il sort gai et joyeux ! Il revient triste et abattu : dehors, le vent vient de lui enlever la cape des épaules... Il avait oublié de demander à quelqu'un de la lui boutonner avant de sortir et, dans la rue, il n'avait pas osé demander à un passant... Il tient donc les bouts du col de la cape entre les dents et c'est ainsi, la tête penchée de côté, qu'il nous arrive. Il en est vert de rage.

Innocemment je lui demande :

— Pourquoi ne l'as-tu pas boutonnée ?

Frantisek me regarde, et quand il voit que je ne me moque pas de lui, il répond :

— Le bouton est tout en haut du col. Je ne sais pas le boutonner.

— Et ta devise ? N'est-ce pas « je veux, donc je peux » ?

Frantisek, en haussant les épaules dit :

— Bon, je vais essayer.

Il se déchausse. Ses pieds sont toujours prêts, dans des chaussettes ouvertes devant, afin que les orteils soient libres pour travailler. Assis par terre, Frantik commence des essais — très acrobatiques. Le corps jusqu'à terre, il attrape avec ses pieds les deux bouts du col, il les rapproche — jusque-là, pas trop de difficultés ! Mais mettre le bouton en face de la boutonnière, c'est autre chose ! Il s'aide avec les dents. Il mord dans le bout de la boutonnière. Avec son pied, il approche l'autre bout du col où se trouve le bouton... Cela ne marche pas... Il se couche sur la hanche et recommence. Pas de résultat...

Il essaie ainsi des dizaines de positions. Une demi-heure, une heure passent. Frantisek se roule par terre, essoufflé, le visage rouge, le front en sueur, les deux bouts du col mouillés par la salive... Enfin voilà ! Victoire !... Il se remet debout et m'annonce laconiquement :

— Ça y est !

Que pensez-vous qu'il fit après ? Croyez-vous qu'il sortit tout fier ? Mais non : il s'assoit, déboutonne sa cape et recommence. Je le regarde, interloqué.

— J'ai réussi par hasard, mais je veux vraiment savoir, pour pouvoir le faire chaque fois que je le voudrai, me dit-il...

C'était ainsi que mes élèves handicapés étaient obligés d'apprendre, s'ils voulaient « savoir » — et les « devoirs » ne manquaient pas... Des milliers de gestes — faciles pour nos mains — semblent insurmontables à première vue. Il faut un grand effort et une persévérance sans borne pour qu'ils deviennent possibles.

Comment Frantisek apprit à remonter sa montre :

Chaque soir, un camarade a l'honneur de remonter la montre de Frantisek... Mais un jour, Frantisek se dit : « Pourquoi, moi, ne pourrais-je pas avoir ce plaisir ? »

Et sa guerre contre la nature continue. En agissant sur le système nerveux de ses orteils, il les oblige à des gestes inhabituels, ceux que l'on exécute avec les doigts de la main...

Il oblige ses orteils à faire le geste nécessaire pour tourner le remontoir et il finit par réussir... Non pas en une heure, ni même en deux, comme pour le bouton de col... Il mit plusieurs mois à transformer ses orteils en doigts de mains.

Si vous croyez que j'exagère, faites l'expérience vous-même ! Remontez donc votre montre avec vos orteils !

Pour Frantisek tous les gestes n'étaient pas aussi difficiles et compliqués ; malgré tout, il était obligé à chaque fois de trouver seul une solution. Personne d'autre que lui-même ne pouvait le guider... Presque toujours c'était uniquement leur esprit qui venait en aide à ces enfants aux mains paralysées ou sans main du tout...

Le « baccalauréat » des handicapés de « mon école de la vie » était plus difficile que celui des lycéens normaux. Il était également plus difficile de trouver des débouchés, soit pour la poursuite des études, soit pour l'obtention d'un emploi. La difficulté première réside dans le scepticisme de la plupart des employeurs, dans la méfiance des gens sains vis-à-vis des handicapés.

Pour secouer ce scepticisme, il faut à chaque fois convaincre par les faits et souligner les aptitudes par des démonstrations.

Comment Vojta devint apprenti lithographe :

Vous vous rappelez avec quels bras il vint au monde : pas du tout faits pour un travail manuel dur... Ils semblaient même n'être faits pour aucun travail... Ils étaient tellement tordus que cela me révoltait. En rééduquant ses moignons, je me dis qu'il pourrait un jour se venger de la nature ; non seulement par un travail quelconque mais par un travail artistique.

Nous nous mettons d'accord sur le but — et sur le chemin à suivre pour y arriver.

Il sera lithographe. Avec le couteau de graveur, il fera de son bras gauche l'instrument d'un dessin de précision. Et comme mes élèves ont l'habitude de le faire, Vojta se met aussitôt au travail ! Il s'exerce avce assiduité et enthousiasme. Le matin il est le premier dans l'atelier et le soir il faut que je l'oblige à aller se coucher... Je donne à Vojta tous les livres en ma possession sur l'art graphique et nous les étudions ensemble. Vojta apprend à connaître le « pourquoi » et le « comment » de chaque trait. Il copie, mais fait aussi preuve de beaucoup d'imagination et de goût.

Au bout d'un an, j'invite à l'Institut un maître lithographe pour lui demander de continuer l'éducation spécialisée du garçon. Le maître croit à une plaisanterie, quand il voit les mains de Vojta...

A ma question : — Que faut-il pour devenir un bon lithographe ?

Il répond : — Avant tout, dessiner. Très bien dessiner.

— Eh bien, Vojta va vous montrer !

Je place un modèle devant lui et le voilà qui commence son étude. Le maître est étonné mais pose une seconde condition :

— A un lithographe, il faut une main sûre pour tracer des lignes exactes.

— Donnez donc à Vojta une exécution. Il vous montrera qu'il peut aussi faire cela...

Le maître sort de sa poche un spécimen de lithographies, l'ouvre à la page d'initiales finement gravées :

— Copie donc l'une d'elles !

Le garçon regarde attentivement la page, taille son crayon et, sans prendre le temps de s'asseoir, commence à dessiner. Le maître est stupéfait et a bien du mal à trouver d'autres épreuves.

Je lui propose de prendre Vojta dans son atelier quelques jours afin de mieux juger de ses capacités. Trois jours plus tard, il revient me dire qu'il le garde !

Après une année d'apprentissage à ses côtés, il m'avoue que Vojta est son meilleur élève et qu'il sait autant de choses que ceux qui sont ses apprentis depuis quatre ans.

Bientôt, je me rends compte que Vojta deviendra vraiment un artiste graphique ; que Frantisek saura faire « ce qu'il voudra » et que les autres suivront... Il ne peut en être autrement : le travail et la vie sont leurs éducateurs...

Je me suis ainsi débarrassé de la peur qui me hantait durant les premiers jours de l'existence de l'Institut. Je me sens en paix. Mes élèves aussi. Les petits ne sont plus timides et les grands ont perdu cette tristesse qui assombrissait leur horizon.

Une année se passe sans problème. Nous vivions heureux. Tous. Mes élèves et moi. Nous avions oublié les tracasseries administratives... Hélas, la bureaucratie scolaire ne nous oubliait pas. Après plus de huit mois de réflexion, le Ministère me retourne mon projet d'aménagement du programme scolaire pour les handicapés. Il faut, paraît-il, le changer. Je suis d'accord mais je ne me presse pas. Je continue à rassembler des documents sur mes expériences.

De nombreux visiteurs viennent à l'Institut Jedlicka

Nos visiteurs, sont une partie très vivante de notre communauté. J'apprends aux enfants à les observer — bien sûr d'une façon très discrète —. Ensuite, nous évaluons leurs voix, leurs gestes et le soir nous mettons en commun nos observations. Souvent nos points de vue diffèrent — et même beaucoup ! Nous discutons et ainsi une autre matière d'enseignement naît dans notre école : « la psychologie pratique ».

Les enfants établissent un fichier de nos hôtes, où ils écrivent les résultats de leurs observations sur les visiteurs.

Portraits de quelques visiteurs, par Bakulé

L'Angelot, seize ans, était la fille d'un riche commerçant. Comme nous l'avons découvert plus tard, elle ne venait chez nous que lorsque ses économies lui permettaient de nous apporter un objet de valeur. Elle demandait comment subsistait notre Institut au point de vue financier. Elle discutait très sérieusement avec moi ou avec notre « maman ». Ainsi, sans en avoir l'air, elle apprenait ce qui nous manquait pour l'atelier ou la maison. Le reste de son temps, elle le passait à jouer avec les enfants.

Toujours, après chaque visite, un colis arrivait. Le livreur avait mission de ne pas dire de qui il venait. Et c'était à chaque fois l'objet qui nous faisait le plus défaut à ce moment-là. C'est comme cela que nous avons percé le secret de notre angelot. Les enfants appréciaient sa simplicité et son aide silencieuse... Ils souhaitaient l'imiter !

La « *bonne bourgeoise* » par contre, ne venait sûrement pas du ciel ! Les enfants ne l'intéressaient pas. Les employés, oui ! Tout lui semblait mal fait : « Maman » faisait mal la cuisine, les « sœurs » faisaient mal le ménage, etc.

Après sa visite, toute la maisonnée était déprimée. Un jour, je pris mon courage à deux mains et lui demandai de quel droit elle venait tout critiquer... J'appris qu'elle donnait chaque année vingt couronnes [5] à l'Institut et voulait savoir si nous les méritions ! Personne ne l'aimait. Personne ne souhaitait lui ressembler !

Madame Kraus. On appelait cette femme avec amour par son vrai nom. Elle tenait avec son mari une boutique de confection. Habiller les gens était le métier de Madame Kraus. Habiller nos handicapés était son plaisir. Elle ne se mêlait en rien de nos affaires. En nous habillant, elle nous rendait un très grand service...

La maman de Karel : Pauvre, mais très généreuse, elle venait nous offrir de travailler gratuitement chez nous quelques heures par semaine. Cette femme et son fils de dix ans, Karel, sont devenus de vrais amis pour l'Institut.

Lida : une jeune fille de quinze ans se joignit au groupe. Elle deviendra la collaboratrice de Bakulé qu'elle quittera après dix-sept ans de travail et de recherches en commun, pour épouser Paul Faucher, le Père Castor, et pour venir habiter à Paris.

Lida se plut dans notre petite fourmilière humaine ayant ceci de particulier que ses habitants n'étaient que des débris de corps, malgré tout pleins de joie de vivre, de sensibilité et de courage.

Elle-même était un diable ! Elle savait rire aussi ingénument, cabrioler et folâtrer sur les « fortifs » de Vysehrad aussi bien que le plus déluré de nos gamins. Elle ne fut pas longue à s'intégrer parfaitement à ma petite troupe !

Or, Lida possédait également assez d'intelligence et de

_____

5. Somme dérisoire !

sérieux pour devenir pour moi — l'éducateur de cette mai-sonnée — un associé et un collaborateur.

Et c'était justement d'un allié possédant ses qualités dont j'avais besoin, si je voulais connaître plus complètement mes enfants.

En effet, ceux-ci étaient libres, totalement libres. Ils pou-vaient se montrer devant moi tels qu'ils étaient en réalité, sans crainte de se voir rabrouer. Mais leurs efforts mêmes pour se rapprocher de l'homme idéal tel que nous le leur présentions, les incitaient, à leur insu, à se manifester devant moi bien souvent plutôt dans le sens de leurs aspirations que selon leur être réel.

Lida devint pour moi une plaque sensible sur laquelle mes petits bonshommes se reflétaient en « négligé » : quand elle était parmi eux, les enfants ne s'avisaient pas de ce qu'ils *voulaient* être et se laissaient voir toujours uniquement tels qu'ils *étaient*.

J'ai commencé par noter moi-même les récits de Lida sur ces aventures vécues avec les enfants. Lida, sur ma demande, le fit ensuite elle-même [6].

Portrait de Sarkan, par Lida [7] :

Dépeindre Sarkan [8].
Débraillé d'un gamin des rues, richesse de sensibilité.
Gros mots, grimaces, mutismes, calmes, sourires.
Egoïsme, générosité, brutalité, délicatesse.
Etourderie, réflexion, indifférence, intérêt brûlant.
Intensité du travail, goût de la destruction, besoin de créer.
Fous rires et sanglots éperdus.
Sarkan, enfant de la misère, des caves humides et des croûtes sèches, amères...

---

6. Extrait de la préface de Bakulé, à l'ouvrage, *Sarkan* par Lida.
7. Extrait de *Sarkan*, par Lida.
8. Sarkan (Charkane), nom d'un dragon des contes de fées russes, donné en sobriquet à Jarousek Zdrubecky, dit aussi Jarous.

Agé de dix ans, il a de faibles, de misérables jambes. Surtout la droite : atrophie musculaire. Grosse tête, oreilles décollées, mains éternellement sales.

Pas joli. Pas vilain. Beau par instants.

Toilette défectueuse. Toujours incomplète. Des lacunes pénibles. Non par idée d'ascète. Tout simplement, il n'y a jamais réfléchi. Il n'a pas regardé en face cette exigence de civilisés. Il y a au monde un tas « d'idioties »...

Se laver par exemple. Et puis les douches froides, la salle de bains, pour Sarkan, c'est l'enfer. Un lieu de douleurs, de larmes, d'humiliations, d'offenses grossières. S'ébattre dans la baignoire n'est pas désagréable. Tout à fait plaisant même. Mais le savon, le gant de crin, la brosse... brrr ! Sarkan en a un frisson glacé...

De l'ordre ! Qu'est-ce que ça, l'ordre ? Tout jouet n'est qu'amertume si l'idée vous vient qu'il va falloir le ranger ! Les soldats de carton par exemple : la bataille de la Somme, c'est une chose magnifique. Les blessés, les morts qui tombent... Mais Sarkan s'avise soudain qu'il faudra les ranger... Le jeu prend un petit goût de corvée. « Idiot d'ordre ! »

(...) Il m'a attirée par son originalité. Et par sa « vaurienneté ».

(...) Son premier amour est une locomotive. Cette grosse mécanique aux lumières rouges et vertes, au souffle précipité. Ecrasant les obstacles, mue en avant dans la chanson de sa vapeur et les clameurs des sifflets. Volant au loin, bien loin, dans des pays inconnus, pesante et légère à la fois, en laissant derrière elle des nuées de rêves et des yeux d'enfant tout grands ouverts.

Sarkan s'est vite acclimaté à sa nouvelle existence. On lui a donné un crayon, des couleurs. Il a tout le loisir de se faire des dragons. Des dragons géants, avec des queues énormes qui volent jusqu'au firmament. Il peut démonter une locomotive et voir ce qu'elle a dans le ventre. A toutes ses questions il reçoit une réponse. Personne ne lui donne de coups. Ça, c'est extraordinaire. Il n'y comprend rien d'abord, et il regarde tout apeuré comme un jeune chien en faute, quand il a fait une sottise.

81

Alors Monsieur le Directeur l'attire à lui. Tout près. Il le regarde dans les yeux. Il lui parle posément et « comme à une grande personne »... Jarous ne peut pas résister à ce regard. Il prend conscience qu'il a fait une faute. Et il promet de s'amender... Le voici sur le seuil. Il tourne la tête en arrière. Monsieur le Directeur l'a suivi du regard, sourit et lui adresse un geste de la main...

« Il peut faire ce qu'il veut. Vraiment ! Il peut faire ce qu'il veut ! »

Il use donc à fond de cette liberté. Il flâne et traînaille à travers la maison, la cour, le jardin. Il se hisse sur les « fortifs ». Il s'amuse avec chaque tesson et chaque débris... Il est à son aise. Satisfait. Il ne veut pas de « tlavail ». Il veut « zouer »... Le soir, Monsieur le Directeur lit ou raconte des histoires. Il a lu « les petits escarbots » de la romancière Nemcova, « le petit Jean » de Van Eeden. « C'était joili ! », se dit Jarous approbateur. L'histoire de Croc-Blanc, Sarkan l'attend toujours comme un régal...

Puis il va au lit. Un petit lit blanc ; des berceuses de Slovaquie l'endorment.

Il aime de tout son être deux personnes seulement « sa Maman » et « son Monsieur le Directeur ».

Lorsqu'il apprit que « son Monsieur le Directeur » était contraint de quitter l'institution, Sarkan souffrit indiciblement. L'éclat de son regard s'éteignit. Le gamin se rétracta sur lui-même. Il se montra grossier, agressif à l'égard d'autrui. Jusqu'au moment où il partit de la petite maison où six ans durant il avait vécu et s'en était donné à cœur joie. Le soir de ce jour-là, il grimpa sur les genoux de son grand ami.

Et, en lui caressant les cheveux, il lui dit : « Et puis vous savez, vous en faites pas. Quand ça ira au plus mal, j'achèterai pour un gros sou, une boîte de cirage. Je cirerai les bottes des gens pour deux gros sous — et comme-ci comme-ça on gagnera notre vie. »

Mais c'est une autre histoire, celle d'aujourd'hui (...) Je veux dépeindre le Sarkan des années passées, des années que nous avons vécues ensemble dans la petite maison, dans le giron des fortifications de Vysehrad. J'évoque mes souvenirs.

Journées d'automne. Feuillage en rouge et or. Couchants enflammés. En bas luit la rivière, et Sarkan se raconte...

« On ne m'a pas pris à l'école. Puisque je ne pouvais pas marcher. Je restais tout le temps à la maison. Ce que j'en ai eu du bon temps ! Vous savez Lida, Maman elle me faisait un plein pot de café, elle me donnait un quignon de pain énorme et s'en allait. J'était toute la journée tout seul à la maison. On vous en avait des cafards ! Et des blattes ! Vous n'avez rien vu ! Je les attrapais toujours et puis je m'amusais avec.

« Et puis, j'ai aussi été en taule. Vous ne le croyez pas ? Tous on y a été, tous : Papa, Maman, Pépik, Vilouche... Comment ? Vous y avez pas encore été en taule ! Et qu'on y est allé en voiture. Une voiture verte. Et il y avait un agent assis à l'arrière... Là-bas, qu'est-ce qu'il y avait comme rats ! Et tout le temps l'obscurité... »

(...) Toute la journée, il a fait le méchant. Le méchant bêtement. A la façon des enfants gâtés. Ce n'était même plus Sarkan.

Maintenant, il vient me prendre par la main. La tête basse. Il se décide :

— Lida, je suis bien peiné.

— Peiné de quoi ?

— D'avoir été méchant avec Monsieur le Directeur.

— Pour sûr que ce n'était pas joli. Il a beaucoup de travail. Il travaille pour toi aussi, ainsi que pour tous les enfants.

Il baisse la tête encore plus et dans ses yeux grandit le regret :

— Là, qu'est-ce que je dois faire ?

J'essaye :

— Va lui demander pardon !

Il relève la tête :

— Ça non !... Monsieur le Directeur est dans la bibliothèque, n'est-ce pas ?

— Oui.

— Je l'aime bien Lida. Venez avec moi, s'il vous plaît.

Nous entrons. Il me tient par la main, et dès le seuil, il dit, timidement :

— Monsieur le Directeur, désormais je serai gentil...

— Je le sais bien que tu le seras, acquiesce Monsieur le Directeur et il sourit.

Jarous se redresse. La joie flambe en lui. Il éclate :

— Je serais sage parce que je vous aime !

Et il vole dans les bras de Monsieur le Directeur.

(...) Ses frères viennent le voir. Joseph le plus souvent. De deux ans le cadet de Sarkan. Ils s'aiment sincèrement. Tous. La maman ! La maman est gravée ineffaçablement dans l'âme de Sarkan. Elle est pauvre, elle est obligée de travailler dur. Sarkan, quand il sera grand, la prendra avec lui et la fera vivre. Et elle n'aura plus à s'occuper de rien. Pour l'instant leur situation n'est pas mauvaise. Ils ont déménagé pour venir habiter à Kotlarka (la chaudronnerie). Ils ont un lapin. Un gros. Gras. Il dort avec eux dans la chambre. Sarkan lorsqu'il est allé en visite à la maison, a joué avec lui. Et lui a donné à manger. De l'herbe. La misère de sa mère est pour Sarkan une lourde peine.

Dans la resserre traînent deux pommes de terre. Sarkan jette des regards inquiets autour de lui. A droite, à gauche. Puis prestement, il les fourre sous sa blouse. Et quelque part, dans un coin, il les met dans la poche de Joseph, en disant précipitamment d'une voix bouleversée :

— Là, tiens ! Prends ça pour Maman !

(...) Il y a des moments où il a besoin de faire câlin. Besoin du chaud contact d'une main amie. Du contact des lèvres. Mais il ne veut pas être vu.

Un « Croc-blanc ». Et pour « Croc-blanc », pas de baisers ni de câlineries. Montrer les dents... pas pour des baisers. Mais même « Croc-blanc » avait des moments de faiblesse...

— Lida, faites-moi une bise au galop !

J'en suis toute surprise :

— Mais qu'est-ce qui te prend !

— Allons donnez la bise, vite... Je ne veux pas qu'on le voie !

Nous nous donnons un baiser. Dans un coude de l'escalier. Une des « sœurs » s'étonne à ce spectacle insolite :

— Non mais, voyez-moi ça comme Sarkan aime se faire cajoler !

Sarkan sursaute. Se renfrogne :

— L'idiote femme !

Et dégringole l'escalier.

(...) C'est le soir. J'entre dans la bibliothèque. Sarkan est assis à son petit pupitre, l'air vaguement affligé. C'est un tout petit bout de Sarkan. La tête appuyée dans sa main droite, ses yeux clignotent. Et déjà Frantisek crie de son trône :

— Dites, Mademoiselle Lida, il y a du brouillard ou pas ?

Les gamins ont fait silence. Ils sont tous suspendus à mes lèvres. Sarkan surtout. Il remplace sa main droite par sa main gauche, afin de mieux voir de mon côté. Je ne comprends pas pourquoi cette question.

— Mais naturellement qu'il fait du brouillard ; et quel brouillard ! D'ailleurs, allez regarder par la fenêtre.

— Là, tu vois bien ! jaillit de cinq ou six gosiers.

Rire général. Adolphe danse sur son unique jambe, devant Sarkan une danse de Sioux. Loïsik, exultant de joie, cogne sur le plancher avec sa béquille, et Frantisek se charge d'électricité.

Seul Sarkan reste assis en pelote, renfrogné et se renfrognant davantage. Soudain il tressaille de tout son petit corps.

— Eh bien, sachez-le ! Y a pas de brouillard. Na !

Ces derniers mots avaient été criés avec des sons qui ne ressemblaient plus à la parole humaine. Ce fut une explosion de rire. Le franc rire enfantin, inextinguible. Je commence à comprendre...

— Mais, Sarkan...

— Laissez-le Lida, fait Frantisek avec un geste de sa petite jambe. Laissez-le !

Nouvel accès de rire.

— Eh bien, mais...

— Regardez voir un peu, coupe Frantisek. Tout à l'heure on a voulu noter le temps d'aujourd'hui sur nos tablettes. Je demande : « Dites les gars, y a du brouillard ou pas ? »

— Du coup, Lida, on a répondu qu'il y en avait ; explique Loïzik.

— Ça va. A présent tais-toi, dit Frantisek, usurpant avec un geste énergique de la jambe, le droit d'exposer, à lui tout seul, toute l'histoire. Tous, on dit qu'il y a du brouillard. Seul Sarkan dit que non.

— Et y en avait pas et y en a pas, Lida !

Nouveaux rires.

— Alors nous disons à Jarous : « Sarkan, y en a oui ou non ? » Sarkan s'est mis en colère et a commencé à se battre avec moi. Il se jettait comme un furieux sur tous ceux qui soutenaient que « oui ». Je l'ai attrapé par le cou (la petite jambe de Frantik fait le geste) et v'lan ! Nous roulons tous deux par terre. Sarkan s'est cogné le nez et ça a saigné. Alors il a fait exprès d'aller et venir dans la classe pour que Monsieur le Directeur voie comme le sang coulait.

— Frantisek, t'es un idiot ! Et du brouillard y en a pas !

Frantik poursuit :

— Alors moi, en voyant cela, vous savez j'attrape avec mon pied un chiffon et je lui dis : « Tu sais bien, Jarous, que je t'aime bien, alors je vais essuyer ça à ta place. »

Je contemple le martyr de la science. Il est si mignon, tout couvert des preuves de sa défense. Un pied sans chausson, les boutons de sa culotte restés sans doute sur le champ de bataille, la blouse de travers. Sur ses petites joues des bleus et des traces de sang...

Derrière les vitres, ce sont déjà les ténèbres. Je suis assise à ma table et je promène mes regards sur les enfants. Ils font un devoir de grammaire.

Sarkan pose son porte-plume et le voici à mes côtés. Il saute sur mes genoux, il passe son bras autour de mon cou et, d'une voix tellement persuasive et infiniment sérieuse, il me murmure à l'oreille : « Lida, y avait pas de brouillard, y en avait pas ! »

(...) Il se dandine dans la galerie. Les bretelles de sa culotte sont pendantes, sa blouse est déboutonnée, avec un trou frais au coude. Il a perdu son tablier. Aux pieds, des chaussons éculés — chacun d'une paire différente. Les couleurs de ses vêtements ont pris une teinte sombre. Dieu sait où il est encore allé traîner.

De la main droite, il s'accroche à la grille, de la gauche il porte avec précaution un tuyau de fer-blanc recourbé, long d'un mètre environ. Il approche.

— Les idiots de gamins, ils n'ont pas de raison !

A peine a-t-il dit cela, de la classe de préparatoire jaillissent Frantik, Pèpa, Tonik... Et un cri retentit dans toute la maison :

— V'là le nettoyeur d'égouts qui passe !

— Sarkan, t'as un nouveau métier, alors ?

— Messieurs, Jarous s'est lancé dans le nettoyage des égouts !

Le parti attaqué se défend. Comme il peut : à coups de poings, à coups de pieds... et de la voix ! Ça s'entend sûrement jusqu'à la « Porte des Français ». Qu'il lance à ces « Messieurs » des épithètes flatteurs, on ne saurait le prétendre. Et d'être crocheté par l'instrument qui lui a valu un titre aussi honorifique, je ne le souhaite à personne. Dans la situation où il se trouve juste en ce moment, Sarkan déploie des mouvements particulièrement vifs et énergiques.

— Ne me dites pas ça ! Et la voix de Sarkan se teinte de rage.

— Dis, pourquoi qu' t' es toujours un goret ?

— C'est qu'il vient des égouts.

Sarkan sursaute violemment. Cette fois c'en est trop pour ses nerfs. Le tuyau vole de sa main. Empoignades...

Quelques dix minutes plus tard :

Extérieurement, l'aspect de Sarkan est inchangé. On voit seulement à ses joues que les larmes y ont coulé à torrents. Il est assis, sans faire attention à personne, par terre dans la galerie, à côté d'une jacinthe bleu foncé, et il sourit. Il se pelotonne contre le pot de fleur, caresse les pétales de la fleur et lui parle.

Je m'arrête auprès de lui.

Il me regarde comme s'il me devait des explications.

— Je l'ai sortie au soleil.

— Tu l'aimes bien ?

— Ben oui, je l'ai élevée pour moi. Quand vous me l'avez donnée, elle était affreuse. Elle avait des feuilles toutes rongées. Hein ! Elle est pas jolie, à présent ?

Je m'abîme en réflexions sur ce garçon. Quels contrastes ! Il n'y a qu'un instant, ce gamin sale et dépenaillé se battait comme un animal, se disputait comme un chiffonnier. Maintenant il rayonne de lui quelque chose de si gentil et de si chaud. Il est assis, il embrasse, il caresse sa jacinthe.

Le soleil est couché. Un vent froid souffle de la Vltava. Sarkan se relève en hâte, et, du plus vite qu'il peut, il se dépêche d'aller mettre à l'abri l'objet de sa tendresse, sa jacinthe bien-aimée.

(...) Sarkan ne sera jamais un homme de sentiments religieux, au sens courant du terme. Expliquez-lui l'Ecriture Sainte, de toutes les façons, il vous brandit au nez un livre d'histoire naturelle. Sarkan est païen. Il aime vraiment, puissamment le soleil, l'herbe, les fleurs, les oiseaux, les bêtes, l'air. Tout le vaste espace. Ce sont là ses dieux. Aussi tout son petit être se révolte quand le Révérend Père répète tout le temps qu'il y a un paradis où se trouve le Bon Dieu...

— En attendant, Lida, il y a là-haut l'univers, pas de paradis, vous savez ! Et son Bon Dieu, il ne vit pas, il n'existe pas.

La première classe d'instruction religieuse à la rentrée de Pâques. Sarkan dort. Sur le plancher de la classe prépara-

toire. Ça m'ennuie bien de le réveiller... Mais qu'y faire ?
J'essaie, en vain. Je renforce l'attaque et je crie :
— Sarkan, lève-toi, le Révérend Père est là !

A ce mot de Révérend, il s'est réveillé... et moitié reproche,
moitié colère :
— Vous ne pouviez pas me réveiller à son départ ?

(...)
— Sarkan ! Oh ! Cette fois je suis vraiment en colère.
On est tous prêts... Où as-tu la tête ?
— Lida vous êtes après moi comme un dragon.

On se rend rue Ladislas. Dans une salle d'école, il y a
une exposition des travaux des élèves de l'instituteur
Havranek [9].
— Pourquoi que vous me traînez là-bas ? Je peux me
dessiner tout cela ! Bien à l'aise à la maison. Et je n'ai pas
besoin d'aller nulle part. Une exposition comme ça ! Un
simple coup d'œil — et je m'en irai. Mais si, je m'en irai...
Vous êtes des malins !

Nous entrons. Témoignages d'un effort et d'un travail
intense, honnête. Sarkan aussi est un dessinateur — pas
ordinaire. Ce qu'il voit ici lui est fraternellement proche.
C'est une musique si bien connue, ces tableaux ! Tableaux
d'enfants, pour l'enfant. Sarkan s'est arrêté de grogner. Il
bée de surprise. Le sang lui monte à la figure. Nous pro-
menons nos regards de tous côtés. Mais nous ne pouvons
pour ainsi dire pas bouger. On a envie de bondir dans dix
directions, et nous restons comme cloués devant les premières
feuilles. Sarkan me tire vivement par la main :
— Lida, Lida, venez voir ! La belle jument ! Vous la
voyez là ! Mais où regardez-vous ! Là !... Tiens on dirait du
Bilibine [10], ce château russe !

Il regarde furibond ses pieds :

---

9. Havranek, instituteur tchèque, contemporain de Bakulé, auteur de
La clé de l'écriture et du dessin, des *Cinq doigts de la main* et de *La clé
d'or du calcul*, Albums du Père Castor, Flammarion, 1954.
10. Bilibine, illustrateur russe. Illustrateur des Albums du Père Castor :
Le petit poisson d'or, *Le tapis volant* et *La petite sirène*, parus chez Flammarion, 1937.

— Tonnerre ! Ce qu'ils me font mal mes souliers...

Mais tout de suite après :

— Et ici, regardez, passez-moi du papier ! Je vais dessiner cet oiseau !

Il est tantôt ici, tantôt là. En grand émoi. Ses regards volent d'un tableau à l'autre. Mais ses misérables petites jambes vacillantes sont au supplice. Il se déchausse. Comme ça, il tiendra mieux. Il faut qu'il tienne !... Quelque chose de puissant l'a empoigné. Il court vers Monsieur le Directeur. Il le prend par la main. Les yeux, les lèvres pleins de questions.

On parcourt de nouveau l'exposition. Sarkan explique, avec des gestes véhéments, et sur le même rythme que ses gestes, il fait tressauter sur ses épaules sa paire de souliers.

Un coup de sonnette annonce la conférence. L'instituteur Havranek fait connaître succinctement son programme. Nous sommes assis juste au pied de l'estrade. Nos enfant écoutent intensément. Ils suivent chaque parole et nous adressent en chuchotant des questions rapides, lorsqu'ils ne comprennent pas le sens d'un terme inconnu. Sarkan ouvre les yeux tout grands. Il écoute même avec la bouche ! Le dessinateur est redevenu une fois de plus passionnément vivant en lui. Il me confie à l'oreille :

— Lida, ce que j'aurais été idiot de ne pas venir...

De combien d'expositions et de conférences ne s'est-il pas enfui, au beau milieu ! Cette fois, il est resté jusqu'à la dernière minute. Et par la suite, longtemps encore, il la mentionne et reparle de Havranek. Il ne peut oublier la force d'attraction de ces dessins d'enfants, et des mois plus tard, quand il peint pour les tout-petits un ondin il se tourne de mon côté :

— Lida, vous vous rappelez ce monstre verdâtre ? Vous savez bien, la fois rue Ladislas, chez Monsieur l'instituteur Havranek ?

(...) La rentrée.

Un tourbillon qui entraîne aussi Sarkan. Il est assis au

premier banc. Toute sa petite personne respire encore les vacances !

Des livres, une longue rangée de livres. Ceux de la sixième année... On a commencé par la préhistoire. Par l'homme primitif, sauvage. Quelque chose de si proche pour Sarkan. Dreng lui plaît énormément. Le Dreng de l'Iceberg de Jensen. Ainsi que toute cette grande époque, d'hiver et de glace.

— Qui était Jensen ?

Il consulte *Prague dans la préhistoire*. Il le parcourt, les joues enflammées. Et il fait un échange avec Joseph : contre *l'Apprenti sorcier*.

— *L'Ere du Déluge* est bien de lui aussi, n'est-ce pas ?

(...)

Je ne serai jamais éducatrice de profession, mais je donne volontiers ce que j'ai : des paumes chaudes et un cœur vivant. Ceci résume mon attitude envers l'enfant... Je suis de cœur avec les Japonais : pour eux, les enfants sont les fleurs les plus belles et leurs âmes ont la légéreté des ailes de papillons. A ce détail près, que de toutes les fleurs, celle que j'aime le plus fort est le chardon...

Le chardon sauvage, barbare, qui blesse si on le caresse. Des milliers de gens passent à côté de lui, des milliers de gens le dédaignent. Il se dresse, grisâtre, dans la poussière — solitaire — jusqu'au moment où il chante son hymne au soleil avec sa fleur toute simple !

Sarkan ! Sarkan... Lui aussi s'épanouira un jour en une ardente fleur sauvage tendue vers le soleil. Il sera un homme. Un homme fort, honnête... Car le destin qui lui a donné des jambes tordues et maladives a fait se croiser sa route avec celle d'un éducateur qui a su guider son esprit.

Où se serait-il échoué le petit Sarkan sans cette rencontre ? Je le vois dans toute la misère tragique d'un enfant de prolétaire, infirme, rendu amer par son sort, ployé contre la terre et ne se redressant que pour frapper...

Quel immense abîme désormais entre cette existence-là

et la sienne d'aujourd'hui ! A quelle hauteur, et combien loin de l'aube de son enfance n'est-il pas parvenu ! N'empêche ! Sarkan est par essence un enfant. Il est Jarous. Le même Jarous qui, jadis, jouait avec les cafards et suivait par la fenêtre les battements de la vie [11]...

Comment les enfants ont appris à lire :

Parmi nos visiteurs, il y a beaucoup d'enseignants. Plus exactement de vieilles institutrices. Je n'ai rien contre ces dames en général... Je les trouve instruites, d'avant-garde et entièrement dévouées à l'éducation. Mais celles qui venaient chez nous n'étaient pas du tout comme cela. Elles me proposaient leur temps libre pour m'aider à instruire les enfants... Les institutrices qui ont du temps libre me sont suspectes... Comment est-ce possible ?

Un bon enseignant n'a jamais assez de temps. Il ne doit jamais avoir l'impression que son travail se limite aux heures de cours... Donc, je me méfie, et d'autant qu'elles demandent sans arrêt où nous en sommes en lecture, en écriture et en calcul...

Mais je continue à leur répéter que nous travaillons autrement... Je me laisse guider par ma conscience, par mon expérience et par une littérature de valeur.

En réalité pour apprendre à compter à mes élèves, je fais comme pour le reste. J'attends que la vie montre l'utilité de savoir calculer — *que la vie allume leur vouloir.*

La curiosité naturelle donne envie d'apprendre.

A la fin du premier semestre, au bout d'une année, plus tard même, je dus leur répondre : « Non, nous n'écrivons pas, nous ne lisons pas, nous ne calculons pas. » Je mettais ainsi leur patience à une rude épreuve. Cependant, je persévérais dans le péché. J'attendais que la vie elle-même formulât ses exigences, provoquant ainsi le désir, éveillant l'intérêt et excitant la volonté.

---

11. Fin des extraits de *Sarkan,* par Lida.

Enfin, le moment arriva, au cours du quinzième mois de notre séjour dans l'établissement. C'était un dimanche. Le dimanche, notre petite société, imitant les adultes, se reposait. Journée mélancolique pour tous ! Ennui général !

Il en fut ainsi le dernier dimanche de juin 1914. Sarkan, sept ans, rassasié de jeu, fixe les yeux au plafond. Il est couché à la renverse, bras et jambes en l'air. Vojta, un garçon de seize ans, arrive, portant une plume et du papier à lettres. Sarkan lève la tête :

— Que veux-tu faire Vojta ?

— Je vais écrire à la maison, à mon père et à ma mère.

Sarkan se lève lentement. Un instant, il reste pensif, puis il se glisse vers mon établi :

— Monsieur le directeur, dit-il doucement, hésitant un peu, je voudrais écrire à maman.

— Eh bien ! écris-lui, dis-je en acquiesçant.

— Mais je ne sais pas.

— Je te montrerai comment on fait, si tu le désires.

— Alors venez, je vous en prie, dit Sarkan en me prenant par la main et en m'attirant vers les pupitres.

Là, quelques garçons sont en train de feuilleter des livres d'images. Le petit Jan qui a également sept ans se tourne vers nous.

— Qu'est-ce que vous allez faire Monsieur le Directeur ?

— Sarkan veut écrire à sa maman. Je vais donc lui montrer comment on s'y prend.

— Ecrire à sa maman ? Oh ! je voudrais aussi écrire à la mienne !

Petit Jan met de côté son livre et vient à petits pas. Dans un coin, près d'un tas de joncs, Jenda travaille en cachette (car c'est dimanche). Il lève les yeux de dessus sa petite corbeille :

— Ecrire ? J'aimerais bien... à mon père, dit-il, songeur. Attendez-moi. Dès que j'aurai rangé ce tressage, j'apprendrai aussi.

Le besoin d'écrire se révèle soudain chez tous les enfants

et se propage comme une épidémie. Mes autres illettrés sont également atteints ! J'allai quérir un syllabaire à images et nous nous mîmes à écrire, les uns avec les mains, les autres avec les pieds.

Nous écrivions et lisions avec le même zèle ardent et la même persévérance que nous avions apportés à tresser des corbeilles, à menuiser, à repousser du métal et à peindre des étoffes. A peine les enfants étaient-ils éveillés le matin, qu'ils s'emparaient de leur matériel. Ils écrivaient au lit, à leurs pupitres, assis ou couchés par terre, mais ils ne se servaient pas d'ardoises... Les lettres s'inscrivent toujours sur du papier et les enfants voulaient écrire des lettres ; ils n'avaient, pour l'instant, pas d'autre but.

A midi j'étais obligé de les arracher de force à l'écriture pour les envoyer dehors, sur les redoutes, au soleil qu'ils aimaient tant. Et le soir, il fallait des explications et des objurgations sans fin pour les décider à aller se coucher. Ecrire, ce n'était pas seulement chez les enfants un caprice ! Ce n'était pas davantage un intérêt passager, suggéré par d'autres, mais un désir enraciné profondément dans leur cœur ; ils pensaient à ceux qu'ils aimaient et qui se trouvaient loin d'eux, dans le pays, si loin, qu'on ne pouvait communiquer avec eux qu'au moyen d'un crayon et du papier ! Un but déterminé conduisait les efforts de mes enfants. Ils étaient déjà persévérants et ne se relâchaient pas avant de l'avoir atteint.

C'est la vie qui le leur avait appris. Ce qui arriva fut presque un miracle : au bout de quinze jours, Sarkan écrivait une lettre à sa mère, seul, tout à fait seul. Les autres petits apprirent en trois jours l'alphabet, tout l'a.b.c. imprimé. Après une semaine de leçons, ils épelaient et écrivaient sous dictée ; au bout de trois semaines, ils savaient lire et écrire sans le secours de personne.

D'ailleurs je ne fus pas étonné de ce succès. Il était la conséquence toute naturelle de ce qui avait précédé ; la vie et un travail physique approprié l'avaient préparé. Ces deux facteurs éveillent la pensée et l'obligent à une vigilance continuelle. Ils aiguisent l'esprit, le développent. Par leurs appels variés et répétés, ils habituent le cerveau à réagir promptement et à juger sainement. Ils éveillent l'appétit de vouloir et fortifient la volonté. Les enfants s'accoutument à concentrer toute leur attention sur l'objet qu'ils veulent connaître ou qu'ils s'efforcent de façonner. Ils font l'essai de différents moyens techniques, utilisant toute sorte de matériaux, d'outils et de machines. Pourquoi mes petits artisans, qui maniaient si habilement couteau, alène, scie, rabot, auraient-ils éprouvé quelque difficulté à conduire sur le papier la pointe d'un crayon ? Lorsque je leur montrais la forme des lettres les plus difficiles, que représentait pour eux cette forme, sinon une analogie avec des ornements parfaitement simples ?

Depuis longtemps, les enfants usaient de formes beaucoup plus compliquées comme élément d'ornementation lorsqu'ils sciaient, dessinaient, peignaient, martelaient, pyrogravaient, de petites boîtes, de petits cadres, de souples étoffes ou le dur métal.

Qu'était-ce donc que lire et écrire pour des enfants qui avaient été formés au vrai travail, au travail sérieux ? Rien de plus qu'un jeu facile qui leur procurait un agréable délassement.

Nous avons réussi à dégager l'esprit de cette argile lourde qui s'appelait Jenda. Par la lecture, par l'écriture, par le calcul ? Non. Par le contact direct avec la vie.

Nous l'avons mis au milieu des osiers, des baguettes et des planchettes. Qu'il fasse ce qu'il peut. On prend le poisson à la ligne. Nous avons pris Jenda à une baguette. Les osiers ont éveillé l'âme de ce garçon de douze ans, en dépit des signes que portait sa physionomie et qui faisaient prévoir un enfant inéducable.

Dans notre école, Jenda refusa la plume et le livre pour devenir apprenti tresseur de paniers. Il n'apprenait pas ; dès la première heure, il tressa comme un artisan parfait. Mais le jour arriva où nous lui fîmes voir que l'art d'écrire pouvait lui être utile. La veille des grandes vacances, les enfants écrivaient aux parents pour les prévenir de leur arrivée. Le cœur de Jenda se noyait de joie à l'idée de voir les siens. Il ne les avait pas vus depuis trois ans. Mais il fallait les prévenir. La cousine n'arrivait pas. Quelle guigne ! Jenda se rongeait le cœur. Il attendit une semaine entière. Vainement.

Enfin, il m'aborde timidement :

— Monsieur le Directeur, voulez-vous m'écrire une lettre ?

— A qui ?

— A la maison, pour aviser mes parents de mon arrivée.

— Pardon, lui dis-je d'un geste impatient, je suis très pressé. Et puis, je n'ai pas le temps de faire de la correspondance. D'ailleurs tous les enfants de ton âge savent déjà écrire des lettres...

Jenda s'adresse à ses amis. Peine perdue. Défense est donnée de lui écrire quoi que ce soit.

Jenda fut le seul de tous nos enfants cloué à Prague pendant les grandes vacances. La leçon fut dure, mais elle lui apprit le prix de l'écriture. Et dès le premier jour de la rentrée, voilà Jenda, hidalgo osseux et lourd de treize ans, assis sur le banc des petits, les yeux fixés sur le maître. Tous ses efforts tendent vers ce but unique : écrire. Il a payé cher l'ignorance de cet art ! Il fit des progrès rapides. Dans le délai d'un mois, il est promu dans la classe supérieure : en une année scolaire, il prépare avec succès la première classe de l'enseignement primaire supérieur.

Il lit lentement, péniblement. L'établi a toujours son amour, un amour plus vif que le livre. Jenda est un ouvrier d'étape. Il travaille pour obtenir le certificat de fin d'études primaires supérieures. Car il en a besoin pour être admis dans la confrérie des menuisiers et pour devenir membre d'un atelier. Jenda a du bon sens. Il ne sera pas savant. Il le sait. Il veut être un homme pratique. La culture scolaire et la formation professionnelle le lui permettront. Il partage son amour entre l'école et l'atelier. Il prend la théorie comme un médicament, à petites doses. Sa manière de voir répond à son intelligence. Tout porte à croire que son intelligence évoluera avec le temps.

Et le livre ? Il lui sert de moyen pour atteindre un but précis. Jenda ne projette pas dans l'avenir. Ses buts sont toujours à la portée de sa main. Pour le moment, il ne serait pas raisonnable d'attendre davantage de lui.

Après nos succès en lecture et en écriture, j'avais confiance !
Nous arriverions aussi à maîtriser le calcul. Seulement à ce
moment-là, le sort nous a joué un tour à sa façon...

A peine avions-nous goûté les premières saveurs de la
culture qu'éclata la « grande guerre ».

Coéducation des enfants et des mutilés de guerre :

J'ai consacré mes jours à ceux qui sollicitaient mon
secours d'une voix pressante... aux invalides de guerre. Le
début de la guerre de 1914 nous donne tout de suite
beaucoup de soucis. Qui pense à quelques petits handicapés
au moment où des milliers d'hommes rentrent du front bien
plus handicapés ? Notre Institut ne vit que des dons de
braves gens... ces gens-là trouveront peut-être maintenant, que
d'autres ont davantage besoin de leur aide matérielle. Même
moi, je me demande souvent comment aider ces hommes et
ces jeunes gens qui vont revenir mutilés... Ils vont perdre
leurs possibilités de travailler, de vivre librement de leurs
gains. Ces gens-là seront encore plus accablés de leurs
malformations que mes petits... Il faut donc les aider... Mais
délaisser mes élèves.. Je pense à la rééducation des adultes
auxquels il faudra apprendre un nouveau métier ou réap-
prendre le leur dans de nouvelles conditions physiques.

Ces pensées m'amènent tout droit à l'idée de coéducation
des grands invalides et des enfants handicapés. Des adultes
abîmés par la guerre et des enfants abîmés par la nature.

Le professeur Jedlicka donne son accord pour accueillir à
l'Institut les mutilés de guerre qui travaillent alors avec les
enfants handicapés.

En qualité de chirurgien, il s'occupera de l'état physique
des blessés. Il veut bien que je m'occupe de leur rééducation.
L'Etat aidera à payer les frais pour les blessés de guerre. Ainsi
les frais de mes petits seront « couverts » par la coéducation.

C'est ainsi qu'en août 1914, Bakulé propose ses services à
l'Etat-Major des Armées qui accepte immédiatement.

La maison s'amènage rapidement pour recevoir les premiers
soldats :

Au début de 1914, ma petite maison abrite quinze
enfants et six adultes, un atelier, une salle de classe, un
bureau, quelques chambres, une cuisine...

Fin 1916, nous aurons vingt-et-un ateliers avec dix contre-
maîtres, une centaine d'employés fixes et beaucoup de tempo-
raires — tous blessés de guerre. Egalement quatorze bureaux
avec quarante-six employés et quatorze commis. Et aussi des
laboratoires de recherches, des salles de soins, des salles
de classe...

Pour acquérir tout cela, il a fallu faire vite, d'autant
plus vite qu'en mai 1915, le Professeur Jedlicka m'annonce
une inspection officielle imminente. Il s'agit d'un chirurgien
militaire autrichien qui veut adjoindre à son hôpital de
Vienne, un atelier de fabrication de prothèses. Il serait bon
de lui montrer quelque chose de semblable... Sinon l'argent
tchèque et les blessés tchèques prendront le chemin de
l'Autriche... Il nous faut donc monter un atelier de prothèses
en... une semaine !

Je commence immédiatement à faire des projets. Il nous
faut un atelier pour travailler le métal, un autre pour travailler
le cuir (sangles, ceintures), un dernier pour le rembourrage.
Bien. Tout ceci existe déjà à l'Institut, mais pour réunir les
trois ateliers et fabriquer des prothèses, il nous faut un
contremaître de métier. Je me lance à la recherche de
l'homme... Ceci n'est pas une mince affaire : tous les spécialistes sont déjà en service commandé sur le front. Je le
trouve enfin « mon bandagiste ». Monsieur Kalès, grâce
aux relations du Professeur Jedlicka sera en service commandé
chez nous. Je le nomme directeur de nos futurs ateliers et lui
donne carte blanche. Ensemble nous recherchons les matériaux
et recrutons nos employés parmi les convalescents des hôpi-
taux militaires. Les nouveaux employés, une fois à l'Institut
sont mis immédiatement au travail par Monsieur Kalès. Ils
ne s'aperçoivent même pas que leur première journée de
travail est de seize heures... Le jour de l'inspection, trente

ouvriers sont en place et notre atelier reçoit la « bénédiction officielle ».

En 1916, notre bilan : 3 383 prothèses de jambes, 2 477 corsets pour les blessés de la colonne vertébrale, 2 981 paires de chaussures spéciales.

Les enfants deviennent les collaborateurs de Bakulé :

Avec tout ceci, vous pensez peut-être que mes petits sont restés sans soins ? Non ! Les enfants prennent part à toutes les activités, mais ils vivent évidemment autrement.

Ils étaient mes élèves : ils deviennent mes collaborateurs ! Ma petite communauté se relâche un peu, et il y avait de quoi. Tant d'émotions fortes durant ces jours sombres ! La vie a ouvert tant de champs à notre activité ! Nous établissons l'école et le refuge pour les soldats estropiés.

J'avais grand besoin de bons collaborateurs... Des jeunes gens, des hommes blessés nous arrivaient du front par centaines... Blessés dans leur corps et dans leur esprit. Dans l'avenir, comment pourront-ils travailler ?

Nous commencerons donc par soigner leur âme avec l'aide de nos enfants.

Un jeune soldat manchot nous arrive du front la mort dans l'âme... Frantisek l'accueille sur le perron. Le soldat, stupéfait, regarde le garçon, dont les deux manches sont vides, ouvrir la porte avec son pied et courir joyeusement au devant de lui... En voyant le visage heureux de Frantisek, le soldat se met à sourire. Puisqu'un petit sans bras est heureux, pourquoi ne le serait-il pas, lui qui a encore un bras sain ?

Il est parti de chez nous la tête haute, ayant vu que nos handicapés vivent et travaillent. Alors, pourquoi pas lui ?

Un menuisier nous arrive du front sans jambes, désespéré. Que va-t-il devenir ?

Je le conduis dans notre atelier de menuiserie où Honzik aux jambes paralysées est assis sur un tabouret tournant spécial et manie le rabot avec dextérité. Honzik lève la tête, sourit et continue son travail. Notre invité regarde les fins copeaux avec admiration et s'étonne que le garçon soit assis devant l'établi... puis regarde ses jambes... Honzik, pour lui montrer son handicap, va, à l'aide de ses béquilles, à l'autre bout de l'établi. Il y étudie les plans de Sylva pour la fabrication d'un coffret. Notre visiteur regarde son jeune condisciple — de métier et d'infortune — et le désespoir quitte ses yeux. Voilà ! Même cul-de-jatte, on peut être menuisier !

Et ainsi, les uns après les autres en admirant mes petits à l'ouvrage, ces soldats malheureux se rendent compte qu'eux aussi pourront travailler, sinon seuls, du moins en équipe comme nos enfants. C'est le début du mérite de mes petits... Mon Institut devint une fabrique, et les enfants, des ouvriers à part entière. On s'y occupe de la thérapie mentale de nos grands blessés.

Les enfants retiendront de cette époque une leçon sur la guerre et seront de grands pacifistes...

La vie et le travail, qui sortaient de la période de tâtonnements pour prendre des formes précises et stables, menaçaient de s'écrouler. Non pas aux dépens des enfants. Le ciel m'en préserve ! Cependant quelques domaines de notre activité dépérissaient, la vie prenait des formes rudes. Mais ce changement nous a apporté nombre de connaissances utiles, nombre d'expériences fécondes pour la culture de l'intelligence et du cœur.

Ainsi donc, ma famille de petits lecteurs et de petits écrivains se relâcha un peu. Ils ressentaient les bienfaits de leurs efforts ; ils lisaient et écrivaient des lettres à leurs proches, mais ils n'éprouvaient pas encore le désir de s'intéresser au secret des livres imprimés. Non, ils n'en avaient pas besoin. Un autre livre vivant était ouvert devant eux, plus vivant que les hiéroglyphes des connaissances mortes, le livre qui les appelait à grands cris : la vie dure par le contact direct avec la réalité.

Je n'appartenais plus aux enfants. Ma tâche d'organisateur m'absorbait tout entier. Les enfants me retenaient au corridor, dans l'escalier, pour me dire deux mots en passant. Deux mots doux de souvenir reconnaissant. Toutefois, je n'oubliais pas mes petits élèves. Je leur ai donné un ami, bon et dévoué : un jeune maître, Karel Goldfinger, qu'une balle avait rendu invalide. Il connaissait mes méthodes d'éducation et d'instruction, partageait mes principes et connaissait aussi mes enfants. Il leur a offert les trésors de son intelligence et le zèle de son cœur.

Face à de nouvelles difficultés,
Bakulé est destitué de ses fonctions de directeur :

Fin 1916, Bakulé dirige davantage une fabrique qu'une école. Absorbé par ses nouvelles charges, il est en butte avec le Conseil d'Administration de l'Institut qui souhaitait une « école convenable » pouvant délivrer des « certificats reconnus ».

C'était ne plus tenir compte des conditions posées. Bakulé refusa :

Je suis dégradé et de directeur, redeviens instituteur. Je ne dois plus me mêler que de l'enseignement — et seulement aux heures habituelles de classe... Si je ne voulais pas aller au front directement, il fallait me taire et accepter toutes les humiliations. J'avais terriblement honte de me taire, mais parler c'était me suicider. Je me consolai en me disant qu'après la guerre je redeviendrai un homme libre qui se bat.

Les affrontements sont d'une bassesse incroyable [12].

On reproche à Bakulé d'avoir acheté trop de saindoux ou trop d'huile, ou bien d'avoir laissé geler les oignons. L'association qui entretient l'Institut veut y introduire ses amis. Bakulé défend alors ses employés menacés de licenciement.

En 1916, les ennemis de Bakulé réforment le système d'éducation chez Jedlicka et instaurent l'enseignement classique des écoles publiques. Le programme d'enseignement est fixé par le Conseil de l'Instruction Publique du 9/9/1916

12. Extrait d'un article de V. Sklénar, instituteur tchèque qui s'est attaché à rassembler des documents sur Bakulé et à en défendre la mémoire.

(sous le n° 111 A 780 52 496), et pour que le triomphe soit complet une enquête sur le travail de Bakulé chez Jedlicka est décidée.

Le verdict devra non seulement faire cesser l'action expérimentale de Bakulé mais aussi toutes les innovations pédagogiques. Bakulé ayant une position de leader parmi les enseignants de l'époque, l'attaque dirigée contre lui est en même temps une attaque dirigée contre le groupe des enseignants libres-penseurs.

Les enquêteurs sont invités par l'Institut Jedlicka à se prononcer :

1° Sur la manière d'enseigner de Bakulé et sur les résultats obtenus par ses élèves.

2° Sur l'enseignement et sur l'éducation des handicapés. Devra-t-on à l'avenir appliquer à cet enseignement et à cette éducation les méthodes de Bakulé ?

3° Sur la nécessité d'apporter des changements, et en particulier de donner à l'Institut le statut d'Ecole Publique.

Après délibération, les enquêteurs établissent le rapport suivant :

« Les soussignés, en accord avec les nouvelles méthodes pédagogiques, pensent que l'éducation des handicapés doit résider dans la meilleure évaluation et le meilleur développement de leurs possibilités physiques et mentales qui leur permettront par la suite de devenir des membres productifs de la société.

Souvent ils rencontrent des handicapés qui sont des êtres malheureux, conscients de leurs infirmités et découragés par leurs insuffisances et leur avenir. Par contre les pupilles de l'Institut Jedlicka, par leur apparence, par leur comportement et par leurs travaux révèlent à première vue la joie de vivre, la confiance en eux-mêmes et la conscience de leur indépendance future.

Ces faits extraordinaires ne peuvent être dus qu'à la façon de diriger et d'enseigner.

En ce qui concerne l'éducation physique, il est surprenant de voir des enfants handicapés physiques ou même sans jambes ou sans bras, maîtriser un tel éventail de travaux manuels. Cet entraînement conduit à la capacité de gagner sa vie dans l'avenir, et offre de nombreuses bases d'enrichissement et de développement pour la vie intérieure de chacun.

1) Pour toutes ces raisons, les soussignés pensent qu'il est indispensable pour le succès futur que la direction de l'Institut et les manières d'enseigner soient maintenues. Ils conseillent de maintenir à l'Institut toute éducation et tout enseignement axés sur le travail manuel.

L'idée de faire du travail manuel la base de l'éducation et de l'enseignement, est abordée dans la littérature tchèque depuis de nombreuses années, mais elle n'a jamais trouvé une meilleure mise en valeur avec un plus grand succès, qu'à l'Institut Jedlicka. Pendant les travaux manuels, les élèves acquièrent des expériences et les connaissances qui en découlent s'ancrent profondément dans l'esprit des enfants. Leur portée et leur effet sont d'autant plus grands que le travail effectué éveille un vif intérêt et démontre la rationalité, l'efficacité et l'utilité pratique de cette méthode. L'Ecole Publique qui donne aux élèves des connaissances surtout théoriques, fractionnées en matières différentes, n'offre pas les mêmes occasions et ne peut attendre que l'intérêt de l'enfant soit éveillé. C'est pour cela qu'à l'Ecole Publique les résultats ne sont ni aussi prompts, ni aussi durables que ceux que nous avons observés à l'Institut Jedlicka.

2) Le système d'éducation et d'enseignement de l'Institut Jedlicka est une œuvre d'un caractère qui lui est propre, et qui surpasse ce qui existe dans les instituts étrangers.

Ce système est l'œuvre du directeur Bakulé. Le monde pédagogique tchèque suit avec intérêt, depuis 1905, son œuvre éducative. Il déplore souvent que la réglementation des écoles publiques limite le travail de Bakulé dans sa substance même, si bien qu'il ne peut mettre en valeur ses idées dans leur contexte entier. Ce n'est qu'au moment où le Docteur Jedlicka, en créant l'Institut pour enfants handicapés, lui donne une liberté entière, base même de tout travail créateur, que la justesse des principes de Bakulé se révèle dans toute son ampleur. Bakulé a non seulement réussi à réaliser ses

103

idées qui semblent être plutôt des utopies pédagogiques, mais de plus, il a créé avec ses élèves une communauté de travail, fait unique dans l'éducation. C'est pour cela que nous souhaitons vivement, pour l'avenir, une éducation et un enseignement dispensés selon les principes de Bakulé et qu'il en assure lui-même la direction.

3) L'Institut Jedlicka, comme le nom de l'association l'indique, est destiné aux soins et à l'éducation des handicapés. Il est donc et restera avant tout, une clinique et un lieu d'éducation des handicapés où la scolarisation doit être subordonnée aux travaux manuels éducatifs.

Il découle de tout ceci que, dans sa forme actuelle, l'Institut ne peut prétendre à l'appellation d' « Ecole » et encore moins d' « Ecole Publique ».

Pour toutes ces raisons, les soussignés sont unanimement opposés à la transformation en école ordinaire, d'un Institut qui dirigé adroitement, donne des résultats surprenants.

Ils voient en cet Institut une école expérimentale, dans le vrai sens du mot, une école où l'on peut expérimenter de nouvelles voies et de nouvelles méthodes et dont le but et l'intérêt résident dans sa liberté. La liberté de méthode est la base même de l'épanouissement de l'œuvre à laquelle nous, les soussignés, souhaitons toutes les chances.

Bakulé, dans son école expérimentale, a mis l'éducation artistique au premier plan. Nous sommes fiers de constater que notre première école expérimentale met en évidence la supériorité des dons artistiques tchèques, alors qu'aucune expérience semblable n'a jamais été réalisée à l'étranger. Nous sommes heureux de voir se créer une communauté enfantine de travail. Un excellent moyen de travail et d'unité, une auto-gestion des jeunes qui mène le pupille à l'indépendance, toutes valeurs à soutenir doublement dès lors qu'il s'agit d'enfants handicapés.

Dans cette voie, l'Institut est arrivé à des résultats étonnants. Les élèves s'intéressent à leurs devoirs, les exécutent seuls, cherchent des références, des explications pour des travaux personnels, comme le feraient des adultes.

En accord avec la pédagogie moderne, Bakulé joint les

théories aux applications pratiques. Il aborde en premier les expériences de travail manuel et n'y adjoint les obligations scolaires habituelles seulement lorsque l'enfant veut savoir. Ce problème difficile, Bakulé le résout méthodiquement, à sa façon.

Nous conseillons également de ne plus troubler cet enseignement par des visites répétées de personnes non qualifiées. »

Nous ne douterons pas de l'impartialité des rapporteurs, et encore moins de leurs qualifications. Dans l'histoire de la pédagogie tchèque, ils sont aux places d'honneur [13].

Ce rapport, resté confidentiel, n'a pas permis à Bakulé de reprendre son titre de directeur, mais il en conserve l'autorité et les fonctions, avec le statut d'instituteur.

Bakulé expose son plan pédagogique à l'instituteur Karel Golfinger.

Les enfants seront répartis, selon leurs possibilités, en trois groupes. Pour un enfant normal, mon premier degré correspond à sept/neuf ans, le second à neuf/douze ans et le troisième à douze/seize ans. Mais pour les handicapés, il ne peut y avoir d'âge prescrit.

Voilà comment ces classes vont travailler :

Le 1er degré : Correspond aux enfants ne sachant ni lire, ni écrire. L'instituteur doit d'abord éveiller leurs sens et leurs possibilités de jugement. Eveiller par tous les moyens la curiosité pour tout ce qui les entoure, le goût de la recherche. Ceci à tout instant, pendant les jeux, la gymnastique, les travaux manuels. Sauf si les enfants en font la demande, le maître n'aborde ni la lecture, ni l'écriture. En revanche, il leur apprend à bien observer.

Il est très important que le maître fasse des lectures à haute voix qui peuvent être le point de départ de discussions. On chante aussi beaucoup et on écoute de la musique.

---

13. Fin de l'extrait de l'article de V. Sklénar.

L'écriture est pour le moment remplacée par le dessin, le modelage et la sculpture.

D'une manière pratique, les enfants fabriquent des objets qui trouvent leur utilisation dans la vie, et dans les jeux des petits.

Nous regardons aussi des tableaux, des images que nous essayons de « lire ».

A la place du calcul, les enfants apprennent à compter à l'occasion de jeux ou durant les travaux manuels.

Il faut veiller à ce que les discussions soient animées et à ce que les enfants y participent.

Le but de ce premier degré est :

— d'apprendre aux enfants à connaître un grand nombre de mots et d'expressions, avec dans l'esprit, les images qui y correspondent,

— de développer le langage de l'enfant et ses facultés de jugement,

— de susciter et d'éveiller le désir de travailler, de créer, afin que cela devienne pour l'enfant une habitude, une nécessité,

— d'apprendre les bases de la morale. Il faut que l'enfant sache ce qu'est l'amour, la haine, la reconnaissance, la vérité, la récompense, la punition, etc.

Le Second degré : Son but est :

— d'apprendre à lire, à écrire, à compter. A bien « lire » les tableaux (œuvres d'art, images),

— d'apprendre à bien manier les différents outils, à se servir de certaines machines,

— de développer le sens de l'observation et de commencer une recherche suivie,

— de savoir acquérir et se servir de ses connaissances (dans la vie et au travail),

— de faire comprendre les œuvres d'art (littéraires, graphiques, musicales),

— de donner l'habitude d'évaluer l'éthique de chaque chose. Quelle en est sa valeur morale ? Est-ce un bien, est-ce un mal ?

Pour ces deux degrés, nous ne suivons pas d'emploi du temps, contrairement aux autres écoles. L'instituteur consacre autant d'heures ou de journées à un même sujet qu'il est nécessaire pour sa complète compréhension. Le seul guide de l'instituteur doit être l'intérêt que montrent les élèves.

Pour enseigner les sciences naturelles ou physiques, la géographie ou l'histoire, l'instituteur entoure les enfants d'objets fabriqués qui peuvent éveiller leur curiosité. De même l'instruction civique et morale est étroitement liée aux incidents de la vie quotidienne ou inspirée de faits divers.

Le 3ᵉ et dernier degré doit avant tout servir à faire un tout de l'éducation des deux premiers degrés. En plus il doit donner à l'enfant toutes les connaissances pratiques nécessaires à sa vie hors de l'école.

Il faudra donc, que les enfants sachent qu'ils « ne savent rien », éveiller ainsi leur curiosité et leur donner le désir de continuer à apprendre toujours plus et mieux. En faire des gens plus heureux, plus généreux.

Il faut également leur apprendre à mieux utiliser leurs dons, leurs talents et à s'en servir dans la vie pratique.

A ce degré, je juge utile d'introduire une éducation sportive dans tous les sens du mot. Un « esprit » sportif aussi bien que la course, le saut, etc.

Leur montrer un but et faire avec eux une recherche méthodique des moyens nécessaires pour l'atteindre et passer à l'entraînement, méthodique, persévérant, acharné... (c'est une grande différence avec les deux premiers degrés où les enfants apprennent en jouant).

Notre but étant l'entrée dans la vie active, il faut s'y préparer d'une façon concrète.

Ce troisième degré est un lieu de rencontres et de discussions. Que faut-il à chaque élève pour sa vie dans la société, pour sa vie personnelle ? Savoir réfléchir et travailler seul. Avoir une personnalité bien à soi pour ne pas se plier à tour de rôle à toutes les tendances. C'est pourquoi l'élève doit étudier jusqu'à ce que le texte lu soit très bien compris. L'élève fait ensuite un plan de travail. L'instituteur ne lui apprend pas tout sur le sujet mais l'incite à faire la recherche. Il lui apprend à travailler avec discipline même sans surveillance. Les enfants deviendront ainsi des adultes responsables, avec un bon caractère et de la personnalité.

En histoire, les enfants chercheront à prendre conscience de la vie politique et sociale. Ceci leur permettra de prendre part à la vie politique quand ils seront adultes.

En plus du travail manuel et physique qui prépare à la vie, ils prendront connaissance des œuvres artistiques qui nourrissent l'esprit :

En musique, nous commencerons par des chants et des œuvres lyriques. Cette ouverture leur permettra d'apprécier plus tard la musique classique.

Pour les arts graphiques, nous commencerons par les œuvres les plus frappantes, en architecture, par les formes simples et belles.

Le livre deviendra leur ami le plus sûr. Après les classiques de leur pays, ils essayeront de comprendre les œuvres d'auteurs étrangers pour connaître d'autres pays, d'autres coutumes.

Comment Bakulé envisage le fonctionnement de l'Institut ?

L'Institut sera autonome : une collectivité d'enfants gérée par eux-mêmes. Les fonctionnaires élus pour un trimestre afin que chaque membre ait ainsi l'occasion de remplir toutes les fonctions.

Dans les activités lucratives tous les élèves partageront les responsabilités et les gains. Ainsi ils apprendront la gestion. Ils seront « payés » selon leurs capacités, leurs connaissances et leur assiduité au travail.

Avec leur salaire, ils feront ce qu'ils voudront. Au début j'essaierai de les guider dans leur choix tout en les laissant faire.

Après avoir élaboré ce projet, j'en viens à penser qu'une telle école pourrait aussi bien accueillir les enfants sains que les enfants handicapés. Les enfants sains s'habitueraient à la présence d'handicapés et sauraient apprécier le mal que les handicapés se donnent pour arriver à faire les gestes simples de la vie de tous les jours.

L'école idéale ne se limiterait pas à la salle de classe, mais concernerait tout l'environnement des élèves (maison, atelier, rue, champs, etc.) ; l'enfant vivrait et travaillerait ainsi entouré.

L'enfant prendra d'abord contact avec les matières premières qu'il apprendra à travailler : bois, métaux, pierres, tissus, papier. Il fera connaissance avec la nature en cultivant les fleurs, les légumes et les fruits ou en s'occupant d'animaux domestiques. L'école comprendra plusieurs ateliers bien équipés, animés par des gens de métier. A la menuiserie, à la mécanique, à la couture et à la reliure s'ajouteront les travaux dans les champs, jardins, étables, etc. Pour cette raison, je conçois de vraies fermes auprès d'écoles de ce genre... Les cuisines de l'école seraient ouvertes aux élèves qui y apprendraient tout sur la valeur nutritive de notre alimentation, etc. Il y aurait également une bibliothèque fournie aussi bien en littérature technique qu'en romans, une salle de lecture, un atelier d'arts graphiques, un laboratoire de langues, une salle de musique (chants, divers instruments, compréhension et écoute de la musique), un gymnase, une piscine, des clubs (littéraire, sportif, échecs...)

Tout ce qui concerne l'école serait régi d'une façon autonome. Les élèves, les instituteurs et tous les employés des ateliers, fermes et intendances formeraient une société autonome avec ses bureaux et son administration. La moitié de l'argent gagné par cette société serait rendue à l'école (ceci pour apprendre aux élèves que chaque individu a des devoirs envers la société qui l'a éduqué). La seconde moitié, considérée comme un salaire, amènerait l'enfant à se servir à bon escient de son argent : achat de livres, de matériel scolaire, différentes sorties.

Le futur instituteur-éducateur devrait être, outre un bon pédagogue, un homme bon, expérimenté, riche en souvenirs de la vie qu'il partagera avec ses élèves.

L'école n'enfermera plus l'enfant mais au contraire lui ouvrira tous les horizons. Pour bien remplir toutes ces fonctions, l'école doit être presque dans tous les cas, un internat. Un internat libre qui n'emprisonne pas les enfants, qui ne les arrache pas aux familles capables de bien les élever. Cette école ne doit remplacer la maison que pour ceux qui sont privés chez eux d'amour, de joie, de chaleur humaine. Cela permettra d'offrir un lit propre à un petit dont la famille n'a pas de place, de bien nourrir les mal nourris, etc.

Et qui paiera ? Eh bien les écoles-ateliers, les écoles-fermes arriveraient à mon avis, si elles sont bien gérées, à être financièrement indépendantes.

Bakulé met en pratique ces idées :
création de la « coopérative de fabrication de jouets ».

Nous commençons à nous organiser, les enfants et moi. La coopérative est née en 1917. Les grands élèves président la première réunion.

Ruda propose l'organisation du travail, Frantisek souligne l'importance du marché.

Nous prenons nos décisions.

Tous les enfants estropiés peuvent devenir des membres de la « coopérative de production enfantine », les soldats invalides ne peuvent qu'être conseillers et membres d'honneur.

Chaque travail fait pour la coopérative sera payé. Le prix de vente de l'article tiendra compte :

— du matériel

— du travail et de l'utilisation de l'atelier

— du prix de vente des articles identiques vendus dans les magasins.

Les travailleurs seront payés d'après leur temps de travail et non pas en fonction de la valeur de l'objet fabriqué. (Par cette décision, les fondateurs de la coopérative manifestent leur esprit de solidarité.)

A la deuxième réunion Ruda est élu président : il est intelligent et bon organisateur, il saura diriger la coopérative. Dans les pieds de Frantisek nous mettons la fonction de secrétaire. Avec son énergie, il montrera l'exemple à tous. Il a une très belle écriture (avec son pied) et tape rapidement à la machine à écrire : il s'occupera donc de toutes les écritures, ainsi que de la commercialisation des produits. Tonik aura pour souci la comptabilité, et le calcul des prix, Sylva s'occupera de la production de l'atelier, Jenda sera chef de l'atelier de menuiserie, Sarkan, magasinier.

Un jury composé de trois membres : Sylva, Ruda et Sarkan, fait les propositions et surveille le côté artistique de la production.

Sylva est le meilleur, il sait dessiner à la perfection. Ruda n'est pas encore aussi bon en technique mais il fait des propositions originales, surtout en ce qui concerne les jouets. Sarkan, tout jeune, observe tout.

Le premier jouet fabriqué : un village en bois

Les plus petits aimaient à jouer avec des chutes de bois. Un jour, ils en firent des maisons. Sylva, en observant le jeu des petits eut l'idée de proposer la réalisation d'un village entier.

A la réunion, Sylva et Honzik présentent les dessins et font la liste du matériel nécessaire à la réalisation du projet.

Le directeur commercial, Frantik, contacte différents magasins de jouets en montrant les maquettes. Il revient avec plusieurs commandes et le matériel nécessaire à leur fabrication. Tous les enfants se mettent au travail selon leur capacité. Notre équipe s'organise et produit de cette façon de nombreux jouets.

Fabrication d'animaux inspirés du « Livre de la Jungle »

Le dessin, et tous les travaux de création artistique qui en dérivent, ont dans l'enseignement le caractère d'un objet poétique.

Le problème de l'enseignement du dessin ne doit donc pas être résolu d'une manière superficielle, comme un sec problème de technique graphique, mais comme une question artistique, au point de vue psychologique, prenant appui aussi sur le contenu de ce qu'un objet observé évoque dans le for intérieur de l'enfant, et sur le vif désir qu'a ce dernier de représenter la chose vue à l'aide de la ligne, de la couleur et de la matière.

Sarkan avait neuf ans. A l'atelier d'orthopédie, il récupéra une pièce défectueuse. C'était la première phalange d'un doigt de main artificielle.

Il y cloua un manche, et de ce bout de doigt se fit ainsi un marteau. Ce jour-là, il donna des coups de marteau sur tout ce qu'il rencontra.

Le soir, il s'installa dans un coin avec un livre. Tout en lisant, ses yeux se tournaient de temps en temps vers le marteau, posé à côté du livre. Le manche allongé évoqua dans sa vive imagination l'idée d'une forme corporelle bien caractérisée, celle du kangourou. Quelques jours auparavant, il avait été avec moi au Jardin Zoologique, et là, dans l'intérêt qu'il porte à la forme, il avait admiré le kangourou. Il venait de lire les « Histoires Comme Ça » de Kipling et parmi elles, celle du « Vieux kangourou ».

« Je m'en vais faire de mon marteau un kangourou », dit l'enfant et, quittant le livre, il courut à l'atelier qui lui donnait la possibilité de réaliser son idée. Au marteau il cloua en haut, de petites pattes, et en bas des grandes, puis une queue, mobile évidemment, comme les pattes, et le kangourou fut prêt. Sarkan n'était pas préoccupé par l'idée de la prospérité économique de notre entreprise. Il avait fait le kangourou pour lui-même, pour le plaisir. Mais Ruda, avec ses quatorze ans, vit dans l'œuvre de Sarkan une idée qui pouvait être utile à notre coopérative de production. Il fabriquerait tous les personnages des contes de Kipling. Il les construirait articulés, de manière à pouvoir mimer diverses scènes dont les enfants illustreraient l'histoire. Cela ferait de jolis jouets de bonne vente.

L'histoire du « Jeune éléphant » est la mieux adaptée à ce projet. Ruda veut nous faire une surprise. Il va se fourrer dans un grand placard de l'atelier, et là, la porte à demi fermée, il sculpte au canif dans le bois, le jeune éléphant curieux, ses oncles et tantes et tous les autres personnages de l'histoire. (...) Les personnages sont fait grossièrement, primitivement, dans la hâte, dans l'ardeur de l'idée créatrice.

(...) L'oncle hippopotame ne se distingue que par sa lourdeur. La tante girafe, en plus de son étirement caractéristique, porte déjà la marque d'un essai d'idée : elle est habillée d'un costume national tchèque, c'est une tante tchécoslovaque.

Quelques temps plus tard, les membres de la « Coopérative d'enfants » revinrent au jeune éléphant. C'était à l'époque où nous commencions à avoir des contacts avec les Américains. Dans la cervelle éveillée de l'un des garçons naquit cette idée que l'on pourrait bien arranger le jouet de manière à lui donner un caractère international. De manière à intéresser l'étranger et ainsi peut-être, à trouver des débouchés au delà des frontières.

Après délibération, il fut décidé de donner aux différents animaux, personnages, des caractéristiques de peuples connus.

C'est ainsi qu'à la place de la tante girafe tchèque, qui représentait un pays peu connu, on créa une tante girafe anglaise en costume de voyage.

La lourdeur de l'oncle hippopotame caractérisa le Boër (c'est près du pays des Boërs que se déroule l'action du conte de Kipling), il révèla son origine hollandaise par ses sabots, sa visière de matelot, sa barbe bouclée et son brûle-gueule.

De l'oncle babouin, les gamins firent un singe turc. On lui donna le fez et la culotte de couleur nationale verte. Un problème difficile à régler fut celui de l'autruche. Cela devait être un personnage du sexe masculin [14], donc un oncle. Mais les enfants s'évertuèrent vainement à imaginer une coupe de culotte propre à faire valoir ses jambes de gaillard, ils ne furent satisfaits que quand ils eurent l'idée de le vêtir du costume national écossais, avec le kilt très court.

_____

14. Le mot autruche est en effet au masculin dans la langue tchèque.

113

L'oncle autruche se vit donc donner une cape, une courte jupe écossaise, des guêtres, un béret avec des rubans. (...)

Jusqu'ici les enfants avaient créé en s'appuyant sur leurs connaissances. Les visites au muséum d'histoire naturelle et dans les bibliothèques leur avaient suffi pour préciser leur savoir.

Mais quand ils eurent décidé d'ajouter aux personnages les décors des scènes du récit, il leur fallut chercher des notions dans un domaine qu'ils ignoraient complètement.

La première scène devait représenter une région tropicale. Les enfants relevèrent dans l'œuvre de Kipling les espèces botaniques dont l'auteur parlait. Ils en cherchèrent ensuite l'aspect dans les traités de botanique et dans les encyclopédies. C'est d'après cela qu'ils les dessinèrent et les peignirent. (...)

Les enfants avaient fait un arbrisseau feuillu.

« Cela est impossible, fit remarquer l'un des plus âgés, dans le désert, des arbrisseaux feuillus comme ça, il ne peut pas y en avoir. »

Les enfants se reportent au texte de Kipling et découvrent que l'auteur parle d'un arbrisseau « couvert de piquants ». Il ne reste plus qu'à étudier la flore du désert de l'Afrique du Sud. Le résultat des recherches nous indique qu'il n'y pousse que deux espèces d'arbrisseaux et des cactus. Les enfants s'en procurent des images et d'après celles-ci fabriquent l'arbrisseau en le stylisant.

Une nouvelle difficulté surgit lorsqu'il s'agit de représenter un arbre à fièvre.

« Qu'est-ce que c'est que ça, un arbre à fièvre ? »

Ils viennent d'abord me trouver.

— Je n'en sais rien.

Et cette fois, effectivement, je l'ignore.

Je fais souvent semblant d'être plus ignorant que je ne le suis. Cela me sert parfaitement au point de vue pédagogique. Je ne perds rien en considération auprès des enfants du fait qu'ils se rendent compte que je ne suis pas une encyclopédie. Quand je ne réponds pas directement à la question posée par eux, je puis les inciter à chercher la réponse par eux-mêmes.

— Euh ! fais-je, en me donnant l'air de réfléchir, où est-ce que nous pourrions bien trouver ça ?

— Dans un traité de botanique, suggèrent les enfants.

— Peut-être dans les « Plantes exotiques » de Polivka ? observe quelqu'un.

Les enfants feuillettent les traités de botanique. En vain.

— Et dans le dictionnaire ? suggèrè-je. A quel mot pourrait-on bien le chercher ? A fièvre, sans doute.

Ils ne trouvent rien dans le dictionnaire, non plus. L'un des garçons a enfin une idée. Il a parlé un jour avec un des employés de l'Institut de Botanique qui lui a raconté que l'on y cultivait des plantes exotiques dans des serres. Ils pourraient peut-être y voir un arbre à fièvre ?

Il court au téléphone, demande l'Institut de Botanique. Oui, on le renseigne. Il s'agit de l'eucalyptus, qui, en desséchant les régions marécageuses, fait disparaître les causes de la fièvre.

Les enfants se procurent des images de l'eucalyptus, stylysent cet arbre et en bordent la rive Limpopo, où le crocodile étire le petit nez de l'éléphant curieux.

A la création du « Jeune éléphant » n'ont pris part que les garçons âgés de douze à seize ans. Le petit Sarkan avec ses neuf ans se trouve pour ainsi dire à l'écart. Mais il n'est pas pour cela à l'abri de leur fièvre de création et de curiosité.

Il entend leurs délibérations et leurs discussions. Il les voit courir aux informations, poser des questions, examiner des images, étudier des livres. Et cela, afin que les héros de leur histoire ne prêtent pas le flanc aux critiques du public.

En Sarkan éclate soudain comme une force de la nature, un amour paternel pour le kangourou, pour l'enfant de sa cervelle.

L'insouciance primitive du génial créateur de fantaisie est toute secouée lorsqu'il se rend compte que la dictée de la libre imagination est limitée par les réalités puisées dans les livres et acquises par une vision attentive.

Sarkan vient me poser une question en confidence : « Où

pourrait-il trouver quelque chose de bien sur le kangourou ? »
Puis pendant plusieurs jours, le voilà plongé dans l'ouvrage
de Brehm. Mais le naturaliste allemand n'est pas toujours
compréhensible pour un gamin de neuf ans. Il appelle donc à
l'aide soit moi, soit des camarades plus âgés. Il est touchant
de voir comment Sarkan, travailleur civilisé par la collectivité, se prépare à présent à sa tâche de créateur. Il est toute
science. (...)

Alors Sarkan fabrique un autre kangourou : être réaliste,
sain mais pesant, dû à la science solide et circonspecte plus
qu'à l'art charmant.

Voici comment naissent chez nous, les initiatives de création artistique et comment est organisé notre enseignement
éducatif des enfants.

On débute par un jeu, qui est à la mesure des intérêts
enfantins et de leur besoin de se décharger par un acte
(stade de Sarkan).

Du jeu, par une transition insensible, on passe au travail
et celui-ci a une valeur pratique (motif et conception de
Ruda).

Ce travail, dans une société d'enfants bien organisée devient
collectif. Au cours de ce travail, il se développe dans les
enfants eux-mêmes, un intérêt si profond et il surgit des questions si vives et si pressantes, qu'il leur faut de toute nécessité une réponse : (La flore sud-africaine, etc.)

Ces réponses, je les donne quelquefois moi-même. Mais
souvent j'incite les enfants à se procurer la réponse dont ils
ont besoin, autrement que par l'enregistrement commode des
paroles du maître. J'attire leur attention sur les spécialistes,
ou bien je les renvoie aux livres et autres accessoires de la
science, et je leur apprend à puiser des connaissances à ces
sources. Ainsi, au lieu de constituer dans leur tête un maga-
sin mort de connaissances, je fais d'eux des personnalités,
qui s'habituent à s'intéresser vivement à l'objet de leur travail, je fais d'eux des travailleurs capables de se procurer
par leurs propres moyens tout ce qu'il leur faut connaître et
savoir pour leur œuvre. S'ils quittent leur éducateur ainsi
formés à se documenter et à s'aider par eux-mêmes en toutes

occasions, j'en serai plus satisfait que si j'avais rempli leur mémoire d'une quantité de notions cent fois plus considérable encore que celle contenue dans tous les manuels scolaires réunis.

Les enfants apprennent constamment de nouvelles choses mais j'essaie toujours de relier le manuel à l'intellectuel. Ils commentent aussi bien par la parole que par le dessin tout ce ce qu'ils apprennent. Que ce soient les sciences, la géographie, l'histoire ou même l'actualité. Mes élèves découvrent la caricature et n'épargnent personne, pas même eux [15].

Cohabitation des enfants handicapés et des enfants non-handicapés :

Pendant les vacances de 1918, les enfants de l'Institut participent à un camp avec d'autres écoliers de Prague. Autour des baraques que nous habitons, il y a une grande quantité de débris de verre provenant de vitres cassées. Les instituteurs donnent l'ordre de les ramasser et de les enlever. Un groupe d'enfants sains les ramassent sans joie et seulement quand le maître les regarde. Un autre groupe se demande comment faire pour transporter sur le tas d'ordures les morceaux de verre rassemblés.

A côté de la baraque habitée par mes enfants, le tableau est différent. Tous s'affairent, des grands plantent des piquets pour délimiter les parcelles à nettoyer, et chaque enfant ramasse au mieux selon ses possibilités, avec les mains ou les pieds, tous les bouts de verre de « sa » parcelle. Ainsi tout le tour de la maison est rapidement nettoyé. Ensuite tous les tas sont chargés sur une grande feuille et transportés sur le tas d'ordure. Ces transports sont effectués par trois d'entre eux et comme les enfants ont jugé que c'est la partie la plus amusante du travail, après chaque voyage on change d'équipage.

---

15. Extrait de la « Communication de F. Bakulé, faite avec démonstrations, au VIᵉ Congrès international de Dessin, d'Education artistique et d'Arts appliqués », Prague, 1928.

Les enfants trouvent que la littérature leur manque ici à la campagne ; ils décident de créer un journal.

Pour s'occuper, les grands ont apporté avec eux tout le matériel de l'atelier. Dès les premiers jours, ils s'installent et commencent à travailler. Trois heures le matin, trois heures l'après-midi. Ainsi ils ont le temps de profiter de la forêt voisine. Mais mes enfants sont à un tel stade de développement, que tout ceci ne les occupe pas assez. Et ici, ils n'ont ni livres, ni journaux. Que faire ? Eh bien, ils vont créer un journal, ils vont éditer leur lecture eux-mêmes. Chez eux, de la décision à la réalisation, le pas est toujours rapidement franchi.

Heureusement ils ont leur machine à écrire avec eux. Et le lendemain, le numéro 1 de la « Parole Libre » sort. Le journal est au début très libéral, mais très vite des divergences entre les membres de la rédaction se font sentir. C'est ainsi qu'une minorité menée par Sarkan sort un autre journal « Le vampire ». La bataille entre les deux concurrents se passe surtout à travers les caricatures.

L'édition du journal n'empêche pas les enfants de travailler régulièrement à l'atelier.

Et comme l'atelier est ouvert à tous, les autres enfants viennent nous voir. Je demande à mes « messieurs » s'ils veulent bien partager le plaisir de travailler avec les autres enfants de la colonie. Ils sont d'accord ainsi que l'instituteur responsable.

Bientôt l'atelier s'agrandit et devient une vraie fourmilière. Les enfants travaillent dans la joie. Ils chantent et je ne peux m'empêcher de former un chœur d'enfants.

Marjanka et Miluska (« les sœurs »), mes chanteuses de Mala Skala m'aident beaucoup à réaliser ce projet. Après une semaine nous pouvons nous présenter devant les autres habitants de la colonie avec un programme de chants folkloriques à trois ou quatre voix. Notre premier concert plaît beaucoup et m'amène d'autres élèves.

Mes enfants toujours en éveil sont enchantés par la nature, la forêt... Ils collectionnent tout, pierres, insectes, papillons.

Ils fondent une société de sciences naturelles. Là aussi, les autres enfants et leurs instituteurs participent.

Les vacances terminées, nous rentrons tristes à Prague. Nous ramenons dans nos bagages beaucoup de souvenirs. Les autres enfants aussi et ils viennent souvent par la suite nous rendre visite et nous raconter comment ils mettent en pratique ce qu'ils ont appris chez nous. Quelle satisfaction pour mes enfants d'entendre cela !

Révolte du groupe Bakulé

L'année scolaire suivante 1917/1918 sera bien souvent perturbée.

En octobre 1918, la république tchécoslovaque est proclamée. En novembre 1918, c'est la fin de la guerre mondiale. Mais pour le groupe Bakulé commencent la révolte et la bataille. Bakulé entre en lutte pour sa réhabilitation et demande à être rétabli dans ses fonctions de directeur : il désire poursuivre son travail de coéducation des infirmes et des bien portants. Il souhaite organiser une école nouvelle républicaine ayant le caractère d'un internat libre.

Je demande à Jedlicka d'être nommé à nouveau directeur. Le professeur Jedlicka est un chirurgien très connu, homme riche et influent, moi un modeste instituteur dont beaucoup de gens se méfient à cause de ses idées « bizarres et révolutionnaires ».

La décision officielle qui doit me permettre de diriger à nouveau mon école tarde à venir.

En janvier 1919, devant une réunion de dirigeants de l'institut Jedlicka, je lance un ultimatum. Je veux une décision immédiate ou bien je pars de chez Jedlicka.

L'explication devient orageuse et Jedlicka demande au Conseil de choisir entre lui et moi. Bien qu'une partie du Conseil me soit favorable, je suis obligé de partir et on m'interdit tout contact avec mes élèves. Défense leur est faite de me revoir.

Les enfants refusent et une délégation vient me voir le lendemain pour me faire part de leur décision. Ils ne veulent pas rester là où je ne suis plus, ils viendront donc me rejoindre chez moi.

Leur solidarité me touche, mais comment faire dans mon tout petit deux pièces et avec très peu d'argent ? Je leur dis que la décision doit venir de leurs parents et aussitôt ils leur écrivent. En attendant les réponses des parents, je cherche un logement.

Jedlicka apprend que mes enfants ont écrit à leurs parents pour leur demander la permission de me suivre. Aussitôt il écrit à toutes les familles pour me noircir. Malgré cela quelques familles me confient leurs enfants et c'est ainsi que, moi célibataire sans enfant, je me retrouve un beau jour avec douze enfants handicapés à ma charge et avec eux, Miluska et Marjanka [16].

Pourquoi Jedlicka qui, au début avait soutenu Bakulé, manifeste-t-il tant d'hostilité ? On ne s'explique pas très bien les raisons de ce revirement.

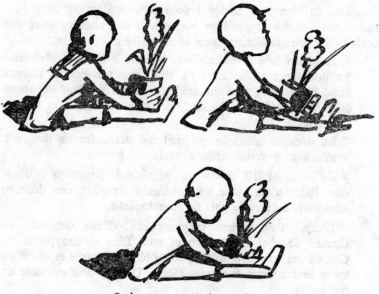

Sarkan et sa jacinthe (p. 88)

_____

16. Fin du manuscrit de Bakulé : *Les enfants pauvres.*

CHAPITRE 3

Les vagabonds

« L'éducation par l'expérience de la vie et par le travail et pour le travail » avait-elle été pratiquée à bon escient ? Les événements offraient la possibilité d'en faire la preuve.

Mes élèves estropiés se solidarisent avec moi et se décident à me suivre afin d'aider à la création d'un nouvel établissement, à un foyer pour enfants dans lequel ils pourront collaborer librement, par conséquent avec joie, à l'éducation d'enfants sains.

Ils ont foi en leur instituteur ; ils donneront, eux les estropiés, en se proposant un idéal alors que tant d'autres ne poursuivent que des gains matériels, l'exemple du travail à une époque où les bien portants l'esquivent autant que possible [1].

Les hésitations de Bakulé devant l'offre des enfants :

Bien que les conditions difficiles de l'après-guerre sévissent à Prague : pénurie de logement, effrayante cherté des vivres, je ne pouvais repousser l'offre de mes élèves. Après leur

---

1. Extrait de la conférence donnée par Bakulé à Heidelberg en 1925.

avoir constamment recommandé l'audace et l'esprit d'entreprise, pouvais-je leur dire maintenant : « J'ai peur, je n'ose pas tenter cela » ?

La détermination des enfants encourage Bakulé
à poursuivre son expérience :

Et ainsi, douze enfants estropiés (onze garçons, une fille) se mirent en route avec les seuls vêtements qu'ils portaient sur eux, sans un sou en poche, sans outils et sans matières premières, suivant leur maître, décidés à pourvoir à leur subsistance par leurs propres moyens .

Quiconque eût vu mes enfants six ans auparavant ne les aurait pas reconnus. Au lieu d'une poignée d'êtres misérables et timides, douze jeunes gens pleins de confiance en euxmêmes ; les yeux brillants d'un joyeux désir d'entreprise, le front haut, portant des pensées audacieuses et le cœur plein de courage, entourent leur guide [2].

Bakulé et ses enfants doivent affronter des difficultés en cascade :

Après avoir surmonté les doutes, le nouveau combat pour la vie commence. Avec ses douze élèves, Bakulé se voit fermer toutes les portes. Il tente d'avoir l'appui d'une organisation sociale « Ceske Srdce » (cœur tchèque) qui lui est refusé. Aucun institut, aucun orphelinat ne veut recevoir ni Bakulé ni les enfants.

Bakulé se retrouve absolument démuni.

Il reçoit l'ordre de reprendre son poste d'instituteur à Mala Skala dans les quatre jours, sous peine de perdre son traitement, son détachement à l'Institut Jedlicka ayant pris fin avec son licenciement.

Bakulé refuse pour rester auprès des enfants.

Il est convoqué par le Ministre de l'Education Nationale qui

---

2. Cet extrait comme les suivants, est tiré de la conférence donnée par Bakulé à Heidelberg, 1925.

désire avoir des éclaircissements sur le différend Bakulé-Jedlicka. Bakulé trouve en lui un allié. Le Ministre le maintient sur place avec son traitement, donne le statut d'Institut à la communauté et en nomme Frantisek Bakulé directeur.

1919 : le nouvel Institut :

Les enfants tentent de faire la preuve que l'éducation reçue leur permet d'affronter les réalités de la vie et du travail.

Les enfants se réunissent pour délibérer sur la manière dont ils pourront gagner leur vie : au début, pendant que l'on s'orientera, que l'on cherchera des matériaux ou des outils, le maître, comme un père, entretiendra toute la famille. Il sait bien parler, il donnera donc des conférences payantes. Les enfants feront la propagande : ils feront les invitations, vendront les billets, organiseront. Plus tard, ils contribueront par leur travail productif à l'entretien du ménage. Ils créent la « Société des amis de l'éducation par la vie et le travail » qui obtient le soutien de trois ministres [3].

Accueil du public :

Le public ne nous a pas accueillis de façon favorable. J'étais considéré comme un rebelle et mes enfants comme des ingrats envers l'établissement qui les avait hospitalisés.

Mais les révoltés ne perdirent pas courage et continuèrent à suivre le chemin qu'ils s'étaient tracé.

Je réussis à sous-louer trois petites chambres. Nous couchions les uns sur le plancher, les autres dans des lits de camp prêtés par la Croix-Rouge Tchécoslovaque. Les deux premières conférences nous rapportèrent assez d'argent pour nous préserver de la faim pendant quinze jours.

Rencontre avec le Président Masaryk :

Puis nous vint un immense réconfort moral de la part du Président de la République, T. G. Masaryk. Il connaissait

---

3. G. Habrman, L. Winter, B. Urbensky.

Jedlicka en tant qu'homme de bien et chirurgien renommé ; il avait entendu parler de moi par son collaborateur Jan Herben qui avait publié des comptes rendus de mes travaux de Mala Skala et de mes démêlés avec l'administration autrichienne.

J'aimais beaucoup cet homme qui apprenait à son peuple à réfléchir et à chercher la vérité. Il était courageux, seul contre tous.

Lorsque Masaryk apprend la vérité sur les causes de mon départ de chez Jedlicka, il déclare aux enfants venus l'inviter à une de mes conférences, qu'il est informé de nos recherches, qu'il prend notre parti et qu'il est prêt à nous soutenir financièrement.

Les enfants en sont indiciblement heureux ; mais, afin de montrer que les efforts qu'ils s'imposent pour subvenir à leurs besoins par le travail sont sincères, ils ne lui demandent momentanément que son affection.

Au moment de partir, Masaryk leur dit : « Si Bakulé a besoin de quelque chose, qu'il vienne me voir ou qu'il m'écrive. »

Mes élèves n'accepteront rien, ainsi en ont-ils décidé, avant d'avoir persuadé le public de la rectitude de leur manière d'agir ; ils désirent prouver, ces estropiés, qu'ils sont à même de gagner leur vie et qu'ils peuvent se suffire à eux-mêmes.

J'approuve leur décision. Du reste, je leur donne entière liberté d'agir, et par là, l'occasion de montrer qu'ils sont préparés par leur éducation, à la vie et au travail.

Les enfants s'organisent.

Les garçons apportent donc assidûment des matériaux. Ils se procurent des déchets dans les ateliers : petits bouts de planches, d'étoffes, puis se mettent à travailler avec leur couteau de poche. Ils sculptent de petits bâtons, les peignent et confectionnent ainsi des tuteurs pour les fleurs. Ils travaillent du matin au soir dans la plus grande des trois pièces et, comme les bohémiens, dressent leur camp pour la nuit. Ils couchent par terre sur des sacs remplis de paille qu'ils rangent le matin, afin de faire de la place pour le travail. Comme il n'y a là ni tables ni chaises, ils renversent des caisses et travaillent assis sur le plancher.

Mais les gains sont insuffisants pour se nourrir. Un article de journal consacré à l'organisation du travail leur donne l'idée de diviser leur travail, selon les capacités de chacun.

Ils achètent à crédit des objets de bois bruts de fabrique, ils se chargent de la finition et de la décoration et revendent aussitôt les objets ainsi décorés.

Ce travail n'étant pas suffisant pour assurer leur subsistance, les enfants demandent à quelques artisans la permission de travailler à la machine dans leurs ateliers, et ils ne connaissent pas de repos qu'ils ne soient arrivés à gagner 150 couronnes net par jour, somme qui couvre tous les frais du « Nouvel Institut ». Ainsi, douze ouvriers estropiés gagnent par leur travail, dans les conditions les plus difficiles de l'après-guerre, de quoi payer le logement, les vêtements, la nourriture, l'instruction et même de saines distractions.

En dehors des heures de travail, les enfants font les emplettes pour le ménage. Afin de réduire les frais au minimum, ils se chargent de tous les travaux. Ils lavent leur linge, frottent les planchers, transportent les marchandises et font la cuisine. Nous allons passer la fin de la semaine à la campagne. Je fais des conférences pédagogiques et, pour augmenter les recettes, les enfants donnent des représentations de marionnettes.

L'aide du capitaine Voska.

Le capitaine Voska, un tchèque parti pour l'Amérique, avait remis 100 000 couronnes au Ministre de l'Education Nationale (M. Habrman) pour qu'il les tienne à notre disposition en cas de besoin.

Quand il revient, il est stupéfait de retrouver la somme intacte et plus encore de nous retrouver toujours tous ensemble et animés de la même sincérité. Il organise une conférence de presse pour faire connaître notre travail au grand public.

Les journalistes parlent de ce qu'ils ont vu et appris chez

nous et déclenchent un mouvement de sympathie en notre faveur. Nous recevons des témoignages de toute la Tchécoslovaquie ; instituteurs et enfants nous adressent des lettres émouvantes.

Vacances d'été dans un camp de la Croix-Rouge.

La section juvénile de la Croix-Rouge américaine organise pour les enfants pauvres des grandes villes, une colonie de vacances au pied des Tatras, en Slovaquie. Mes enfants y sont invités.

Ils se préparent pour le séjour et prennent dans leurs bagages tous nos outils de travail et même notre théâtre de marionnettes.

Le troisième jour, les enfants m'écrivent :

« La directrice du camp est une Américaine ; elle parle peu, mais elle agit d'autant plus. »

C'était la plus exacte appréciation de Miss Harrison, cette admirable travailleuse sociale, que la section juvénile de la Croix-Rouge américaine avait envoyée en Tchécoslovaquie. Miss Harrison était le type même de l'Américaine, mince, grande, les cheveux courts, gris. En uniforme de la Croix-Rouge, elle se donnait une allure militaire. Malgré son air sévère, elle avait le cœur ardent.

Notre rencontre avec cette généreuse représentante de la « Junior Red Cross » produisit un heureux revirement dans la destinée de notre communauté.

D'après les travaux exécutés au camp par mes élèves, Miss Harrison jugea de leurs capacités, de la sincérité et de la constance de leurs efforts. Elle promit de parler d'eux aux enfants américains qui leur viendraient peut-être en aide pour atteindre le but tant désiré depuis longtemps : travailler à l'éducation de la jeunesse des faubourgs moralement menacés.

Le groupe Bakulé déménage :

A la fin de l'été, Miss Harrison retourna à Washington. Une rude épreuve nous attendait à Prague. Nous avions perdu notre logement et fûmes obligés, par conséquent, d'errer de village en village, pendant les mois d'hiver, en gagnant notre vie comme nous le pouvions.

Je donnais des conférences pédagogiques et, assisté de mes garçons, des cours de travaux manuels.

On nous propose une école désaffectée

Hélas, elle était non seulement en très mauvais état et très sale, mais encore loin de Prague, sans transports à proximité...

Le fait de vivre à la campagne nous prive de la possibilité de vendre notre production et nous commençons à avoir faim. Notre situation est critique.

Les enfants à bout de forces, perdent espoir... Je suis loin d'eux à Prague où je fais mon possible pour trouver un logement. Les enfants me cachent l'état dans lequel ils se trouvent. Lida les sauve de l'abattement en donnant avec eux des représentations de marionnettes.

La tournée de marionnettes :

Lida (dix-neuf ans), Ruda (treize ans), Jarka (douze ans) et Frantisek (onze ans), un théâtre de marionnettes sur le dos, vont parcourir leur pays, pour subvenir aux besoins du groupe Bakulé.

Lida relate leur tournée en Tchécoslovaquie dans son livre « Tulaci » (Les vagabonds) paru en tchèque et dont voici quelques extraits :

Avant moi, c'est la vie qui a écrit « les Vagabonds ». Les scènes que j'ai fixées ici ne sont qu'un fragment et qu'un faible reflet de ce que les élèves de Bakulé ont supporté pendant l'époque la plus difficile de leur existence. La plus difficile et en même temps la plus belle !

Après avoir installé les petits dans un ancien asile pour réfugiés polonais dans les monts de Bezkydes, les trois aînés des garçons s'en vont gagner de l'argent. Avec un théâtre de marionnettes, ils parcourent la Tchécoslovaquie.

Je me souviens des lectures que me faisait mon père : « (...) et quand Kopecky [4] eut perdu tout ce qu'il avait, et qu'il ne lui restait qu'une ribambelle d'enfants, il leva hardiment la tête, sculpta des marionnettes et partit avec elles pour courir le monde... »

— Et quand Kopecky perdit tout ce qu'il avait — tu entends Frantisek ! Il partit avec ses marionnettes courir le monde !

Mon pauvre Frantisek ! Qui aurait pensé que nous serions obligés un jour, toi, notre directeur de la digne entreprise du « Théâtre permanent des marionnettes de l'Institut » et moi, célèbre actrice du dit théâtre, de nous laisser guider par l'exemple éclatant du vieux Mathieu Kopecky.

Oui Frantisek, la gloire humaine a la solidité d'un brin de paille.

— Bien ! Donc nous partirons ! Mais il y a une difficulté... Il faut une patente.

— Sans cela, on nous enfermerait ! dit Jarka, en riant.

Son imagination lui représente sans doute déjà des scènes terrifiantes avec des gendarmes.

Une autorisation ! Lequel des membres de notre aimable société vagabonde sera choisi pour solliciter cette autorisation ?

Frantisek se tourne solennellement vers moi :

— Lida, tu es assez vieille !

---

4. Mathieu Kopecky (1762-1846) patriarche des joueurs de marionnettes tchèques. Il composa lui-même un grand nombre de pièces historiques et d'actualité. Ce qui fait le charme de ses pièces c'est un robuste humour et une satire mordante des événements de son temps. Propagateur du réveil national, là où le livre arrivait rarement, il était adoré des enfants et de tout le peuple tchèque.

Il se hâte de corriger cette déclaration peu flatteuse.

— Enfin, je ne veux pas t'offenser, mais tu seras bientôt majeure, donc c'est toi qui iras solliciter cette autorisation.

Mes collègues approuvent par des applaudissements enthousiastes et me souhaitent « très bonne chance ».

— Allons, partez, partez, ma petite Lida, me dit gentiment Jarka. Vous savez bien que moi, j'aurais pas pu y aller ! J'aurais dû pour cela emprunter des pantalons et aucun de mes amis ne possède d'aussi longues échasses que moi.

J'y vais donc. J'aime faire des démarches dans les bureaux ! La demande d'autorisation est écrite et dûment explicitée. Ce n'est pas si facile que cela d'obtenir une autorisation ! Et encore, je suis venue à un bon moment. En ce temps-là on n'exigeait pas de grands diplômes. De bonnes cordes vocales suffisaient. Et puis, bien savoir se présenter.

Moi, j'ai bien su me présenter. Grâce à mes précieux compagnons. Ils m'entouraient et me prodiguaient leurs bons conseils :

— L'essentiel, c'est de bien se présenter ! Lida tenez-vous bien là-bas !...

Je suis déjà toute prête quand Sarkan arrive en boitillant. Il a découvert quelque part ma voilette.

— Mettez ce brouillard sur votre chapeau. On pensera que vous êtes une « lady » et on vous laissera approcher le ministre en personne.

Au milieu des éclats de rire, j'attache la voilette sur mon chapeau. Puis, ayant fait un léger salut à la compagnie, je sors. J'entends encore derrière moi :

— Vraiment, on ne dirait jamais, en la voyant, que c'est une future cabotine.

Malheureuse voilette ! Elle seule fut la cause d'une mystification désagréable.

Non, ce n'est pas facile d'obtenir une autorisation. On me fait courir d'un endroit à l'autre...

Mais enfin : je pénètre dans le sanctuaire. Chez le chef. J'attends encore un moment — puis je suis reçue.

La porte s'ouvre : on vient à ma rencontre et on me salue avec empressement.

— Donnez-vous la peine de vous asseoir, Madame !

« Madame » s'assied majestueusement dans un grand fauteuil de cuir. Elle y disparaît presque tout entière.

Le haut personnage s'assied à son bureau.

Il demande d'une voix aimable :

— En quoi aurai-je le plaisir de vous être utile, Madame ?

D'un mouvement gracieux, je rejette ma voilette et je sors de mon sac ma demande d'autorisation pour l'exploitation d'un théâtre de marionnettes. Je la tends avec un sourire innocent.

Oh, ce changement ! Le sourire s'éteint sur les lèvres de mon interlocuteur. Les yeux passent et repassent de la feuille de papier à ma personne et la toisent d'un regard perçant. Puis, un froid visage de bureaucrate me pose des questions d'affaires.

Et moi qui sens tous mes nerfs trembler sous la poussée du rire, je réponds « affaires ». Dans le style des propriétaires de roulottes, en employant ce riche et pittoresque jargon qui scandalise les personnes bien élevées.

Bien entendu la visite ne dure pas longtemps. Dans un mois, je recevrai l'autorisation.

Je me lève et remercie.

Je me dirige vers la porte. Mon « protecteur » ne bouge pas de sa chaise. Ses yeux sont fixés sur ses paperasses. Il ne lève même pas la tête.

Un son absolument indéfinissable répond à mon : « Monsieur, j'ai l'honneur de vous saluer et de vous remercier pour votre aimable accueil ! », dit pourtant avec toute la déférence voulue.

La porte se referma. Le vieux garçon de bureau grisonnant, hoche la tête et regarde tout ahuri la jeune folle qui descend l'escalier en courant, avec un rire espiègle... (. . .)

Et maintenant, je vous présente mes vagabonds :

Ruda. Il a le visage rond d'un enfant. Visage qui ne s'harmonise en rien avec sa démarche méphistophélique. Il boite du pied gauche.

Jarka est un beau garçon. Il dit en riant : « la tête irait encore, mais ne regardez pas plus bas. » Il a des mains affreusement tordues, que neuf années d'hôpital n'ont pas réussi à redresser.

Frantisek, n'a pas de bras. Mais par contre il a des pieds « savants », des pieds qui savent travailler mieux que beaucoup de mains.

Première tournée. A Slané et Kladno

Nous sommes reçus avec enthousiasme. A Slané nous jouons devant deux mille enfants. Dans la salle d'un vrai théâtre. L'auditoire attend avec impatience.

Enfin la sonnette ! Le directeur Frantisek Filip salue le petit public et présente son théâtre.

Les enfants applaudissent frénétiquement et le rideau se lève. Après cette première représentation, nos acteurs sont tous enroués. Rien d'étonnant à cela, si l'on songe qu'un petit personnage de 25 cm doit parler de façon à être entendu par plus de deux mille paires d'oreilles curieuses — ce n'est pas une petite affaire !

Après la pièce, le directeur essuie avec son pied, son front moite et distribue des compliments aux acteurs. Des compliments bien mérités : à Sarkan, gamin turbulent de dix ans, ce soir un vrai gardien de nuit, à Ruda qui jouait autrefois les princesses, aujourd'hui un savetier lourdeau et un garçon de ferme tapageur. « En somme, messieurs et madame, termine Frantisek, nous avons gagné la partie ! »

Le lendemain nous allons à Kladno. Une patache vient nous chercher.

Nous nous installons avec notre attirail. Ruda et Jarka portent des feutres à large bord, qui avaient jadis coiffé le chef de notre éducateur. Ils leur sont un peu grands mais ils leur donnent l'air tout à fait « artiste ».

L'intérêt du directeur Filip est tout entier concentré sur les provisions que les enfants de Slané nous ont préparées. Ruda a ouvert sa chemise, pendant que Jarka, malgré la chaleur suffoquante, boutonne encore plus frileusement son pardessus ouatiné. En effet, il a par-dessous, une veste impossible.

Nous jouons deux fois à Kladno. Impossible de faire autrement — tant d'enfants sont venus.

Nous disons « adieu » à nos petits amis qui nous crient :

« Revenez, revenez bientôt ! »

« Nous reviendrons, nous reviendrons bientôt ! Vous avez été si gentils pour nous ! »

— Frantisek, combien cela fait-il ?

— Le théâtre possède six cents couronnes.

— C'est-à-dire, exactement, quatre journées de vie pour notre communauté ?

— Oui.

— Bravo, directeur.

La Bohême du sud !

La Bohême du sud est pour nous une étoile brillante. Elle nous éclaire de ses rayons quand nos pensées s'envolent vers l'époque qui fut pour nous si difficile. Nous établissons nos quartiers parmi d'honnêtes gens aux cœurs d'or dans un petit village de la Sumava : village natal de notre éducateur.

De là, nous faisons de petites tournées, traînés par une jument sud-bohémienne bien nourrie, dans une voiture de luxe, ou bien dans un cabriolet massif. Ainsi, nous artistes affamés, nous avons l'air de citoyens cossus.

Premier arrêt à Vodnany. Au théâtre de la ville. Il pleut à torrents, et pourtant, tous les billets sont pris, jusqu'au dernier.

Nous revenons tard dans la nuit. Mouillés jusqu'aux os, mais heureux.

Le lendemain — dimanche — on nous réclame à Skocice — village près de Vodnany — pour que nous venions jouer. En vitesse, Ruda peint des affiches qui sont clouées à chacune des trois entrées de l'église. Et Monsieur le curé annonce notre représentation du haut de sa chaire.

Nous nous installons dans l'école, d'une façon toute primitive. Mais voilà que nous voyons arriver dans la classe, avec les enfants, les papas et les mamans. Que faire ! Nous jouons d'abord pour le petit monde impatient. La salle est pleine d'enfants, pleine à craquer.

Le rideau remonte pour la deuxième fois. Et derrière, apparaissent les bonnes figures honnêtes du peuple sud-bohémien. Un petit vieux tout courbé, un fermier, une fermière, le valet, la servante de ferme... Par une petite fente nous apercevons leurs visages. Nous cherchons leurs yeux. Oh, miracle ! C'est l'enfance que nous voyons renaître en eux. Si belle et si candide. Plus touchante encore dans l'encadrement des rides. Pleine d'impatience et de curiosité. Enfance qui, dans un instant se déchaînera dans un rire sincère, dans des larmes puériles et dans des applaudissements de leurs mains calleuses.

Voici que se font entendre déjà les voix des petits personnages en bois. Elles sont encore plus sonores et plus distinctes qu'à l'ordinaire... Si, de temps en temps, quelque chose les interrompt, ce sont les sanglots étouffés d'émotion de ceux qui conduisent leurs fils. Oh, savoir éveiller l'enthousiasme ! A ces moments là, comme vous souhaiteriez pouvoir donner à ce petit morceau de bois de 25 cm votre âme, votre âme tout entière. Il vous semble que c'est votre cœur qui bat dans sa poitrine de bois.

Le lendemain, notre éducateur traverse le village. La tête blonde et ébouriffée d'une jeune servante de ferme apparaît à la porte d'une étable :

— Ah ! monsieur le professeur ! C'était beau ce théâtre ! Revenez donc jouer encore chez nous !

Comme nous le ferions avec plaisir ! Mais aujourd'hui, c'est impossible ! Nos enfants nous attendent à Prague. Et demain, demain, nous partons pour Pribram.

(...)

Nous arrivons. Il pleut et nous sommes tristes. Mais nous

n'avons pas le temps de rêver. Nous préparons la salle.

Deux mille cinq cents enfants !

Ding, ding, ding, — le rideau se lève.

(...)

Nous arrivons sur la place d'un petit village de Silésie. Village perdu dans les monts des Bezkydes.

Jarka marche le premier. Les rideaux rouges à frange d'argent, flottent gaiement...

Plusieurs enfants accourent en poussant des cris de joie. « Voilà les comédiens, les comédiens arrivent ! »

Nous les saluons joyeusement et leur promettons de jouer dès ce soir.

La fatigue nous a quittés comme par enchantement. Mais tout à coup le rire disparaît de nos lèvres. Nous nous sentons transpercés par plusieurs paires d'yeux. Des tziganes. Des vrais comédiens ceux-là ! Une vieille femme, sale et dépeignée. Une autre, plus jeune, encore plus sale si possible. Et trois enfants à demi nus.

Des concurrents ! Comme un éclair, cette pensée traverse notre esprit. Et une fameuse concurrence encore. Car ceux-là enfin comment dire — nos confrères, ont ce qui ne peut être pour nous qu'un rêve : une voiture de comédiens. Et un petit cheval ! Un petit cheval misérable, harassé, avec des yeux tristes. Mais tout de même un petit cheval ! C'est pour cela qu'ils nous toisent avec tant de dédain.

Soit, des concurrents !

Du reste, si ces confrères étaient à la hauteur, ils nous auraient invités à prendre un peu de thé. Nous avons si faim, aujourd'hui, — et c'est sûrement du thé que la jeune tzigane verse de la grande bouilloire en fer.

Mais non ! Vain espoir ! Ils se parlent en vociférant dans un langage incompréhensible. Et les charbons brûlants de leurs yeux nous envoient sans aucun doute à tous les diables...

Nous allons leur montrer que, dans nos poitrines, il y a place pour des sentiments plus généreux. Pour ce soir nous leur donnerons des entrées gratuites, et nous irons les inviter nous-mêmes.

C'est Jarka qui se charge de l'invitation.

Le soir tout le peuple tzigane est assis juste devant le rideau.

Après la représentation, nous allons faire un tour dehors, Ruda et moi.

C'est le soir. Le ciel brille. La forêt est cachée sous un voile. Une longue route blanche se perd au loin. Où conduit-elle ?

Tout est si calme, nous nous tenons par la main et nous discutons du lendemain.

Des charbons brûlants nous observent.

Au croisement des chemins, nous sommes rejoints par Frantisek et Jarka. Nous rentrons.

La vieille tzigane vient à nous en se dandinant. Elle nous demande « quand notre roulotte viendra nous chercher ».

Cruelle impertinence ! Je corrige ses paroles. Nous partirons à pied demain matin.

Elle s'écrie joyeusement : « Vraiment, vraiment ! »

Elle m'attrape la main. Elle veut me dire la bonne aventure.

Que nous avons été injustes envers eux, sûrement elle veut nous remercier ainsi des billets de théâtre que nous leur avons donnés !

Elle examine longuement, longuement ma paume avec l'expression mystérieuse d'une sibylle.

(...) « C'est la destinée », prononcent d'une voix prophétique les lèvres sèches de la vieille, et sa main brûlante relâche doucement la mienne.

A ce moment, Frantisek arrive en sautillant. Il donne énergiquement son pied à la gitane : « Moi aussi — moi aussi ! »

Elle reste d'abord pétrifiée d'étonnement. Mais sans doute la vie lui a-t-elle appris, comme à nous, à s'adapter à toutes les situations. Elle attrape le pied de Frantisek. Et pendant que celui-ci lève avec extase ses yeux vers les étoiles, elle lui prophétise un bel avenir, plein d'or !

Maintenant le pied de Frantisek retombe aussi vers la terre et une main brune, avide, se tend vers nous.

— Tis couronnes !

Nous ne comprenons pas.

— Tis couronnes. Madame cinq et monsieur cinq !

— Mais, essaye de marchander Jarka, d'une voix décidée, pour un pied, cela devrait être meilleur marché !

— Tis couronnes ! Tis !

Un colosse tzigane quitte lentement le feu et se dirige de notre côté. Je me hâte de sortir un billet fripé de dix couronnes, argent que nous avons gagné, une heure auparavant, par la force de nos poumons.

Oh ! Où êtes-vous, nobles sentiments de confraternité ?

Le lendemain j'apprends que Frantisek avait reçu l'offre d'un engagement, de la part de ces comédiens-bourgeois qui possédaient une voiture, un cheval, un chien et une chèvre.

Cœur idéaliste, Frantisek refusa ! Dès avant midi, il partit avec nous. Sans pouvoir cependant réprimer un soupir en se rappelant l'avenir brillant qu'il venait d'enterrer.

(...)

C'est beau d'aller par des chemins inconnus qui mènent à la vérité...

Des pays nouveaux, des hommes nouveaux...

Certains endroits sont si magnifiques que vous croyez voir un conte de fées descendu sur la terre. D'autres fois, vous marchez et vos pieds saignent sur les pierres.

Certaines mains brûlent par leur chaleur. D'autres sont indifférentes et d'une froideur qui glace.

Non, nous n'avons pas toujours envie de chanter et de rire. Il y a des jours où le corps tremble de froid. Des midis où nous rétrécissons de plusieurs crans nos ceintures. Des moments où nous serrons fortement les lèvres.

Alors nous pressons encore plus tendrement sur nos cœurs nos marionnettes. Ces petits bonshommes en bois nous aident à gagner notre pain et plus encore, à distribuer à pleines mains l'enthousiasme. Quoique inertes, ils sont une preuve vivante de notre volonté de ne pas céder, de ne pas céder aux cœurs froids et fermés, de ne pas céder pour gagner un peu de confort personnel, de ne pas céder même à la nature qui nous accompagne de ses rafales de vent et des froids baisers de la neige.

Ces petits bonshommes en bois, auxquels nous avons recours dans les moments de tristesse, quelle belle philosophie ils ont ; répondre à tout en sonnant de leurs grelots. Leurs yeux, peut-être inexpressifs pour les autres, nous semblent toujours refléter un sourire chaud et indulgent. Jamais peut-être il n'y eut rapport plus intime et plus vivant entre une âme humaine et un morceau de bois [5].

Bakulé se souvient de cette époque

Nous acceptâmes notre part de privations avec le courage et le dévouement des premiers pionniers. Nous portions sur les épaules ou nous conduisions en traîneau à la station la plus proche les garçons qui étaient à bout de forces. Blottis les uns contre les autres, nous nous réchauffions dans les wagons aux portières brisées et dont le chauffage laissait à désirer. Ce qui nous torturait plus encore que la faim et le froid, c'était d'être des proscrits sans abri, sans un coin pour respirer à l'aise et connaître les douceurs simples du foyer.

Aucune souffrance ne nous fut épargnée. Nous connûmes le pain des plus grandes angoisses et le sel des plus grandes humiliations. Mais rien ne peut nous arracher l'inflexible volonté de vaincre. L'humour était notre fidèle compagnon. Il ne nous a jamais quittés. Il nous a appris la vertu de souffrir les plus dures misères avec joie et de regarder l'avenir avec des yeux d'aurore.

(...) Après avoir parcouru les territoires de la République Tchécoslovaque, nous retournâmes à Prague [6].

---

5. Fin des extraits des *Vagabonds,* par Lida.
6. Extrait de la conférence donnée par Bakulé à Heidelberg en 1925.

Sarkan boude (p. 87) — *Sarkan en visite* (p. 90) — *Sarkan et Lida* (p. 85)

CHAPITRE 4

Les enfants des faubourgs

Installation dans un hôpital de réserve :

Bakulé a obtenu de la ville, l'autorisation d'occuper un hôpital de réserve dans un quartier de la périphérie. Les « Vagabonds » peuvent enfin rentrer à Prague et se réunir à nouveau autour de Bakulé.

On me prête un hôpital désaffecté, mais en cas d'épidémie, je dois libérer l'hôpital sous vingt-quatre heures. J'accepte et pars chercher mes enfants. Je les trouve heureux et prospères : ils ont bien gagné leur vie avec les marionnettes. Nous achetons le matériel et divisons notre tâche. Sylva s'occupera de l'atelier de dessin et de peinture. Ruda et Sarkan de la fabrication des jouets. Tonzik de l'éducation, Pepa du cartonnage et de la reliure ; Jenda et Adla de la menuiserie ; Jarka de la vannerie et Lida dirigera la lecture, la récitation, la danse et le théâtre ; Marjanka, Miluska et Ruza s'occuperont du chant et des travaux manuels pour les filles. Frantisek sera partout pour montrer qu'une personne qui veut vraiment travailler, n'a même pas besoin de mains. Il s'occupera aussi de la commercialisation de notre production [1].

1. Extrait de la conférence donnée à Heidelberg.

Coéducation des handicapés et des enfants des faubourgs :

En ce temps-là, les rues de la périphérie sont pleines d'enfants car les écoles servent encore souvent à loger les soldats. A la maison, les enfants restent seuls toute la journée, leurs parents travaillent durement pour les nourrir. Ces gosses ont une renommée peu flatteuse. On les traite de « pires voyous des environs de Prague. »

C'est l'occasion pour Bakulé de mettre en pratique ses idées sur la coéducation. Depuis longtemps il désirait associer des enfants normaux à l'éducation des enfants handicapés. Les enfants s'intégreraient les uns aux autres. Les handicapés feraient comprendre aux enfants normaux la volonté qu'ont les handicapés pour faire ce qui semble facile aux autres. Les handicapés auront plus de difficultés au départ, mais chacun pourra comparer les énergies et les efforts pour arriver au même résultat. Les handicapés, habitués à l'effort, atteindront et réaliseront certains gestes mieux et plus vite que les enfants normaux.

Nous nous donnons comme tâche de faire venir chez nous ces voyous et d'en faire des enfants heureux.

Nous faisons savoir que chaque enfant peut venir dans nos salles de travail et s'y exercer librement. Alors des garçons et des filles, qui passaient leur temps libre dans la rue, accourent dans nos ateliers pour voir des enfants privés des deux bras travailler avec les pieds.

Ils viennent d'abord comme on va au zoo et se racontent ce qu'ils ont vu. Mais l'ambiance de notre maison leur plaît et très vite notre cercle s'agrandit. Le goût du travail est contagieux et en même temps apporte la discipline. Mais j'espère que vous n'imaginez pas que nous en avons fait des anges ! Tel n'était pas notre but.

Nous étions déjà bien contents lorsqu'ils venaient chez nous en passant par le portail au lieu d'escalader la barrière, lorsqu'ils pénétraient le béret à la main dans nos ateliers, non plus par la fenêtre mais par la porte.

Ils avaient la permission de régler entre eux leurs comptes

à condition que ce fut en combat régulier selon les règles de l'art de la boxe ou de la lutte gréco-romaine et sous la surveillance scrupuleuse d'un arbitre impartial.

Nous avons obtenu quelques succès. La plupart de nos nouveaux adeptes rechignaient à faire leurs devoirs mais très vite ils s'intéressèrent à notre section scolaire.

Frantisek faisait en sorte que tous les enfants eussent assez de travail puisqu'ils avaient, eux, des mains pour le faire. Et bientôt cela bourdonna chez nous, comme dans une ruche. Des centaines d'enfants se précipitaient pour apprendre à confectionner quelque chose sous la direction de mon garçon estropié.

Je leur faisais la lecture, leur parlais de ce qui les intéressait, leur apprenais à jouer des pièces de théâtre et à chanter. De cette façon, j'influençai leurs pensées, gagnai leur cœur et les attachai étroitement à notre communauté laborieuse.

Miss Harrison s'intéressait à nous. Avant de repartir pour les Etats-Unis, elle nous avait fait promettre de lui envoyer de nos nouvelles. Ce que nous fîmes avec joie.

Nous reçûmes en réponse une caisse pleine de vêtements. Si nous étions reconnaissants du contenu de la caisse, la caisse elle-même fut à l'origine de la création d'un nouvel atelier : l'atelier de menuiserie.

Le bois de la caisse servit à Sarkan pour fabriquer des animaux. On fit des petits coffrets. Ruda, qui était plus grand, se souvint d'un endroit où l'on entreposait des caisses et c'est avec ces caisses de récupération que notre atelier de menuiserie commença de fonctionner.

Un jour Ruda nous rapporta de la Croix-Rouge une caisse d'un bois exotique. Elle était si jolie que les garçons hésitaient à la démolir. Ils en ont fait un bureau pour Miss Harrison.

C'était un magnifique bureau sculpté. Les inscriptions de la Croix-Rouge avaient été maintenues ainsi que l'adresse du destinataire. Comme Miss Harrison aimait fumer et signait beaucoup de papiers, Ruda, Sylva et Sarkan sculptèrent tout l'attirail du fumeur et de l'écrivain : cendrier, porte-papier, etc [2].

Le groupe Bakulé doit déménager à nouveau :

Mais de nouvelles difficultés surgissent.

Typhoïde à Prague. Bakulé et les enfants sont obligés de quitter les locaux en moins de vingt-quatre heures.

Cette fois-ci, on ne nous laisse plus dans la rue et nous déménageons à Klamovka. Mais notre nouvelle maison est très petite et nous ne pouvons plus accueillir tous les enfants des rues. De ceux-ci, il ne nous reste que ceux qui forment le tout nouveau chœur Bakulé. Mais cette fois-ci nous sommes chez nous. Miss Harrison aide à équiper en sanitaire notre petite maison. Puis elle retourne aux Etats-Unis avec nos dessins, des figurines, le bureau que nos menuisiers ont fabriqué, et avec une maquette de couverture faite par Sylva pour le journal « Junior Red Cross News ». Quelques semaines plus tard nous recevons le numéro du journal avec, en première page le dessin de Sylva et, à l'intérieur, un article qui nous est consacré.

Cet article nous fait connaître aux enfants américains. Un jour nous apprenons par une lettre que nous sommes devenus millionnaires. La Croix-Rouge américaine nous a décerné un prix d'honneur de 25 000 dollars, récompense destinée à l'organisation socio-culturelle d'enfants la plus remarquable d'Europe !

Tout ceci grâce à Miss Harrison qui a su si bien parler de nous à la grande réunion de la Croix-Rouge à Washington. Nous n'étions plus pauvres mais cela ne changeait rien pour nous.

Nous n'avons pas voulu recevoir cet argent en main propre. Nous l'avons laissé entre les mains de la Croix-Rouge tché-coslovaque, à charge pour elle de gérer et de payer les frais de la construction de l'Institut Bakulé [3].

2., 3. Extraits de la conférence donnée par Bakulé à Heidelberg, 1925.

L'Institut et le chœur des « petits Bakulé »

Les « petits Bakulé » ne sont plus ni des vagabonds ni des enfants des rues. Le « Prix d'honneur » leur assure la sécurité matérielle.

Leur rêve se réalise !

Grâce au prix de la Croix-Rouge américaine, Bakulé fait l'acquisition en 1921, d'une villa et d'un terrain sur les hauteurs de Prague.

La maison est belle mais difficile à adapter aux besoins d'un institut. Pour accueillir davantage d'enfants et réaliser son projet de créer une école primaire et un collège d'enseignement secondaire expérimentaux, Bakulé tente de financer les travaux de construction du futur Institut avec l'aide de son groupe d'enfants qui le suit depuis son départ de chez Jedlicka.

Alors commence une action d'information pour faire mieux connaître Bakulé et son œuvre.

. Bientôt, du terrain surgissent les fondations. Un étage est-il terminé ? On y installe aussitôt des ateliers. Des ouvriers, des parents d'élèves offrent leur dimanche pour travailler sous l'initiative de Ruda Jarusek. Des charpentiers, des maçons, des transporteurs apportent leur aide bénévole.

C'est ainsi que nous atteignons notre but qui était de fonder un grand établissement d'éducation où nous pourrions exercer une influence sur les enfants par l'exemple de notre vie... Les enfants des environs, après le travail de la journée, se rassemblent tous chez nous. Ceux qui ont appris à chanter font tous les dimanches avec les nôtres, une tournée de concerts dont ils nous remettent le produit pour notre œuvre sans en garder un sou. Chaque enfant sait qu'il fait partie d'un tout dont le but unique est de créer un vaste établissement où le plus grand nombre possible d'enfants, infirmes ou bien portants, pourront apprendre à connaître les joies du travail et à occuper leurs loisirs à de saines distractions.

Ainsi les enfants créent un foyer pour d'autres enfants, afin de leur faire partager le bonheur qu'il y a à vivre dans une telle maison.

Et sur le versant de Smichov s'élève bientôt un bel édifice : l'Institut Bakulé est né [1].

De tous les pays, les visiteurs affluent. L'organisation communautaire permet à l'Institut, de vivre par ses propres moyens et d'assurer éducation et sécurité matérielle et affective.

L'Institut abrite des ateliers de menuiserie, de ferronnerie, de couture, de reliure, de chapellerie, un jardin, une imprimerie qui publie des brochures et du matériel pédagogique.

Rien n'était impossible à l'Institut Bakulé.

Les enfants voulaient-ils un bateau, un vrai ? Ils le construisaient eux-mêmes, et le bateau flottait !

Une automobile ? Ils la montaient de pièces et de morceaux et elle roulait !

L'aide cuisinière préparait le Conservatoire, sans rien négliger de sa tâche : elle devint professeur de piano [2].

Bakulé cherche à faire connaître ses idées pédagogiques

Dès les années 1920, je fais part de mes expériences dans des revues d'instituteurs, ainsi que lors d'une conférence

---

1. Extrait de la conférence donnée par Bakulé à Heidelberg, 1925.
2. Témoignage de Paul Faucher, le Père Castor.

au cours du Premier Congrès des Instituteurs Tchécoslovaques.

Je dépose en 1921, au Sénat, un projet de réforme et j'essaie d'intéresser le public non-enseignant aux problèmes éducatifs. Par ce moyen, je tente de trouver une aide financière pour l'éducation par la vie et par le travail. Tout ceci en vain. Le Sénat enterre mon projet, les spécialistes estiment que ma proposition relève d'un romantisme utopique.

Il est vrai que je suis moi-même coupable : je ne renseigne pas assez le public sur mon travail, je ne publie pas assez souvent les résultats de mes essais pédagogiques. Je préfère toujours faire le travail éducatif lui-même, plutôt que de seulement le décrire.

Mais les graves soucis matériels et financiers qui m'ont submergé, dès mon départ de chez Jedlicka, en sont aussi la cause.

Ce n'est qu'en 1927, qu'une étude approfondie sur mes travaux a été entreprise par Vaclav Prihoda [3]. Bien que je ne puisse être d'accord avec l'ensemble de son analyse, je n'en admire pas moins son courage d'avoir pris parti contre les spécialistes qui doutent et contre mes ennemis déclarés, en publiant les aspects positifs de mon expérience [4].

Le groupe Bakulé aide d'autres groupes d'enfants

Non seulement, nous subvenons seuls à nos besoins mais nous aidons les autres. Nous avons fait don de plusieurs milliers de couronnes aux enfants affamés de Russie et d'importantes sommes à la section de la Croix-Rouge de Prague, ainsi qu'à des institutions de bienfaisance des villes où nous conduisent nos tournées de concerts [5].

---

3. Voir bibliographie.
4. Note additive de Bakulé aux *Enfants pauvres*, 1954, p. 247.
5. Extrait de la conférence donnée par Bakulé à Heidelberg.

Bakulé crée un chœur d'enfants :

Dès le début de sa carrière, Bakulé avait senti que pour éveiller et développer la sensibilité des enfants, la musique et surtout le chant choral, sont un moyen privilégié. Il avait déjà créé un chœur avec ses élèves de Mala Skala, puis plus tard avec les « Vagabonds ».

Le chœur Bakulé, créé en 1920, soulève l'enthousiasme partout où il se produit.

Au début les chanteurs chantent uniquement pour eux-mêmes, pour leur plaisir, mais lorsqu'ils se rendent compte que ceux qui les écoutent y prennent aussi plaisir, ils décident de chanter pour la joie des autres.

Le chœur chante d'abord dans les écoles, dans les mairies et dans les prisons des alentours de Prague. Il y a parfois tant de spectateurs, qu'ils ont du mal à rentrer dans la salle.

Les concerts du chœur Bakulé deviennent de plus en plus populaires en Tchécoslovaquie. Le chœur envisage de se rendre aux Etats-Unis pour remercier de leur don, les enfants de la Croix-Rouge américaine.

Le voyage aux Etats-Unis :

Pendant trois ans, les chanteurs économisent une part de leurs recettes et chaque déplacement est une répétition pour le grand voyage projeté. Avec l'aide du Dr Mac Cracken, représentant de l'Institut d'Education International de New York, du Président Masaryk et de la Croix-Rouge américaine, les enfants Bakulé peuvent enfin réaliser leur rêve.

Le 21 mars 1923, quarante chanteurs s'embarquent pour l'Amérique accompagnés de cinq adultes et de cinq handicapés (Ruda, Sarkan et Frantisek sont du voyage).

Les grandes villes, dont New York, Chicago, Boston, accueillent avec enthousiasme Bakulé et ses chanteurs, qui donnent plus de cent cinquante concerts.

146

Le Lord Maire de New York reçoit les chanteurs

Partout où nous allons chanter, je me présente au maire de la ville. Le Lord Maire de New York, M. Hylan, me reçoit et écoute chanter mes enfants. Il nous dit son émotion en écoutant « Tece voda tece ».

Après notre concert improvisé devant l'hôtel de ville, le Lord maire fait une allocution au cours de laquelle il avoue n'avoir pas eu connaissance, jusqu'à notre visite, de l'existence de la Tchécoslovaquie [6].

Le premier concert a lieu dans la plus grande salle de New York, le « Carnegie Hall ».

Après New York, Philadelphie et Baltimore, voici Washington où le Président des Etats-Unis, invite les petits chanteurs à la Maison Blanche. Au moment du traditionnel « shake hands », Frantisek ne se laisse pas surprendre, il se déchausse rapidement et tend son pied. Le Président serre le pied de Frantisek et dit en souriant : « De tels visiteurs sont rarement venus chez moi. »

Pitsbourg, Indianapolis, St-Louis, St-Joseph, Omaha, Chicago.

Le maire de St-Louis offre aux enfants une clef d'argent, honneur que seuls les maréchaux Joffre et Foch avaient reçu avant eux.

Cleveland, Niagara, Portsmouth, Boston...

La presse est enthousiaste

A.T.P. « Transcript » Boston 25.V.123 :

... Ce fut un concert extraordinairement agréable, — un vrai miracle !... le chœur est composé d'enfants doués d'une oreille excellente et d'un sens rigoureux du rythme, de la construction mélodique et de sa gradation. Les chansons signifient quelque chose pour les enfants, ils vivent le sens des paroles aussi bien que celui de la musique.

Après le concert au « Symphony Hall » de Boston, une dame s'approche du groupe. Elle cherche des yeux Jurka et, l'ayant trouvée, lui met autour du cou son collier en argent massif, en murmurant : « c'est pour la chanson de l'orphelin », puis elle s'éloigne en nous saluant.

---

6. Extrait du manuscrit de Bakulé, le Chœur.

Cette tournée soulève partout intérêt et enthousiasme [7].

D. Taylor, « World ». New York 12.IV.1923 :

Hier soir, au Carnegie Hall, 40 enfants tchécoslovaques ont donné un concert qui a été un des meilleurs de toute la saison. (...) Des chœurs éminents auraient pu apprendre maintes choses de ce chœur d'enfants, que son âge n'empêche pas de chanter avec une absolue pureté d'intonation, avec un rythme exact, avec une parfaite maîtrise de la dynamique et avec une prononciation modèle. Ils font de chaque chanson une chose vivante et pleine d'expression, dont la musique sort du cœur et de la gorge, et jamais de la partition ni d'un morceau de papier.

A. Devries, « American » Chicago : 17.V.1923 :

Les petits enfants de la Tchécoslovaquie sont venus en messagers de remerciements expressifs aux Etats-Unis. Vingt-huit voix claires et douces nous ont exprimé cela hier soir à Chicago. S'il y avait un cœur à ne pas être saisi par la véracité spontanée de ces messagers de paix, ce serait un cœur dur et mauvais, sans possibilité de rédemption. Les journaux et le public de New York ont donné leur cœur tout entier à ces enfants, ainsi que nous l'avons fait hier soir à Chicago ; car ils chantent avec une inspiration et un abandon tout particuliers. Chacun de ces enfants a l'air convaincu de la tâche sacrée de sa venue. Et vous vous inclinez devant eux, les larmes aux yeux.

Chaque concert est pour Bakulé l'occasion d'entretiens avec des éducateurs américains. Il rencontre John Dewey, à l'université de Columbia, Lovel à Harvard et W.W. Jannisson à Boston.

Ce n'est pas uniquement par les chansons que nous avons conquis la faveur du public américain. Les maîtres de toutes les catégories de l'enseignement — primaire, secondaire, supérieur — se sont vivement intéressés à nos nouvelles méthodes d'éducation. Ils ont avoué avec une franchise naïve les lacunes de leur enseignement et, pour les réparer, ils se sont déclarés prêts à unir leurs efforts aux nôtres en vue de l'œuvre commune qui est la transformation et non la déformation de l'enfant [8].

Départ des Etats-Unis

Art Dunn, chef de la section de la Croix-Rouge américaine à Washington qui accompagna le groupe durant le voyage écrit :

---

7. et 8. Extraits du manuscrit de Bakulé, *le Chœur.*

« La visite extraordinaire de Monsieur Bakulé et de son groupe est terminée. Aujourd'hui nous prenons congé... Il faut que je dise que tous, et nous sommes des milliers à les avoir écoutés et aimés, sommes remplis d'admiration devant ces enfants et leur directeur. L'amour qu'ils nous inspirent est trop profond pour être exprimé en paroles. Personnellement, je sens que ces enfants sont mes enfants et qu'ils vont rester une partie de moi-même pour toute ma vie, et que ma vie en sera pour toujours meilleure.

(...) Ce que je ressens, des centaines, des milliers de gens le sentent aussi, plus ou moins fort, selon qu'ils ont rencontré ces enfants plus ou moins longtemps.

Inutile de parler de la joie qu'expriment leurs voix mélodieuses, la critique et le public s'accordent à reconnaître que jamais rien de semblable n'a été entendu en Amérique. De plus, les démonstrations des travaux exécutés par les enfants ont provoqué la plus grande admiration des amateurs et des professionnels. Les travaux éducatifs de Bakulé seront le ferment d'une profonde recherche pour nous tous.

Nous sommes profondément reconnaissants à votre pays pour l'inspiration que le groupe Bakulé nous a offerte. Votre pays ne pourrait pas nous envoyer de meilleurs ambassadeurs : Ils sont le ciment entre nos deux républiques. Il n'y a pas d'exemple d'amitié entre enfants du monde plus vivant pour la paix et la compréhension entre les peuples [9]. »

Retour en Tchécoslovaquie

Après cette tournée triomphale aux Etats-Unis, comment vont-ils être reçus à Prague ? Aucun accueil officiel. Aucun journal n'a publié de compte rendu de la tournée. Par contre la presse, ignorant délibérément la portée spirituelle d'une telle entreprise titre : « Echec financier de la tournée des chanteurs Bakulé en Amérique. »

En effet, sur le plan matériel Bakulé ne gardait que le strict nécessaire pour les déplacements et pour la nourriture puisque

---

9. Propos rapportés par Bakulé dans son manuscrit le Chœur.

les concerts étaient donnés au bénéfice de la Croix-Rouge américaine.

Fonder par nos chants, l'amitié de tous les enfants et de tous les peuples, sans distinction de confessions ou d'opinions politiques, tel est notre désir le plus vif. Nous sommes donc revenus à la maison la conscience tranquille et les poches vides [10].

Voyage à Dresde en 1924 :

Les Allemands, si peu enclins à la sympathie envers leurs voisins tchèques, ne résistèrent pas non plus aux effets des chants du chœur Bakulé.

« Le président Masaryk avait déconseillé ce voyage à Bakulé. Le premier concert débute sous les huées du public et se termine triomphalement. La population de Dresde, au moment du départ du groupe Bakulé, l'accompagne à la gare en parsemant leur chemin de pétales de fleurs [11]. »

Les échos dans la presse sont élogieux

« Volkszeitung », 3.11.24 :

Celui qui a entendu vendredi soir la petite troupe d'enfants, garçons et filles, venue de Prague, ne pourra jamais l'oublier : tant les impressions vécues là seront gravées profondément dans son âme. D'où cela vient-il ? Ici l'Allemand se trouve presque devant une énigme. C'est le parfait art slave du chant choral. On peut à peine exprimer avec des mots comment ils chantent, mais on peut bien essayer d'expliquer le secret du succès. En premier lieu : une oreille excellente — pas un flottement de ton, même avec la chaleur extrême qu'il faisait dans la salle —, un don rythmique qui vraiment ébahissait, une dégradation magistrale, des voix douces ; en second lieu : l'âme. Ils chantent avec tant d'âme que, même sans posséder le tchèque, on était saisi au plus profond de soi. — Et à quelles claires hauteurs les conduit-il ? Eux et nous en même temps. Qu'il soit remercié, lui et son chœur, de la façon la plus cordiale. En vérité, ce sont de véritables apôtres de la paix, qui aident à triompher des oppositions de races et fortifient la foi en l'humanité.

---

10. Extrait de la conférence donnée par Bakulé à Heidelberg, 1925.
11. Témoignage d'une des chanteuses du groupe, Maria Fleischerova.

« Dresdner Nachrichten », 5.11.1924 :

Le chœur Bakulé a chanté à Dresde des chansons populaires et des airs de danse avec une discipline du chant et une puissance d'expression qui sont étonnantes. — L'élément musical pur est développé d'une façon si éminente que même les modulations et harmonies difficiles, qui abondent dans la musique tchèque beaucoup plus que dans la nôtre, sont réussies avec une sûreté toute naturelle, et les enfants étaient si forts sous le charme du rythme que le chef de chœur pouvait se borner à un petit nombre de mouvements de mains significatifs. Pour saluer leurs frères et sœurs allemands, les Tchèques, qui sauf quelques exceptions ignorent l'allemand, ont chanté aussi quelques lieds allemands avec une prononciation étonnamment bonne.

En 1925, Bakulé et son chœur se rendent à Heidelberg :

La présence de M. F. Bakulé fut le « clou » du Congrès international d'Education nouvelle à Heidelberg, en 1925. Il y était venu avec quarante de ses élèves. Ils ont ouvert la série des conférences par un concert vocal qui a laissé à tous les auditeurs une impression ineffaçable. Ce chœur d'enfants est unique au monde. J'ai lu les déclarations spontanées de grands critiques d'Europe et d'Amérique qui le déclarent insurpassé. Chansons populaires, chansons héroïques, poésie, finesse, grâce et légèreté, force, éclat et puissance, deuil et mélancolie, déchirement et jubilation, tout cela jaillit de ces voix enfantines avec un accent contagieux irrésistible. Visages quelconques à l'état de repos ; visages radieux lorsqu'ils chantent. Mais ce qu'il faut voir, ce que le public ne peut apercevoir, c'est le visage même de M. Bakulé : les moindres nuances spirituelles des morceaux s'y reflètent d'une façon à la fois très discrète et d'une puissance de rayonnement prodigieuse !

A côté du chœur, l'Ecole-Foyer de Prague avait une exposition. Ici encore il y avait des choses étonnantes. Des dessins humoristiques impayables d'une facture personnelle originale et d'une maturité rare chez des adolescents. De l'art, de la beauté. Des objets en bois ouvrés, en métaux frappés et ciselés d'une grande élégance, entre autres une coupe géante offerte au Président Masaryk.

M. Bakulé est-il donc un artisan et un artiste universel ?

Non point. Il déclare ne savoir ni dessiner, ni chanter, ni exercer aucun des métiers où ses élèves excellent. A-t-il donc sélectionné une équipe de jeunes génies ? En aucune façon : ses premiers fidèles ont été des petits estropiés (un des plus habiles, celui qui, à Heidelberg, vendait les billets à la porte, est sans bras et se sert pour tout de ses seuls pieds !) ; d'autres sont des enfants des rues, trouvés dans les ruisseaux des faubourgs de Prague. Aucune sélection, on le voit, sinon à rebours. Et c'est pourtant avec ce « matériel » humain que M. Bakulé produit des chefs-d'œuvre. Son moyen d'action ? L'amour, l'amour clairvoyant, jeune, ardent, tout de dévouement et de noblesse.

Aucun homme vivant n'incarne mieux, aujourd'hui, ce qu'il y eut de meilleur en Pestalozzi. Le rapprochement est frappant. Tous ceux qui ont perçu dans ses livres et dans l'histoire le rayonnement du citoyen de Zurich, son intuition géniale de l'enfance, son amour des petits, allant jusqu'au don absolu de soi, croient voir revivre sa figure monumentale en cet humble instituteur tchèque qui, lui aussi, accomplit des miracles grâce à la simplicité, j'ose dire : la candeur de son âme d'apôtre [12].

La presse est unanime une fois encore :

« Heidelberger Volkszeitung », 3.3.1925 :

(...) Les productions de ces enfants étaient d'une valeur égale à celle de la célèbre Union chorale européenne, comme aussi de la Sixtine, des Cosaques du Don, du Chœur de la Cathédrale de Berlin, et même plutôt supérieures dans leur fraîcheur primesautière et affadie d'aucune routine...

« Frankfurter Zeitung », 22.8.1925 :

Mais ce qui constitue le charme principal, c'est ce qu'il y a là de vraiment populaire, de pur et de non faussé. Ces jeunes gens et ces jeunes filles avaient l'air de recréer chaque fois de nouveau pour eux sous la suggestion de leur maître, ce qu'ils chantaient. Parmi de nombreuses chansons tchèques, ils ont aussi chanté quelques lieds allemands. Et comment les chantent-ils ? Je n'ai jamais encore entendu chanter *Les enfants du Roi* d'une façon aussi saisissante, ni *l'Anniversaire du tailleur* d'une manière aussi finement humoristique.

---

12. A. Ferrière, in *Trois pionniers de l'éducation nouvelle*, Flammarion, 1928.

Les succès obtenus par Bakulé et ses élèves lui font concevoir l'idée d'une « croisade d'enfants pour la conquête de la paix », et cela sous la forme d'un voyage autour du monde.

Dans chaque pays traversé, un garçon et une fille du pays élus par leurs camarades, se seraient joints au chœur. La tournée se serait terminée par un « Congrès des enfants pour la paix dans le monde ».

Le voyage fait chez le peuple allemand en 1924 fut le premier anneau de la chaîne des rencontres amicales avec les enfants et la population de toutes nations.

C'est surtout à la suite de leur présence au Congrès d'Heidelberg que les enfants tchèques et leur éducateur sont l'objet de nombreuses invitations.

Voyage au Danemark : 1926

La première invitation vint du Danemark.

On jugera du succès que rencontra le chœur Bakulé d'après le fait qu'il donna à Copenhague 39 concerts au lieu des quatre projetés et que les six jours dans la capitale, prévus au programme, devinrent une tournée de trois semaines à travers toutes les régions du Danemark.

Extraits de la presse de Copenhague :

Il n'y a que ces enfants pour chanter avec cette beauté et cette absolue pureté de ton, comme si ce chant reflétait leur être même. Il n'y a qu'eux pour atteindre cette intensité d'impression qui faisait de l'exécution de la chanson « l'orphelin » une production artistement parfaite, donnant l'impression que cette chanson était vécue comme un morceau parfait d'art et de poésie. Le public comprit bientôt lui aussi qu'il s'agissait là d'un chœur tout à fait original. Et lorsqu'ils chantèrent aussi des chansons danoises en un danois admirable, tout le monde se leva de son siège et l'enthousiasme ne connut plus de fin.

« Nationalitidende », 19.3.1926 :

Dans le chœur Bakulé, c'est l'âme musicale du peuple, qui sait raconter la tristesse, la douleur, le bonheur, la joie et la paix, et tout cela sous une forme si profondément artistique, que l'on pouvait à peine croire que la plus grande partie des chanteurs n'étaient que de tous jeunes, et même de tous petits enfants... L'éminent chef du chœur, M. Bakulé, gardait avec ses exécutants un contact extrêmement étroit, comme on le voit bien rarement. Dans la reproduction des phrases musicales, dans l'intonation, c'était un instrument accordé, sur lequel il pouvait jouer à son gré. Pas même de ces petites fautes insignifiantes qui se produisent quand les doigts touchent les cordes. Ce fut l'un des plus magnifiques concerts de chant choral que nous ayons jamais entendus... Ce concert, auquel assistait Sa Majesté la Reine, souleva un enthousiasme indescriptible.

En 1927, le chœur Bakulé se rend au Congrès de Locarno

A la demande des membres du Congrès d'Heidelberg, les chanteurs de Bakulé furent invités en 1927 à venir chanter pour la cérémonie d'ouverture de Congrès International de Pédagogie à Locarno.

Les 1 200 congressistes furent tellement émus et ravis qu'ils retinrent les chanteurs pendant les quinze jours de la durée du Congrès. Puis ils les envoyèrent à travers la Suisse, pour une série de concerts.

Les salles furent combles ; on dut multiplier les représentations pour satisfaire le public. Partout le succès. Un voyage qui semblait à première vue un des plus désintéressés permit aux chanteurs de rentrer « riches ».

Paul Faucher [13], président du Bureau Français d'Education, représentait la France au Congrès de Locarno. Il y fit la connaissance de Bakulé. Cette rencontre fut déterminante. Paul Faucher dit lui-même :

> Ayant rencontré Frantisek Bakulé, le génie de l'éducation en personne, et entendu ses « petits chanteurs » au Congrès de l'Education Nouvelle à Locarno en 1927, je n'eus plus qu'un désir : faire connaître l'homme et l'œuvre aux éduca-

---

13. Paul Faucher (1898-1967) a dirigé la collection « Education ». première en date des collections présentant en France les tendances de la psychologie et de l'éducation nouvelles. Chargé d'une mission d'information sur l'éducation nouvelle par le Ministère de l'Education Nationale, il se rend successivement en Pologne, en Allemagne, en Tchécoslovaquie, en Hongrie. Il créa la collection des Albums du Père Castor et ouvrit une école nouvelle.

teurs français, et faire entendre la chorale de ses élèves dans toute la France. (...)

Ce que Bakulé apportait, ce n'était pas des principes, des théories, des idées abstraites, mais la preuve vivante, bouleversante, miraculeuse, du pouvoir de l'éducation.

Toute l'action de propagande que j'avais menée jusque là fut brusquement dépouillée pour moi de tout intérêt et je cherchai dès lors à toucher les enfants eux-mêmes, en leur apportant des ferments de libération et d'activité par le seul moyen qui était à ma portée, par le livre — pour autant qu'on pouvait charger le livre d'une telle mission [14].

1928 : Visite de l'Institut Bakulé par des instituteurs français

Lors d'un voyage en Europe Centrale, les délégués du Syndicat National des Instituteurs Français passèrent par Prague, et rencontrèrent les enfants Bakulé. Ils entendirent leurs chants, virent leurs travaux artistiques et décidèrent, en accord avec le Bureau Français d'Education, de les inviter à venir en France faire connaître aussi aux enfants et au public français, les résultats de leurs efforts et de leur travail.

1929 : Voyage en France [(15)] :

Bakulé et son groupe entreprennent un voyage de deux mois en France.

_____

14. Extrait d'une conférence de Paul Faucher, « La mission éducative des Albums du Père Castor » faite à Zurich le 18 mai 1957.
15. Paris (26 avril), Dijon (4 mai), Saint-Etienne (6 mai), Clermont-Ferrand (8 mai), Lyon (10 mai), Grenoble (13 mai), Avignon (15 mai), Marseille (16 mai), Nice (19 mai), Toulon (21 mai), Nîmes (24 mai), Montpellier (25 mai), Toulouse (26 mai), Bordeaux (29 mai), Limoges (31 mai), Poitiers (1er juin), Nantes (2 juin), Rennes (5 juin), Le Mans (6 juin), Angers (7 juin), Tours (8 juin), Bourges (9 juin), Orléans (10 juin), Paris (11 juin), Versailles (12 juin), Paris (13 juin), Caen (14 juin), Rouen (15 juin), Le Havre (16 juin), Amiens (18 juin), Calais (19 juin), Lille (20 juin), Roubaix (21 juin), Reims (23 juin), Nancy (25 juin), Mulhouse (28 juin), Strasbourg (29 juin).

Bakulé arrive à Paris le 26 avril 1929.

Interview de Bakulé à son arrivée :

Interrogé sur le but de son voyage, M. Bakulé a expliqué qu'il vise, avant tout, à favoriser les progrès de la pédagogie enfantine. Il ne recherche aucun succès personnel. Simplement, ayant employé certaines méthodes nouvelles pour l'éducation de ses pupilles, tous recueillis dans les milieux populaires, beaucoup atteints d'infirmités qui semblaient les vouer à rester toute leur vie des épaves, M. Bakulé a entrepris de mettre sous les yeux des éducateurs et du public étrangers, les résultats qu'il a obtenus.
M. Bakulé conclut : « Je vous l'avouerai, mon but n'est pas exclusivement de faire connaître mes méthodes. Educateur convaincu de l'excellence des méthodes les plus positives dans la technique de l'éducation, je suis fils d'une nation chez qui l'idéalisme est un trait de race. Mes voyages à travers le monde tendent à mettre en contact les enfants du peuple dans les divers pays et, par ce contact, à favoriser le rapprochement des Etats, à faire régner partout l'esprit de paix. Je tiens beaucoup à ce que cet aspect idéaliste de mon œuvre soit connu du public et je vous serais reconnaissant de m'y aider. »

Agence Radio, 26 avril 1929.

Premiers concerts à Paris :

Extrait de la presse ; « Le journal », 27.4.29 :

Un magnifique succès a accueilli la première audition des petits élèves de Bakulé.
Surprise de voir ces visages tout à l'heure calmes, naïfs presque, s'illuminer soudain et devenir radieux. Ravissement d'entendre ces voix incomparables tour à tour déchirantes, graves, douces, éclatantes où l'art et la discipline se dissimulent sous l'impeccable harmonie (...)
Cette œuvre est sans conteste, à la fois l'une des plus belles et des plus intelligentes qu'ait produite la tendresse humaine.

Le 30 avril dans l'après-midi, la Municipalité de Paris offre une réception en l'honneur du Professeur Bakulé et de son groupe d'élèves à l'Hôtel de Ville. Le soir, Bakulé est reçu à la Sorbonne par le corps enseignant, en présence de nombreuses personnalités, puis les enfants donnent un concert.

La soirée était présidée par M. Rosset, directeur de l'Enseignement primaire au Ministère de l'Instruction Publique, qui devait notamment déclarer :

« Votre foi est le fruit de votre amour pour les enfants du peuple. Vous ne séparez pas l'école de la vie réelle... L'expérience de la vie est le seul maître à qui vous vous adressiez... La vie seule enseigne la vie... »

M. Rosset s'incline devant cette puissance du sentiment, mais ne peut s'empêcher de rappeler la puissance de la raison. Il dit aimablement au pédagogue tchèque que nous sommes au pays de Descartes et que nous demeurons fidèles au pouvoir de la raison.

« En effet, la pédagogie française fait à la culture du raisonnement une place beaucoup plus large qu'à celle du sentiment. Et nous nous garderons de vouloir diminuer la place que, depuis Descartes, nous lui avons conservée, mais il serait dangereux et injuste de négliger la force de la sensibilité. Le cœur a des raisons que la raison ignore ; sera vaincu celui qui ne le reconnaîtra pas. Bakulé va nous en donner des preuves. Il entre en scène, et, sans paroles, par l'acte, par la foi, par toute son âme, il va nous prouver que la force de la sensibilité est redoutable. »

Le lendemain, les enfants Bakulé donnent un concert au Trocadéro devant 5 000 enfants des écoles parisiennes. Bakulé qui ne parle pourtant pas notre langue, réussit à faire chanter à son chœur tchèque la chanson de Malborough, puis, unissant les 5 000 auditeurs avec ses 45 chanteurs, il fait chanter la même chanson par la salle toute entière.

Pendant son séjour à Paris, le groupe Bakulé est logé à Suresnes :

Nous avons vécu à Suresnes presque deux semaines. Dès les premiers jours, j'ai été frappée par l'aspect des enfants de ce faubourg. Pleins de vie, bien portants, propres, ils ne ressemblaient en rien aux enfants de nos faubourgs. Chaque jour qui a suivi nous a montré que Suresnes était vraiment une ville de l'amour vivant.

Les jours passaient. Toutes les beautés de Paris se sont présentées à moi. (. . .)

Nos enfants obtenaient succès après succès. Les salles combles retentissaient d'applaudissements enthousiastes. Des réceptions officielles se terminaient par des cordialités non officielles : des paroles débordantes de remerciements, de reconnaissance, des brassées de fleurs. (. . .)

Fatigués, nous rentrions chez nous le soir, à Suresnes [16].

La presse fait une large part au triomphe des chanteurs. « La Patrie », 9.5.29 :

L'assistance charmée fit un succès aux petits chanteurs (. . .)

---

16. Extrait d'un rapport de Lida Durdikova.

... A la même heure, trois jeunes bandits de chez nous commençaient d'expier le meurtre de leur geôlier et le crime plus grave de ne pas avoir trouvé sur leur route de gosses errants un éducateur comme M. F. Bakulé.

Voyages en province :

A travers toute la France, le chœur Bakulé remporte un succès triomphal.

Voici quelques extraits des rapports de Bakulé et d'articles tirés des très nombreux extraits de la presse de l'époque, tous plus élogieux les uns que les autres, tous unanimes à reconnaître les grandes qualités du chœur.

Saint-Etienne, les 6 et 7 mai :

A Saint-Etienne, on craint le fiasco : nous sommes un lundi, lendemain d'élections et de plus, il pleut.

Les collègues organisateurs nous demandèrent dès notre arrivée de leur chanter deux chansons, dans la grande salle de la gare. Ceci me montra qu'ils étaient de bons organisateurs et de bons propagandistes. Aussi nous chantâmes avec grand plaisir. Près de deux cents personnes nous ont entourés et comme des réclames vivantes, s'en allèrent dans leurs maisons, portant chacun un feuillet à la main.

En route, les camarades syndicalistes distribuaient ces mêmes feuillets à tous les passants.

Et voici le résultat : à sept heures trente, une foule compacte se pressait aux abords de la Bourse, à huit heures trente, malgré l'averse, près de 3 000 personnes remplissaient la grande salle. Nous étions bien disposés et nous avons vite fait de communiquer notre bonne humeur à l'auditoire. A onze heures trente, nous avons fini et nous étions tous devenus les meilleurs amis.

Les syndicalistes de Saint-Etienne avaient établi des prix d'entrée très bas — trois francs — afin de permettre surtout aux ouvriers de venir. Au premier entracte, ils corrigèrent d'une façon originale ce qu'ils appelaient leur « faute ».

L'un d'eux dit à l'assistance : « Maintenant que vous savez ce que sont les chanteurs Bakulé, vous reconnaîtrez qu'une telle œuvre d'art mérite un autre prix d'entrée que trois francs, surtout si l'on sait que ces enfants donnent tout ce qu'ils gagnent pour entretenir et établir un institut d'éducation. C'est pourquoi, nous demandons à ceux qui le veulent et qui le peuvent de compléter la somme qu'ils ont donnée. »

Plusieurs jeunes filles de Saint-Etienne passèrent dans la salle où on leur fit bon accueil...

Ce matin, plus de 4 000 enfants ont été empilés par leurs instituteurs dans la grande salle de la Bourse.

(...) A midi, réception à la Mairie. Le Maire a prononcé un discours très chaleureux. Cette ville ouvrière a été pour nous très généreuse : elle a pris sur elle toutes les dépenses de notre séjour. (...) [17].

Clermont-Ferrand, les 8 et 9 mai :

(...) Je donne une conférence sur l'éducation musicale devant plus de cent instituteurs et institutrices des environs de Clermont. Le discours de présentation fut fait par le recteur de l'Université, M. Lirondelle, qui pendant la guerre a collaboré avec les professeurs Masaryk et Benès à une série de conférences données à la Sorbonne. J'ai terminé ma conférence par quelques démonstrations de chants avec les enfants, par l'analyse de la Marseillaise comme chanson historico-révolutionnaire et par d'autres exemples de notre musique de chœur ; des arrangements les plus faciles que les enfants eux-mêmes ont faits jusqu'aux morceaux les plus difficiles de nos compositeurs modernes. L'auditoire était très intéressé. Les instituteurs ont emprunté et copié nos morceaux de musique et ont noté nos recueils de chansons populaires.

Les journaux du matin, de tous les partis politiques, avaient publié déjà de longs articles sur nos concerts de mercredi à Clermont et invitaient les habitants à venir à celui de jeudi. Le collègue Giron nous raconta qu'après notre concert, le critique musical du journal « l'Avenir du plateau central », avec qui il était fâché depuis plus d'un an, est venu près de lui et lui serra la main, en tant qu'organisateur de notre visite. A Clermont, en général, l'action de rap-

17. Lettre-rapport de Bakulé à Paul Faucher.

prochement de nos chansons s'est faite fortement sentir. Se sont réunis pour les entendre, les libres penseurs et les réactionnaires, les anti-militaristes et les soldats, les représentants des travailleurs manuels et intellectuels, de l'ouvrier mutilé au recteur d'université. En tous, on sentait combien leurs pensées s'étaient adoucies — et combien leur cœur aspirait à l'amitié.

Ceci n'est pas la supposition d'un sentimental. Je ne suis pas un sentimental et je ne fais pas de supposition. Je m'exprime, il est vrai, quelquefois comme un rêveur, mais mes idées ont toujours une base réelle, elles sont toujours réalisables, même si quelquefois elles ne le semblent pas. (...) [18].

Lyon, les 10 et 12 mai :

Lyon avait la réputation d'être une ville très froide. Au début du concert, l'accueil du public est glacial, puis de plus en plus chaleureux. A la fin, le public s'est jeté sur les gosses pour les porter en triomphe jusqu'à la place. Un revirement extraordinaire !

J'ai vu le maire Herriot pleurer [19].

Montpellier, le 25 mai ; « Le Petit Méridional » :

(...) Le rythme enveloppant des jeunes chanteurs avait dès le début empoigné un auditoire de jeunes et hier la salle du grand théâtre fut littéralement comble. On n'entendait aucun murmure et chacun écoutait religieusement l'harmonieuse exécution des jeunes prodiges.

Le succès de ces chanteurs et de leur chef a été grand et jusqu'à la fin le public a témoigné par ses applaudissements d'un grand enthousiasme et d'une vive sympathie. L'art de M. Bakulé est en effet sympathique, il est fait de simplicité, d'émotion et de conviction. Il est aussi le résultat d'un travail méthodique et d'une volonté opiniâtre que nous voudrions bien voir imiter à Montpellier.

Toulouse, les 26-28 mai :

(...) Le concert éveille un enthousiasme général. A minuit, l'auditoire ne voulait pas encore rentrer chez lui. (...) A Toulouse nous avons éprouvé tout le temps une grande émo-

18. Lettre-rapport de Bakulé à Paul Faucher.
19. Témoignage de Suza Desnoyer, interprète du chœur Bakulé durant le voyage en France.

tion devant le public, qui par ses témoignages montrait qu'il comprenait l'art et qu'il lui était sympathique de le voir placé dans un cadre d'humanité [20].

Bordeaux les 29 et 30 mai ; « La petite Gironde »

Cela est d'une rare beauté, poignant même. Les auditeurs restent saisis lorsque les voix se sont tues, comme engourdis, les yeux humides. Tous ont senti qu'ils se trouvent en présence d'une très grande chose, d'une des plus puissantes manifestations sensibles que peut procurer l'art collectif, expression d'humanité la plus haute qui soit.

Nantes le 2 juin ; « Le populaire »

Allocution de M. Robert, proviseur du Lycée Clemenceau :

(...) « Bakulé n'a rien fait qui ne soit possible à chacun de nous, rien qui ne soit possible à tout homme de bonne volonté, et c'est là peut-être *le plus grand de ses mérites* ; car les leçons qu'il nous a données, elles sont toutes à la portée de tous ; mais pour qu'elles portent leurs fruits, il faut tout d'abord franchir le stade qui va de la pensée à l'action, passer de la théorie à la pratique... »

Rennes, le 5 juin ; « Ouest-Eclair », (12 juin) :

(...) « S'appuyant sur l'opinion de quelques celtisants de marque, M. Bakulé a dit un mot des affinités celtes de la Bohême, jadis occupée par les Celtes Boïens ou Boïi (d'où le nom de Boïohemun, Bohême). Cette ascendance celtique expliquerait peut-être la chevelure blonde et les yeux bleus de quelques-uns des plus charmants choristes de Bakulé ! Ces petits Tchèques seraient nos parents, à nous Bretons, des parents éloignés de nous, depuis des millénaires peut-être. Voilà bien une raison ajoutée à tant d'autres, que nous avons de les aimer, de les tenir près de notre cœur, une raison bien imprécise, assurément et néanmoins impérative. Aimons-les donc les enfants de cette Bohême que nos architectes des XIV et XVe siècles ont couverte de purs joyaux. Aimons-les bien. Mais qui donc oserait jurer que l'Allemagne, toujours l'Allemagne, groupant les vaincus de la grande guerre, les mécontents de la paix mal faite, ne nous obligera pas, nous Français, dans un lustre ou deux, à combattre, une fois de plus dans l'histoire, et pour eux et pour nous ? » (Eugénie Le Breton.)

« Briez Ataos » :

(...) C'est par la culture des arts populaires tchèques qu'il a élevé l'âme des enfants arrachés ainsi à leur misère. Magnifique exemple pour nous Bretons, qui avons dans nos villes et surtout dans les villes d'émigration bretonne des fils de notre race qui souffrent de tant de misères physiques et souvent, hélas ! morales.

---

20. Lettre-rapport de Bakulé à Paul Faucher.

Orléans, le 10 juin ; « Journal d'Orléans » (11 juin) :

Lundi matin, à 10 h 44, le train venant de Bourges amena en gare d'Orléans la troupe de Bakulé. Par les soins de M. Jourde, inspecteur principal, il avait été dévié de sa voie et vint se ranger à droite, devant la salle de l'ancienne gare, qui servit en l'occurrence de salle de réception. (...) M. Bruneau, chef de la circonscription départementale de l'enseignement, prit à son tour la parole.

« Vous appartenez, M. Bakulé, à la grande famille universitaire qui ne connaît pas de frontières. Vous êtes l'un des nôtres. Mais vous êtes l'un de ceux qui font honneur à l'enseignement de tous les pays et votre nom restera inscrit dans les annales de la science pédagogique. »

(...) « Vous êtes un apôtre, dit en terminant M. Bruneau ; vous êtes un véritable missionnaire de la paix. C'est à ce titre que je vous salue ! »

Le Havre, le 16 juin ; « Le Petit Havre » (18 juin) :

On doit admirer l'équilibre vocal, le fondu de l'ensemble, la sûreté des attaques et des effets rappelant parfois certaines chapelles russes mais avec moins de rudesse, plus de douceur et de simplicité, avec une expression fraîche et vivante. Il est évident que l'animateur du groupe obtient le maximum de discipline et aussi de musicalité parce qu'il est en parfaite communion de pensée avec les petits artistes, parce qu'il leur communique sa foi ardente, son amour intense.

Calais, le 19 juin ; « Le Phare » :

Les enfants chantent pour chanter et non pour produire des effets personnels et rien n'est plus touchant que de les entendre dans la complainte de *L'Orphelin*.

Lille, le 20 juin ; « Le Réveil du Nord » :

(...) Rien ne peut rendre l'expression avec laquelle les enfants à l'âme d'artistes exécutent leurs chants et leurs danses populaires qu'ils vivent si intensément, qu'il n'est besoin ni de traduction ni de texte pour partager leur émotion.

Reims, le 23 juin ; « L'Eclaireur de l'Est » (25 juin) :

(...) Les premières chansons exécutées étaient faites pour révéler à l'auditoire l'âme du peuple tchèque, et montrent comment l'homme simple sent la vie et sait exprimer des sentiments intimes.

Plusieurs fois les applaudissements furent tels qu'on aurait voulu leur voir recommencer presque tous leurs morceaux. Mais M. F. Bakulé déclara qu'il était impossible de bisser : « Lorsque l'on chante du fond du cœur on ne peut pas répéter. »

Nancy, le 25 juin :

Une exposition fort instructive des objets fabriqués par les gosses de l'institut Bakulé à Prague. Toute la journée une foule nombreuse s'est succédée devant ces tables garnies de travaux si parfaits. Tous n'ont pas tari d'éloges à l'endroit de l'admirable maître qu'est le grand éducateur.

(...) Le chœur Bakulé tient le milieu entre le souffle mystique de la chanson russe et la perfection classique de l'école italienne, la gravité, la mélancolie, l'émotion, l'enthousiasme aussi, qui met dans les yeux des chanteurs de rapides éclairs où brille la passion d'une âme d'un peuple.

Strasbourg, le 29 juin ; « Le Journal de l'Est » (30 juin 1929) :

(...) « L'avenir est ouvert à qui a l'audace d'une pensée, à qui la veut d'une volonté forte, à qui l'aime du cœur et de l'âme », a dit Bakulé.

Conférence, causerie : une affectueuse conversation plutôt où l'interprète semble moins être un traducteur qu'un interlocuteur.

« Je ne vous apporte pas un exposé général de sèche pédagogie mais quelques cas concrets de ma carrière d'éducateur. » (...)

« Les Dernières Nouvelles de Strasbourg » (21 juin 1929) :

Bakulé est à la fois un artiste et un éducateur, ou plus exactement il est artiste, parce qu'il est éducateur et parce qu'il a su comprendre la valeur éducative de l'art. (Lucien Tesnière, maître de conférence à la Faculté des Lettres.)

Le voyage en France est terminé.

Les expositions et les 200 concerts qui eurent lieu dans nos grandes villes firent plus pour l'éducation nouvelle que dix ans de congrès et de conférences [21].

1930 : Voyage en Hongrie

Après leur tournée en France, les chanteurs de Bakulé ont encore fait un voyage en 1930, le dernier, en Hongrie. Son succès fut tel, malgré l'hostilité que les Hongrois témoignaient à cette époque aux Tchèques, que le président Masaryk remercia les enfants pour la bonne influence qu'ils avaient eue sur l'opinion publique hongroise.

Mais Bakulé tombe malade, il ne peut plus organiser de concerts. Pour lui commencent de graves difficultés.

---

21. Paul Faucher, extrait de sa conférence « La mission éducative des Albums du Père Castor », Zurich, 1957.

Les difficultés financières

En 1929, la crise financière et économique va bousculer la vie de l'Institut. Le dollar dévalué, la somme d'argent résultant du prix ne représente plus grand-chose et les créanciers vont assaillir Bakulé.

En 1931, Bakulé fait un dernier essai désespéré pour sauver la situation. Il ouvre une classe expérimentale qui regroupe enfants nantis et enfants défavorisés socio-culturellement. Cette coéducation a un avantage : les riches paient pour les pauvres.

La première année, la classe marche tout doucement au « noir » pendant que Bakulé « amuse » les administrations scolaires en parlant de « programme ». C'est ainsi que pendant quelques temps il réussit à enseigner. Un jour l'inspecteur arrive, Bakulé annonce que l'école n'est pas encore ouverte. C'est à cette époque qu'à l'Institut Bakulé, quelques Albums du Père Castor sont élaborés, illustrés par Sarkan et Ruda, écrit par Lida[22].

En 1932, la situation s'aggrave pour Bakulé. Les inspecteurs sont horrifiés par l'absence de tout règlement.

Bakulé, malade depuis plusieurs années, ne peut faire face à ses créanciers que la crise économique sollicite de plus en plus. Dès 1933 on veut récupérer les bâtiments de l'actuel Institut pour en faire un hôpital.

En 1935, Bakulé espère cependant former à nouveau un chœur. Mais les ennemis de Bakulé ne désarment pas. La presse s'en mêle et le 19 février 1937, l'Institut Bakulé est vendu aux enchères pour le prix du terrain. Cela semble être un coup monté ! Bakulé est saisi de tous ses biens. On lui laisse le minimum vital : le quart de la retraite d'un instituteur.

---

22. Lida Durdikova (1899-1955) épousa en 1932 Paul Faucher, le Père Castor.

CHAPITRE 6

Les dernières années

L'Institut vendu, l'inscription effacée, l'édifice transformé en clinique, les enfants dispersés, Bakulé se retire. Il a 57 ans. Il décide d'écrire trois livres qui relateront son expérience :

— « Les enfants pauvres » ; (son expérience à l'Institut Jedlicka).

— « Le chœur Bakulé » ; (ses idées sur l'éducation musicale).

— « A Mala Skala » ; (ses expériences en tant qu'instituteur).

Il commence ce long travail.

En mars 1939, Prague est occupée. Craignant d'être poursuivi pour ses opinions par les Allemands, Bakulé détruit des documents qu'il juge compromettants et se réfugie à la campagne.

En 1940, Bakulé reconstitue un chœur de huit chanteurs. Ils chantent dans les usines et les écoles. Mais lorsque Bakulé se rend compte que les Allemands peuvent se servir de lui à des fins de propagande, il cesse toute activité.

En 1944, il termine la rédaction de son livre « Les enfants pauvres ». Il le remanie pour intéresser les non-spécialistes, et en retravaille sans cesse la forme :

Je suis un styliste, je lis à haute voix ce que j'écris et je ne suis pas satisfait si cela ne sonne pas juste, c'est pourquoi je raye, je rajoute et je recopie constamment [1].

Je travaille sur deux livres en même temps : « Avec le chœur » et « A Mala Skala » [2].

Dans ce dernier, je raconterai mon enfance et le temps de mon passage dans les écoles publiques jusqu'en 1913.

Le jour de mes 70 ans (1945), j'ai été heureux d'entendre un discours de mon vieux camarade Vojta Benès qui parle de moi après dix ans d'oubli et réveille ainsi, l'intérêt pour mon travail.

A partir de 1947, je ne suis plus sûr de vivre dix ans encore. Je ne rédige plus, je note mes idées au fur et à mesure. Dans la seconde moitié de 1947 on s'intéresse à moi à l'étranger, Mme Langevin [3] et Paul Faucher m'invitent à Paris au « Congrès de l'Education Artistique ».

A la fin du congrès, j'ai l'occasion de faire la connaissance des Ateliers du Père Castor. Paul Faucher, le mari de mon élève-assistante, Lida, est celui qui a su, à l'étranger, donner le meilleur prolongement à mon œuvre.

Sous forme de cahiers, Paul Faucher édite des textes de bonne qualité qui conduisent les enfants à une attitude active et dont certains ont été réalisés avant la guerre par mes enfants handicapés. C'est une collection que le monde entier peut envier aux enfants et aux enseignants français. Ces albums sont du reste traduits en plusieurs langues.

Il ajoute à cette activité l'animation d'une école libre et de cours d'éducation physique.

Par son travail pédagogique, Paul Faucher atteint un intérêt mondial [4].

Lors de son séjour à Paris, Bakulé donne une conférence

1. Extrait du Journal de Bakulé.
2. Manuscrit non retrouvé.
3. Mme Langevin, professeur de dessin à la ville de Paris. Membre de l'Union des Arts Plastiques, organisatrice du Congrès.
4. Extrait du Journal de Bakulé.

remarquable consacrée à l'*éducation musicale,* véritable synthèse de son expérience :

(...) Quand on expose les théories de l'éducation par l'art et pour l'art, il est possible de beaucoup dire en peu de mots. Il en va autrement s'il s'agit de rendre compte d'une série d'expériences pratiques.

Pour commencer, je vais vous raconter comment ma mère, jadis, a éveillé et développé en moi le musicien inné, et comment, *à son exemple,* j'ai tenté d'accomplir la même œuvre, comme éducateur.

(...) J'avais environ trois ans. Ma mère, grande et belle jeune femme bien portante, m'avait emporté sur son bras derrière notre grange, sur la digue du grand étang. Derrière nous, folâtrait un chevreau. Cela devait se passer au printemps. Le soleil, déjà haut, se reflétait tout clair dans le miroir de l'étang. C'était, je crois m'en souvenir, un de ces instants profondément calme où le vent se tait, ne laissant plus entendre que le murmure harmonieux où viennent se fondre par millions toutes les voix de la nature.

Sur la digue, auprès des vagues, maman, soudain, s'est arrêtée. Avec un cri d'enthousiasme, elle se mit à pirouetter sur place avec moi. De joie, je criai, moi aussi.

Maman me posa par terre pour m'entraîner dans une ronde tourbillonnante. Elle chantait en même temps, cela va sans dire... et moi... je chantais aussi. Soudain, me lâchant, elle se mit à se rouler sur l'herbe de la digue, en poussant des cris de bonheur Je l'imitais encore, fidèlement. Puis elle se leva, et reprit seule sa danse et son chant. Et moi, petit singe encore mal assuré sur ses jambes, me voilà qui tourne aussi sur moi-même, qui remue les mains... et qui chante.

Tel est mon souvenir musical le plus ancien.

Aujourd'hui, j'imagine que ce fut là, essentiellement, un débordement de jeunesse, d'allégresse et de santé. Ma mère si grande, et moi, si petit, nous fûmes pour un instant, de façon inconsciente, deux voix du grand chœur de la nature vivante.

Je ne sais si mon chant d'alors comportait des paroles ?

Cela se peut. Ce n'est pas sûr. Musique pure ou musique parlée, ce chant puéril fut à coup sûr de la *musique,* et moi *un musicien.*

Aujourd'hui, je sais que cette sorte de musique est celle qui est la plus nécessaire à l'homme. Il la crée spontanément lorsque son jeune sang bat sous la poussée de son cœur, quand son corps se cabre de santé et que son âme déborde de joie.

Que devons-nous et que pouvons-nous faire pour donner à nos enfants cette *pré-éducation musicale ? Beaucoup.* Créer d'abord, les conditions nécessaires à ces manifestations primitives ; soigner la santé de l'enfant, emplir son âme d'impressions joyeuses, et, surtout, lui donner l'occasion et la possibilité de s'exprimer.

Sans en avoir l'air, observer chez chaque enfant quelles sont les causes de ces manifestations musicales et leurs formes. Puis parfois, en parler avec l'enfant, lui faire remarquer des impulsions semblables chez ses camarades et l'amener à les comprendre. Ces conversations seront des leçons de psychologie pratique, toutes simples, mais efficaces. Et vous reconnaîtrez bientôt qu'elles sont importantes, même dans un bien plus vaste domaine que celui de l'éducation musicale.

C'est encore notre maman qui nous révéla la musique, nous enseigna le langage et le chant des animaux.

J'ai un souvenir très vivant du jour où elle m'enseigna à faire « coucou ». Nous étions ensemble au bois. Pour la première fois, peut-être. Tout à coup, maman s'arrêta, posa son doigt sur ses lèvres, écouta... « coucou », entendit-on au loin. « Coucou » répondirent aussitôt les lèvres de maman. Ce fut ensorcelant ! Vite, je portais mon doigt à ma bouche (jugeant ce geste indispensable) et un troisième « cou-cou » — le mien — se fit entendre. Longtemps après, je croyais toujours que pour faire « cou-cou », il fallait poser son doigt devant ses lèvres.

Plus on est près de la nature animée des campagnes, plus ce développement enfantin est vivant et riche.

Que d'occasions, que de collaborateurs inconscients pour

l'éducation musicale de l'enfant. Chiens et chats, et tous les animaux domestiques divers, sans compter le peuple innombrable des petits êtres volant, bruissant ou chantant. L'esprit attentif des tout-petits apprend de bonne heure à distinguer et à imiter, non seulement les voix vivantes du grand chœur de la nature, mais celles aussi des instruments de ce chœur : les bruits du vent, de l'eau, du bois, des pierres ou du métal. Les plus petits bébés possèdent des collections complètes d'interjections imitatives, instruments futurs de leur prochaine existence musicale.

Ils acquièrent de même leurs premières notions sur les nuances diverses de la voix humaine. Bientôt, ils essaieront d'effrayer en prenant une « voix d'ogre » tonitruante, ou de donner, par plaisanterie, avec la leur, l'illusion d'une « voix d'homme » ou de parodier une « voix d'enfant », en exagérant ses intonations puériles.

Certains enfants apportent à l'école un grand trésor de connaissances musicales de ce genre. Ce sont ceux à qui leur papa ou leur maman ont appris à ouvrir les oreilles. D'autres ne recevront cet enseignement qu'en classe, de nous, leur éducateur.

Voici, par exemple, le petit Nacik qui saura fort bien nous montrer comment, chez lui, aboie et s'agite le chien Achane, à l'attache près de sa niche, puis par quelles clameurs joyeuses ce chien salue le retour à la maison de Nacik son petit maître préféré. C'est sur un ton bien différent que serait reçue la visite d'un vagabond.

Nacik est déjà d'esprit attentif, sensible à la poésie et à la musique. Peut-être arrivera-t-il à reproduire la mélopée heureuse par laquelle, certains soirs mystérieux, son chien Achane rend hommage à la pâle bergère des étoiles.

Vous verrez quel succès les imitations de Nacik auront près de ses camarades, comme son exemple sera fécond pour les amener à observer et à reproduire.

Si vous êtes partisan des méthodes modernes, vous pouvez faire jouer aux enfants des scènes collectives « le concert des chiens aboyant à la lune » par exemple, ou « la sérénade des chats ». Ceci sera naturellement plus facile et réussira mieux à la campagne.

N'oubliez jamais de vous entretenir avec vos élèves des scènes réelles qui sont à l'origine de cette musique primitive. Que les enfants se chargent eux-mêmes de les commenter.

Voici comment nous avons procédé dans mon école, à Mala Skala où je commençais mes expériences de culture artistique.

Au sein d'un petit val boisé se trouvait un étang qui logeait des régiments de grenouilles. Cette gent coassante, bien sûr, n'était pas pour nous le seul attrait du lac. Mais, en vérité, les grenouilles nous charmaient par leur chant autant que par leurs ébats. Tantôt, nous surgissions d'un bosquet voisin avec une soudaineté d'Indiens, ravis de voir les pauvres batraciens épouvantés sauter à l'eau, tête la première. Plus souvent, nous approchions de l'eau avec d'autres ruses de Sioux, à pas feutrés, pour prêter l'oreille aux concerts des coassements.

Les enfants ne se firent pas prier pour se mettre à coasser. Ils s'y exerçaient souvent, et certains d'entre eux arrivèrent à une telle perfection qu'il n'était plus possible de distinguer leur voix de celle des vraies grenouilles. Ils observaient aussi les mouvements de ces bêtes, ils s'intéressaient à leur vie. Ils semblaient même comprendre leur langage. Ils supposaient : voici le père, voici la mère. Quels sont les enfants ? Ils reconnaissaient même des grands-papas et des grands-mères, des oncles et des tantes. Il ne restait plus qu'à leur donner des noms et certains enfants prétendaient reconnaître leurs grenouilles préférées à l'aspect ou à la voix.

Et voici ce qu'il nous advint un jour.

C'était par une chaude après-midi d'été. Notre emploi du temps comportait une lecture. Mais cette lecture n'allait pas du tout. Durant une pose, dans le calme lourd de la classe, le petit Proca dit tout haut :

— Ce qu'on serait bien dans l'étang, comme les grenouilles !

Cela n'avait naturellement aucun rapport avec la lecture.

« Eh bien, soit, me dis-je. Mieux vaut une bonne conversation qu'une mauvaise lecture. »

— Pourquoi ? demandai-je donc à Proca.

— Eh bien, les grenouilles ne portent pas de vestes, ni de culottes. Rien. Et elles se baignent !...

Cela menaçait d'éveiller des désirs subversifs. Je me hâtais de conjurer le péril.

— Et elles coassent, fis-je. Elles coassent si bien !

Je prononçais ces mots d'un ton aussi mélodieux et suggestif que possible. Le petit Milos, gamin sentimental et solitaire, et qui aimait à chanter, se laissa séduire :

— Si nous pouvions au moins coasser ! soupira-t-il.

— Mais vous le pouvez, m'empressai-je de répondre !

Et comme le coassement était plus amusant que la lecture, la classe d'un seul coup devint un étang.

Un instant, j'écoutai le concert des grenouilles improvisées. Les enfants virent que je suivais leurs essais avec intérêt. Ils s'appliquèrent. Quelques-uns commencèrent à rouler les yeux et à gonfler les joues, pour se transformer tout à fait en grenouilles.

Soudain, je frappai des mains. Aussitôt, Frantik Muller, consciencieux à l'extrême, plongea sous son banc en faisant « plouf » !

— Ce qu'il a eu peur ! dit Nacik en riant.

« Les y voilà », me dis-je, et je mis à profit sans tarder leurs bonnes dispositions.

— Bien, mes enfants ! Vous chantez aussi bien que ces Dames de l'étang. Maintenant, procédons avec ordre. Vous, là-bas, près de la fenêtre, vous resterez des personnes. Vous allez faire attention et écouter. Vous autres, le long du mur, vous êtes les grenouilles.

— Et les bancs ? Ce sont les herbes dans l'étang, s'pas ? Si on nous effraie, eh bien, nous ferons « plouf » comme Frantik, décida Proca.

— Alors, commençons, dit Nacik. Et il gonfla ses joues.

— Attends, attends. Je vais d'abord vous distribuer vos rôles, pour que personne ne crie n'importe comment. Il faut que ce soit un concert parfait, puisque vous avez là des auditeurs d'importance, dis-je, en montrant le public assis près de la fenêtre. Vous, les grenouilles, je vais vous séparer en groupes, d'après vos voix. Ici, Joseph sera le papa. Il a la voix qu'il faut. Anca sera la maman. Emil et Mlada leurs enfants. Tous quatre, vous chanterez seuls parfois ; vous serez les solistes. Les autres seront le chœur. Les garçons qui ont une voix grave feront les grands-pères et les oncles grenouillards, et les filles à voix claires seront les grands-mères et les tantes.

— Proca, m'sieur, faut pas qu'il coasse. Il gâterait tout, supplia Frantik Muller, inquiet. Il avait l'oreille très juste tandis que Proca était musicalement sourd comme un pot.

— Et vous, m'sieur, vous pourriez faire ce vieux père grenouillard tout enroué, me proposa de façon peu flatteuse le petit Nacik, pensant à son favori de l'étang.

Je fis gravement un signe d'assentiment.

— Très bien, dis-je, je vais m'asseoir devant vous sur ce banc — non, pardon — sur cette feuille de nénuphar. Je suis le plus vieux et le plus instruit des grenouillards et le meilleur musicien. Je vais donc diriger le chant.

— Allons, attention les solistes commencent. Celui à qui je ferai un signe de tête devra se mettre à coasser, si je lève la main les doigts écartés, comme ceux des grenouilles, c'est tout le chœur qui chantera.

Je regardai un moment devant moi fixement, comme un vieux père grenouille. Puis gravement, lentement, je fis un signe à Pepa. Pepa se mit à coasser d'une voix profonde. Je regardais Anca et je lui fis signe. Sa voix d'alto s'éleva tendre et languissante. Puis je jetais un coup d'œil derrière moi, vers Emil et Mlada. Pour toute réponse, il y eut un gentil coassement, bref et plaintif, de deux petites grenouilles.

— C'est beau, pensa tout haut Tonca, qui avait le sens artistique développé.

Je lui jetai un regard de blâme, Nacik le remarquai et dit durement à Tonca :

— Alors, quoi ? Ne leur fais pas peur !

Personne ne rit des paroles de Nacik. Il était évident que tous vivaient dans la peau de leur grenouille.

Les grenouilles — les doigts écartés — se reposaient sur les bancs la tête appuyée aux pupitres. Toutes, gonflées, me dévoraient de leurs yeux écarquillés, moi, leur chef d'orchestre grenouillard. Les enfants assis près de la fenêtre, ceux qui étaient demeurés « des personnes », retenaient leur souffle et n'osaient pas remuer pour ne pas effrayer les timides batraciens.

Je fis à nouveau signe aux solistes. Ils répétèrent soigneusement leur partie. Puis je levai les deux mains, et lentement j'écartai les doigts. Le chœur, impatienté par sa longue attente, éclata soudain en « coa » bruyant.

— C'est mal, dis-je, avec un regard de courroux pour ce chœur indiscipliné. Je n'ai pourtant pas déclenché vos cris par un mouvement brusque. J'ai levé la main lentement et remué les doigts l'un après l'autre. Je voulais vous indiquer qu'il ne fallait pas vous presser, ni coasser tous ensemble. Si j'avais voulu cela j'aurais fait comme ceci. Et je mimai de la main un signe violent vers le chœur, en fermant d'un coup tous les doigts.

Nacik, né d'une famille de musiciens, ayant un goût vif pour le rythme, suivait bien mon explication et l'approuvait en hochant la tête.

Les grenouilles acceptèrent les reproches avec une humilité touchante. On voyait qu'elles transformeraient bientôt leur fantaisie naturelle en la plus stricte discipline musicale. Et c'est ce que je désirais. Faire comprendre aux petits membres de ma chorale improvisée la différence entre les chants lancés au hasard par une troupe ignorante et ceux d'un chœur discipliné obéissant aux lois de la musique.

— Recommençons, dis-je. Ecoutez. C'est le papa et la maman qui vont d'abord se faire entendre à mon signal. Après eux, toujours à mon signal, les enfants chanteront en sourdine rapidement. Faites bien attention grenouillettes ! Peut-être ferai-je répéter leur chant à ces quatre solistes. Ensuite seulement, viendra votre tour à vous, grands-pères, oncles, tantes et nièces. Tranquillement comme là-bas dans l'étang, l'un après l'autre, ou quelques-uns ensemble, comme je vous l'indiquerai par geste.

Il fallut plusieurs fois arrêter tout, d'un coup de règle sur la table, recommencer encore et encore avant que les grenouilles fussent capables de réaliser à ma satisfaction, et à celle des auditeurs, ce que leurs amis de l'étang réussissaient sans chef d'orchestre. Mais à la fin, tout marchait si bien, que je pus confier la direction du chœur à Nacik et me contenter du rôle de gros grenouillard enroué.

— Est-ce que quelqu'un enseigne aussi aux grenouilles de l'étang à bien coasser et les dirige, demanda la naïve Pepicka, durant la conversation qui suivit.

— Pas tout à fait. Les jeunes sans même s'en apercevoir, apprennent des vieux à coasser. Et leur chant n'est pas toujours assez beau pour plaire à qui s'y connaît en musique.

Comme je voulais que votre coassement fût réussi, musical, il m'a fallu vous diriger. Vous avez dû vous conduire d'après mon désir et mes instructions. Quand vous ressentirez vous-mêmes ces exigences et en comprendrez les raisons, vous serez devenus vous-mêmes des musiciens.

C'est ainsi que je causais avec mes petits adeptes de la musique. Leurs yeux brillaient d'enthousiasme et d'intérêt. Ils oubliaient qu'il faisait chaud, qu'ils avaient sur eux leur veste — et « tout ». Ils s'efforçaient sincèrement de comprendre ce que j'expliquais. Et moi, de même, de leur rendre aussi aisés que possible ces premiers débuts.

Et maintenant, Mesdames et Messieurs, revenons-en à ma mère, à ma famille, pour que je vous montre combien le milieu où vit l'enfant est important pour son développement musical. Car c'est ce *milieu* qui cultive ou laisse s'atrophier les dons naturels de l'enfant.

J'ai pu observer sur mes petits frères et sœurs comment notre maman, et notre papa plus tard, coopéraient à notre éducation musicale.

Maman y tenait la première place, non seulement par les

chansons qu'elle disait pour nous endormir ou nous réveiller, ou pour illuminer, durant tout le jour, la monotonie de notre vie campagnarde. Elle savait aussi provoquer autrement notre intérêt musical.

Ainsi, tout en lavant la vaisselle, elle nous donnait des leçons d'instrumentation. Poussés par elle, nous improvisions des concerts complets.

L'un de nous se tenait toujours plein de zèle près de l'évier, pour aider maman à laver. Ce n'était pas seulement une occasion recherchée de s'éclabousser d'eau. Nos instincts musicaux s'y satisfaisaient aussi.

Que de sons différents et si intéressants ! Chaque pot résonnait à sa manière ! et les mortiers, les couvercles, les assiettes, les verres, les tasses, il suffisait de taper légèrement dessus. Maman, pour des raisons pratiques nous prêtait de préférence une légère cuiller de métal et une louche en bois. Et elle nous montrait comment faire résonner agréablement les récipients fragiles. Avec notre batterie de cuisine plus solide, nous nous livrions à de véritables orgies musicales.

Ces concerts étaient parfois purement instrumentaux ; d'autres jours, il s'y joignait de la musique vocale ; chansons de maman, ou vocalises improvisées par nous avec un accompagnement orchestral, pour lequel nous utilisions surtout les deux mortiers.

(...) Vous comprenez à présent que même dans un village où si peu d'occasions semblaient se trouver d'éveiller les enfants à la culture musicale (avant que fussent répandus le phonographe et la radio) il était possible de leur faire tirer grand profit de toutes les sonorités éparses.

Il semble qu'aujourd'hui encore, ce serait dommage de renoncer à ces moyens si simples de former le goût musical. Toutes les mamans et tous les instituteurs devraient suivre cet exemple.

(...) Un chant continuel se faisait entendre dans notre maison. Maman chantait sans cesse. Et les domestiques imitaient leurs maîtres.

Maman connaissait des centaines d'airs populaires. Elle leur vouait une tendresse particulièrement fervente et sentimentale. Pour ses amis, elle disait des chansons de toutes sortes, pour elle-même, elle se répétait seulement celles qui correspondaient à sa situation ou à son état d'esprit du moment.

Si papa était dans le voisinage, il se joignait toujours à elle, en improvisant une deuxième partie.

Ma mère pour nous apprendre quelques chansons, éveillait toujours notre intérêt en nous expliquant le contenu poétique. Elle imaginait des romans entiers, reliés de quelque façon aux paroles et à l'air de la chanson. Ainsi, nous chantions avec des images vivantes dans la tête et un état d'esprit correspondant au caractère de la chanson.

Plus tard, par l'expérience personnelle, j'ai pu comprendre comment ma mère s'exprimait toujours si bien et sans hésiter par ses chansons. Elle aussi, évidemment, chantait en croyant voir se dérouler devant elle tout le sujet de la chanson... Ainsi, elle cultivait en nous l'art du chant par les moyens idéals et avec les résultats les meilleurs.

Ce que j'ai appris d'elle, c'est la manière d'utiliser la voix en chantant. (...) Si elle disait une chanson joyeuse, elle rompait souvent le rythme de l'air pour suivre celui de la *phrase,* du *sens...* et du *cœur.* Dans les chansons à danser, elle maintenait un rythme si précis, si cadencé, que les paroles s'y balançaient avec une souplesse aussi séduisante que ses membres quand elle dansait.

Jamais elle ne chantait fort ou ne criait inutilement. Ainsi son chant gardait un tel caractère d'intimité et de douceur, que le texte de la chanson pouvait être *dit* de façon parfaite.

Et maintenant pour satisfaire ceux qui sont venus m'entendre parler des petits chanteurs qu'ils écoutèrent il y a de longues années déjà en France, je dirai très brièvement comment ces enfants des faubourgs sont devenus des chanteurs capables de gagner le cœur des auditeurs par l'art de leur chant et plus encore par la chaleur de leurs interprétations.

Une considération préalable s'impose : je n'ai pas voulu

former des chanteurs de métier et je n'en ai pas formés. Mon but était autre : éveiller et développer l'art du chant chez de vastes groupes d'enfants ; enrichir par le chant leur esprit et leur cœur.

La chanson populaire convenait à ce but. J'ai donc appris aux enfants à connaître et à comprendre la chanson populaire. Je les ai amenés à vivre ces chansons, à les penser, à les sentir, à les interpréter avec ferveur. Quand j'eus atteint mon but, chaque interprétation devint pour les enfants une aventure vécue par leur intelligence et leur sensibilité. Elle laissa une trace dans leur cœur, elle devint une source de désirs généreux ; pas à pas elle fit d'eux des hommes meilleurs.

Pour atteindre ce but, je me suis créé une méthode particulière d'enseignement. Je ne voulais pas encombrer l'enfant de l'enseignement spécial nécessaire aux chanteurs de métier mais inutile aux chanteurs populaires. Je laissai donc de côté cette progression systématique des écoles musicales qui fait une part si large à la notation écrite, aux théories musicales et aux exercices d'intonation.

Je me créais une sorte de méthode globale du chant.

Tout ce que l'enfant avait besoin de savoir touchant l'exécution, il l'apprenait sur la chanson elle-même. Voici quelle était à peu près la progression.

J'éveillais l'intérêt de l'enfant par une belle exécution. Tant que j'ai été jeune, et que ma voix était suffisante, je chantais la chanson moi-même. Quand ma voix eut acquis les qualités de celle du corbeau, je confiais ce soin à un enfant, généralement une fillette. Elle montrait à ses camarades, d'après mes indications, comment la chanson doit ou ne doit pas être chantée.

Puis je parlais avec les enfants du contenu poétique, des paroles et de la mélodie. Nous cherchions le lien entre ces deux éléments de la chanson et nous en tirions des conclusions.

L'exercice venait ensuite. D'abord l'étude de la mélodie elle-même. Même si c'était une chanson à chanter en chœur, tous les chanteurs apprenaient la première partie. Cet exercice se faisait presque à voix basse : il ne fallait pas crier, mais plutôt presque parler, car le chant est un *langage mélodiquement et rythmiquement enrichi.*

Et puis on jouait une fois la chanson au piano. L'harmonium eût mieux valu, mais nous n'en avions pas.

Puis nouvel entretien, au sujet de l'effet musical cette fois : comment il avait été intensifié par la réalisation chorale et par quoi. Ces entretiens étaient extrêmement importants : *c'est par eux que les enfants pouvaient pénétrer le mystère de la musique.*

La mélodie étant parfaitement sue, nous apprenions les différentes parties du chœur. Pour aider visuellement cette étude, la partition du chœur était affichée devant nous. J'avais noté chaque partie d'une couleur différente pour qu'elle apparaisse plus clairement. Cette notation ne servait pas à l'intonation, la plupart des enfants ne connaissant pas du tout les notes, mais elle facilitait l'exercice rythmique.

Voici comment on étudiait la deuxième partie :

Ceux qui faisaient la première voix chantaient leur partie seuls, et tous les autres se taisaient, écoutant la deuxième partie que je jouais au violon pour accompagner les chanteurs. Puis en sourdine, ils essayaient de chanter la bouche fermée en même temps que le violon. Ils chantaient ensuite avec les paroles et de plus en plus fort, jusqu'à ce que leurs voix atteignissent le niveau du chant de la première partie. Ils prenaient soin, ce faisant, d'écouter la première voix et de bien accorder avec elle leurs propres intonations. Enfin, après quelques reprises, tous les enfants sans exception, chantaient la deuxième partie.

On procédait de la même manière pour la troisième partie : les groupes 1 et 2 chantaient chacun leur partie, tandis que je jouais la troisième au violon. Les groupes 3 et 4 écoutaient en silence, puis chantaient à bouche fermée, puis avec les paroles, la mélodie que le violon venait de leur apprendre. Là-dessus, les quatre groupes répétaient de mémoire la troisième partie. On étudiait de même la quatrième.

Chaque groupe étudiait donc toutes les parties du chœur. Si bien qu'à tout moment de la répétition ou du concert je pouvais introduire des chanteurs dans la partie qui se révélait faible ; de plus, tous exerçaient ainsi leur mémoire musicale.

Vers la fin de cet entraînement persévérant, nous étions capables d'apprendre parfaitement et de chanter de mémoire, en trois ou quatre minutes, une chanson populaire à quatre voix. Au bout de dix ans, nos chanteurs savaient par chœur plus de deux cents chansons à quatre voix, populaires et autres. Il y en avait de très difficiles qui avaient plus de dix pages de partition.

Je poursuis la description de notre entraînement :

Quand nous avions étudié toutes les parties, nous répétions le chœur jusqu'à obtenir une habitude parfaite de l'intonation de la vocalisation, du rythme et du mouvement. Cela se faisait à voix faible. Il fallait obtenir que les diverses parties du chœur s'équilibrent parfaitement et se fondent en une matière vocale homogène. Mes petits chanteurs apprirent à reconnaître le *moment* où leur voix s'était fondue avec les autres de telle sorte qu'on ne la distinguait plus. Aucune voix n'avait le droit de parader, même pas celles des solistes. Le soliste lui-même se tenait parmi les chanteurs et non pas devant eux. L'exécution de son chant devait dépendre de celle du chœur comme le relief dépend de l'arrière-plan.

Quand nous avions ainsi parfaitement dominé la technique de notre partition, le travail d'artisan cessait et le travail d'artiste commençait. Avant tout, nous essayions de nous former une représentation de la réalité vécue par l'auteur de la chanson, réalité qu'il avait voulu traduire en mots et en sons. Partant de cette représentation, nous lisions tout le texte : simple langage parlé qui peu à peu devenait une déclamation chorale. Chaque chanteur avait le droit d'exprimer son jugement critique sur l'interprétation, et de proposer des améliorations. Son idée était aussitôt mise à l'épreuve, et soumise à son tour à la critique. Si elle était reconnue bonne, elle était retenue pour l'interprétation finale.

Cette sorte de travail en commun de tous les membres de la chorale était très important. Musicalement et moralement. Non seulement il développait l'esprit de création artistique, mais encore il créait des relations intimes et ferventes entre les chanteurs et l'œuvre chantée. Elle devenait l'œuvre commune de tous.

Quand notre expression chorale avait acquis sa forme définitive, nous nous entraînions pour que chaque effet musical conscient soit définitivement acquis.

Je dois noter ici que pour avoir en mes petits chanteurs de si bons collaborateurs, il me fallait prendre soin de leur culture générale.

Conférences, expositions, théâtres, concerts, œuvres littéraires m'aidèrent à l'approfondir dans tous les domaines.

Un jour enfin, il nous fallut faire part à un auditoire de façon aussi parfaite que possible de ce que nous avions découvert dans une œuvre musicale.

Chef d'orchestre en même temps qu'animateur, je me plaçai devant ma chorale. J'ouvris les bras et regardai par delà les chanteurs, au loin. Les enfants fixaient leurs regards sur mon visage, oubliant le lieu où ils se trouvaient, se fondant entre eux et avec moi de telle sorte que nous étions devenus un seul être.

Chacun de nous évoquait en lui l'action de la chanson, afin de se mettre dans l'état d'esprit qui devait se refléter dans la coloration sentimentale du chant. Je donnai le signal. Les enfants se mirent à confier ce qui emplissait leur pensée et leur cœur.

Je laissai couler devant mes regards, fixés au loin, l'image du contenu de la chanson. Par l'expression du visage et les mouvements de la main, j'unifiais et je soulignais chez les enfants ce qu'ils voyaient et sentaient avec moi, et ce à quoi non seulement par la voix, mais par la mimique naturelle et les légers mouvements du corps, ils donnaient expression.

C'est ainsi que notre chant devint une langue internationale. On nous comprenait partout. Même les auditeurs qui ne connaissaient pas le sens d'un seul mot de la langue dans laquelle nous chantions.

Je viens donc de vous révéler le secret de nos succès en public. Je dois pourtant avouer qu'en chantant, nous oubliions la présence de ce public. C'est seulement après la chanson que nous jugions quel effet nous avions produit sur lui.

Cependant, nous restions toujours pour nous-mêmes des critiques sévères. Quand le public applaudissait et que les petits chanteurs savaient qu'ils n'avaient pas bien chanté, ils n'aimaient pas à saluer, même par politesse, et « faisaient la tête », comme s'ils eussent voulu tuer quelqu'un. Par contre, s'ils avaient conscience d'avoir bien chanté, les applaudissements leur causaient une joie visible, et ils auraient voulu continuer le concert indéfiniment.

Le sentiment de servir utilement par leur chant, eux, anciens moineaux braillards et malpropres du faubourg, les nobles idées de la paix, du rapprochement entre les hommes, et en particulier de la fraternisation des enfants de tous pays (voilà pourquoi, en effet, ils promenaient leurs chansons par le monde), ce sentiment les emplissait de bonheur.

La pensée qu'eux, tous enfants de pauvres hères, aidaient par leur art à la construction d'un grand institut social (car tout l'argent gagné, ils le consacraient à l'édification de l'Institut Bakulé), les emplissait de satisfaction et de fierté.

Représentez-vous ce qu'ils ont éprouvé, par exemple, quand, en 1929, après un pèlerinage de dix semaines à travers votre beau pays, ils sont rentrés chez eux avec l'impression réconfortante d'avoir accompli du bon travail et d'avoir gagné l'amour de plus de cent mille Français, enfants et adultes ; quand, à leur retour à Prague, ils purent remettre à leur Institut plus d'un quart de million de francs, qu'ils avaient gagné par leur chant et qui servit à construire une aile du nouveau bâtiment.

Ils reprirent avec ardeur leur travail en classe, où leur tâche quotidienne, embellie par l'agréable souvenir de tout ce qu'ils avaient fait de bon et vécu de beau, et par l'espérance de tout ce qu'ils feraient de bon et vivraient de beau à l'avenir.

Le sentiment qu'eux, autrefois victimes négligées et méprisées de la misère sociale et du cruel caprice de la nature, étaient devenus des membres utiles et appréciés de la communauté.

Ce sentiment fut le résultat moral le plus précieux de leurs efforts, résultat dû à l'éducation artistique [5].

En 1948, Bakulé écrit à nouveau dans des revues pédagogiques. Au cours des années suivantes, il tente de faire éditer ses manuscrits. Il s'inscrit au parti communiste et espère par des notes autocritiques obtenir la publication de ses écrits.

Malgré ses notes autocritiques [6], rien de l'œuvre de Bakulé n'est publié.

En 1955, vingt-deux ans après avoir été saisi de ses biens et privé d'une partie de sa retraite, Bakulé se voit restituer l'intégralité de sa retraite, mais il ne lui reste plus que deux ans à vivre.

En 1956, Bakulé a 79 ans, il écrit à son vieil ami Paul Faucher :

Et maintenant la nouvelle : ma santé m'inquiétait tellement que j'ai réfléchi aux « dernières volontés de l'homme ». J'ai pensé en particulier à ma fidèle compagne, Miluska [7], à ce que je pourrais lui laisser pour ses sacrifices, son amitié, ses services innombrables. La seule et unique chose qui me reste de la vie, mon nom, propre, sans tâche.

(...) Quand je serai parti, elle ne doit pas être considérée comme la « bonne de Monsieur Bakulé » mais comme « Madame Bakulé ». Le 15 décembre, j'ai fait appeler l'employé de mairie et je me suis marié selon les lois de la république avec Miluska.

(...) Je n'espère pas que mes livres paraîtront durant ma vie, car beaucoup de place y est consacrée aux hérésies qu'il m'a fallu combattre. C'est pour cette raison qu'ils ne peuvent être publiés actuellement chez nous. Je remettrai quand même mes manuscrits au Musée Pédagogique, il se chargera de les faire imprimer quand la situation politique le permettra [8].

---

5. Fin de la conférence de Bakulé, « L'éducation musicale », 1947, Paris.
6. Voir annexe 3, page 247.
7. Une des sœurs venues en 1913 de Mala Skala pour aider Bakulé chez Jedlicka.
8. Lettre de Bakulé à Paul Faucher.

Le 2 juin 1957, Miluska annonce la mort de Bakulé à Paul Faucher :

J'ai le grand honneur de porter le nom de Bakulé. Au début, je pensais que Bakulé plaisantait. Il ne savait pas comment me remercier des soins que je lui avais prodigués. Je le faisais avec amour, pour nous tous, pour lui rendre un peu du bien qu'il nous avait donné. (...)

Bakulé était un optimiste, malgré et contre tout, il espérait que sa santé se remettrait. (...)

La vie de Bakulé, pleine d'amour, de travail, de combats arrivait à sa fin.

J'espère qu'il ne sera pas oublié, que son travail, ses pensées continueront à vivre.

Il désirait que ses proches ne le voient pas mourir, le souhait a été accompli.

L'enterrement a eu lieu au cimetière de Malvazinky. J'ai voulu faire ériger un petit monument, mais les instituteurs de Kladno s'en sont chargé. Ses élèves se souviennent encore de lui, il en est ainsi dans toutes les villes où il a été instituteur.

Je le sais par mon expérience personnelle, car j'allais chez lui à l'école de Mala Skala, il n'avait jamais une minute à lui, pas de vie privée. Les soirées, les dimanches appartenaient à ses enfants. C'est grâce à lui que nos vies sont plus riches. (...) [9]

V. Sklénar, instituteur tchèque ami de Bakulé écrit à Paul Faucher :

(...) Bakulé m'a dit un jour qu'il désirait que je m'occupe de son héritage pédagogique. Je n'ai pas pris cette proposition au sérieux, car je pensais que le Dr Resler et le Dr Milic s'en occuperaient, étant contemporains de Bakulé, alors que moi je naissais seulement l'année où Bakulé quittait Mala Skala pour l'Institut Jedlicka.

Quand je suis arrivé chez Madame Bakulé, quinze jours après l'incinération, j'ai constaté qu'elle était désespérée et ne savait que faire de tous les papiers qui se trouvaient dans

---

9. Lettre de Miluska Bakulé à Paul Faucher.

l'appartement. Puis des pédagogues d'Oloumoc sont arrivés, et ont voulu emporter le tout. Alors j'ai décidé que les choses ne pouvaient pas continuer de la sorte et je me suis dit qu'il fallait remplir la mission dont Bakulé m'avait chargé.

Le travail n'est pas simple, car je dispose de peu de temps pour aller à Prague et le tri des papiers est très long. Pour l'instant, j'ai fait un premier tri, car Bakulé gardait chaque papier. De ce tri, il ressort des catégories qui pourraient être disposées dans divers musées.

(...) Bakulé est mort oublié de tous. Au moment de l'incinération, il n'y avait que quelques fidèles. Comme musique, il n'y avait que des orgues et l'organiste jouait la plupart du temps faux ; en particulier pendant la chanson « Ja som baca » (Je suis un vieux berger [10])... Je me suis représenté notre grand Bakulé souriant ironiquement, la lèvre supérieure relevée.

Pas une seule des institutions officielles n'est venue faire ses adieux à Bakulé.

Et cet oubli continue. J'ai écrit un article dans les « Nouvelles Littéraires », il n'a pas paru. J'ai envoyé le schéma d'une émission radio, on ne m'a pas répondu. J'ai écrit dans la revue « Pédagogie », un article sur Bakulé et son époque mais je n'en ai pas de nouvelle. Ainsi les seules personnes qui ont entendu parler de Bakulé, ont été les habitants de Dubi, où j'ai fait une conférence et où je leur ai fait passer des disques.

Je crois cependant que cet oubli ne sera pas éternel... (...)

Paul Faucher et Vaclav Sklenar, ont tenté, chacun de leur côté, de faire connaître l'œuvre de Bakulé.

Paul Faucher est décédé (en mars 1967) avant d'avoir pu mettre en forme les documents qu'il avait rassemblés et qui sont à l'origine de cet ouvrage.

De son côté, Vaclav Sklenar est décédé (en 1970) sans avoir pu faire publier son étude consacrée à Bakulé. Le manuscrit terminé pourtant remis à l'éditeur, est resté introuvable jusqu'à ce jour.

---

10. Ce chant, ainsi que les autres chants du Chœur Bakulé, repris d'anciens disques 78 tours, ont été enregistrés sur bande magnétique.

CHAPITRE 7

Témoignages d'aujourd'hui

Pour compléter les documents et témoignages sur l'œuvre de Bakulé qui se trouvaient entre nos mains, un voyage à Prague s'imposait.

En octobre 1973, nous avons pu rencontrer Madame Sklenar qui disposait des textes recueillis par son mari à la mort de Bakulé.

Le musée pédagogique de Prague a bien voulu nous confier les documents qu'il possédait.

Le musée Naprstek, qui possède les marionnettes, les jouets et objets fabriqués par les enfants Bakulé, ainsi qu'une iconographie sur l'Institut n'a pas été en mesure, étant en cours de restauration, de répondre à notre demande.

Nous avons également eu la possibilité de rencontrer à Prague Miluska Bakulé, Ruda, Sarkan, Jurka, Hornicek, Kupka et à Paris Suza Desnoyer qui nous ont apporté leurs témoignages.

Qu'ils en soient remerciés. Leurs témoignages authentifient les documents, écoutons-les.

Entretien avec Madame Bakulé [1] et Ruda [2] (8-10-1973)

Nous évoquons l'époque des « vagabonds » et de leur théâtre de marionnettes.

— *Quel était l'accueil du public ?*

Ruda : C'était un grand succès, tout le monde nous apportait à manger. Nous recevions tellement à manger que nous envoyions des provisions à l'Institut.

Il y avait Sylva Marvan, Kubizniak.

A un moment nous avons habité chez des bonnes sœurs. Elles étaient choquées par la présence d'une jeune fille parmi les garçons. Sarkan s'est arrangé pour se faire renvoyer par les bonnes sœurs. Nous, nous avons continué à jouer de village en village jusqu'à ce que nous ayons reçu un télégramme de Monsieur le Directeur Bakulé nous annonçant qu'il avait trouvé où nous loger. Les « sœurs » n'étaient pas avec nous, mais elles rejoignent le groupe à Prague. Nous sommes logés dans un hôpital désaffecté qui ne servait qu'en cas d'épidémie. C'est là que nous organisons aussitôt des ateliers et c'est là que commence l'expérience des enfants des rues.

Madame Bakulé : A nouveau nous nous retrouvons dans de vastes locaux. Nous les organisons en ateliers et nous faisons des groupes de travail avec les enfants de Kosire qui viennent après l'école.

Les enfants des rues et des alentours, malgré la distance, continueront à venir jusqu'à nous, lorsque nous devrons quitter l'hôpital.

Nous avons reçu un prix de la Croix-Rouge américaine. La société des amis de l'Institut existait déjà. Nous envisageons de construire nous-mêmes notre institut. Nous trouvons un

---

1. Miluska Bakulé, l'une des deux « sœurs » de l'Institut.
2. Ruda, ancien élève handicapé de Bakulé.

terrain. Une partie libre, l'autre occupée par une maison. Nous y allions d'abord dans la journée, et peu à peu, à mesure de la libération des appartements, nous nous y installions.

Nous aménagions ateliers et classes. Plus tard nous avons commencé la construction de l'Institut sous la responsabilité de l'association.

Est-ce que vous avez pris la pioche ?

Ruda : Oui, bien sûr. Avec nos parents, nos amis, nous formions des brigades ! Des tas de gens venaient travailler bénévolement.

Monsieur Fajsta nous a beaucoup aidés, il était entrepreneur, et nous prêtait ses ouvriers le dimanche, il nous donnait du matériel. Sa fille chantait dans le groupe.

Est-ce vous-mêmes qui avez construit l'Institut ?

Ruda : Nous avions un architecte et différentes associations donnaient des matériaux. C'est dans cet Institut que nous avons vécu jusqu'à la fin.

Pourquoi cela s'est-il si mal terminé ?

Ruda : D'abord parce que Monsieur le Directeur Bakulé est tombé malade. Les enfants grandissaient. Ce serait une trop longue histoire à raconter. Je l'ai vécue entièrement. Il y avait des gens qui avaient envie des bâtiments de l'Institut.

La presse s'est saisie de l'affaire, il y avait certainement quelqu'un qui voulait acheter l'Institut à bas prix et qui a fait en sorte que la presse s'en mêle.

Nous avons essayé de nous défendre. Sur l'Institut, il y avait une hypothèque ; on nous disait que celui qui avait prêté l'argent voulait le récupérer. Je suis allé le voir. Il m'a dit qu'il ne désirait pas « faire couler » l'Institut. Des personnalités importantes aux affaires sociales, et à l'éducation, semblaient pourtant être les premières à le souhaiter.

C'étaient des intérêts particuliers ; j'ai moi-même parlé avec le rédacteur qui a ébruité toute cette affaire.

Le rédacteur m'a dit : « Moi, je vous crois, et les journalistes aussi, mais nous sommes obligés de chanter la chanson de celui qui nous nourrit. »

Cette affaire s'est terminée par la vente aux enchères de l'Institut à une organisation de soins aux handicapés.

Quelles étaient vos responsabilités ?

Ruda : Je m'occupais de la coopérative de jouets. Je faisais beaucoup de choses ; j'ai appris pour commencer la menuiserie, j'étais responsable des ateliers, nous fabriquions des meubles sur commande. Tout ceci à l'Institut Bakulé.

Chez Jedlicka, nous avions aussi des ateliers, mais nous n'avons fabriqué des meubles qu'à l'Institut Bakulé.

Existe-t-il encore des meubles ?

Ruda : Je ne sais pas ! C'était fait sur commande.

Combien y avait-il d'ateliers ?

Ruda : Menuiserie, sculpture sur bois, peinture, dessins, tailleur, tapisserie, restauration de tapisserie. L'imprimerie était à part. Elle n'était pas à l'Institut. Nous imprimions des brochures et des textes. Tout le matériel appartenait à l'Institut mais les gens étaient des gens de métier.

Avez-vous été éducateur ?

Ruda : Oui, mais d'autres aussi. Par exemple, Jenda très handicapé enseignait la menuiserie aux bien portants. Bakulé a réussi à ce que l'on ne regarde plus les handicapés de haut mais comme des gens à part entière. Les gens voyaient ce que ces handicapés faisaient, ils les respectaient.

Beaucoup de jeunes gens et de jeunes filles en bonne santé ont fait leur apprentissage là. Au moins une centaine venait chez nous à l'école et en même temps apprenait un métier.

Les chanteurs Bakulé s'absentaient souvent pour donner

leurs concerts. Ces absences n'étaient pas admises par l'Ecole publique, si bien que les enfants suivaient l'enseignement donné à l'Institut.

Si Bakulé pouvait enseigner, par contre il ne pouvait délivrer de certificats, l'Institut n'ayant pas le statut d'école publique. Les élèves Bakulé devaient donc passer leurs examens dans d'autres écoles. Ce n'était pas une bonne publicité pour l'école publique car, bien que les élèves Bakulé s'abstentaient souvent pour chanter, ils réussissaient leurs examens.

Le directeur de l'école où ils passaient leurs examens était assez honnête pour avouer qu'ils avaient des résultats supérieurs à ceux des autres.

Pourquoi ces messieurs du Ministère étaient-ils tellement opposés à Bakulé ?

Ruda : Parce que Bakulé ne voulait pas accepter les méthodes habituelles. Ils espéraient toujours que Bakulé allait subir un échec quelque part.

Vous souvenez-vous de l'arrivée des soldats ?

Ruda : Avant l'initiative de Bakulé, il y avait une école pour invalides près de l'Institut. J'y étais déjà. On a réuni notre Institut à l'école. Nous avons vécu en très bonne entente avec les invalides. Quand les invalides nous voyaient travailler, nous, jeunes garçons handicapés, cela leur donnait le courage de commencer aussi.

Avez-vous participé à leur travail ?

Ruda : Ils avaient des ateliers à part, leur production était spécialisée dans la fabrication de prothèses et de bandages. De là est née la « Coopérative des Invalides » après la guerre sous le sigle O.D.I.P. Cela existe encore sous ce nom aujourd'hui, elle est nationalisée. L'initiative de Bakulé en est l'origine.

Qu'avez-vous fait par la suite ?

Ruda : J'ai été illustrateur de livres d'école. Je n'ai plus rien car tout a brûlé lors de l'incendie de mon appartement.

Pendant la guerre j'ai été rédacteur d'un journal. On voulait m'envoyer en Allemagne, on était toujours après moi, je passais contrôle médical sur contrôle médical. Mais tout s'est bien terminé, j'ai pu y échapper.

Un certain Docteur m'a proposé de prendre ma retraite d'invalidité. Dès que je fus à la retraite, donc tranquille, je me suis fait embaucher dans un atelier où l'on soufflait le verre et j'ai appris un nouveau métier.

Tout ça c'était pendant la guerre ; je fabriquais des instruments de laboratoire. Je les faisais comme je pouvais. Ma vie a été bien remplie, bien colorée.

Madame Bakulé : Il faut que je dise que Ruda sait très bien faire la cuisine, qu'il sait s'occuper du ménage. Quand il a perdu sa femme [3], il a appris tout cela.

Travaillez-vous encore ?

Ruda : Pour être actif, je suis toujours actif, j'ai une petite maison en montagne près de Mala Skala ; je passe ma vie à m'occuper de ma maison, à l'améliorer.

Quel âge avez-vous ?

Ruda : En mai 1974, j'aurai 72 ans.

Madame Bakulé : J'ai 75 ans.

De toutes les périodes que vous avez vécues, l'Institut Jedlicka, les soldats, les Vagabonds, l'Institut Bakulé, quel est votre meilleur souvenir ?

Ruda : Mon meilleur souvenir (il réfléchit)... Il y en a tellement. Tout était bon. Je n'y arrive pas comme ça.

Je voudrais dire qu'avant d'arriver chez Jedlicka, j'ai été blessé. Après la mort de mon père, au début de la guerre,

---

3. Marjanka, l'autre « sœur » de l'Institut Jedlicka.

je suis arrivé dans un institut religieux, très bigot et c'était pour moi une vraie vie d'enfer, une souffrance terrible, épouvantable. C'était un institut pour les cas désespérés, incurables et moi, j'étais presque bien portant, malgré la gravité de ma blessure à la jambe. Mon esprit fonctionnait bien. J'étais vraiment très malheureux.

J'avais les os de la jambe brisés en plusieurs morceaux, aussi bien l'articulation de la hanche que d'autres os.

Je vous raconte cela, avant de vous raconter mes meilleurs souvenirs, parce que là-bas je démoralisais les autres.

Déjà, le seul fait d'arriver chez Bakulé à l'Institut, constitue un très bon souvenir. C'était comme si j'entrais dans un conte de fées : la manière de vivre à l'Institut ne m'a laissé que des souvenirs agréables.

Quand Monsieur le Directeur partait en voyage, je pouvais enseigner à sa place, ça c'était très bon.

L'époque des Vagabonds, ça c'était beau aussi.

Madame Bakulé : Ah ! mais oui, nous étions encore jeunes !

Ruda : Malgré le froid et nos vêtements d'été on était bien, c'était l'esprit qui comptait. Nous passions sur tous les petits inconvénients. Et notre travail dans les ateliers ! Nous fabriquions de vraies œuvres d'art. On apprenait beaucoup. Et puis si vous voulez tous mes bons souvenirs : la naissance de ma fille.

Quand avez-vous quitté l'Institut ?

Ruda : J'habitais encore à l'Institut pendant la construction.

Vous souvenez-vous d'être allé voir le Président Masaryk ?

Ruda : Oui, j'ai été invité à aller passer Noël chez le Président.

Comment cela s'est-il passé lorsque vous avez refusé l'aide financière du Président ?

Ruda : Je n'y étais pas. Nous refusions toute aide, nous voulions faire des choses par nos propres moyens. Nous ne voulions pas donner prise aux ennemis en acceptant une aumône.

Nous ne voulions pas, une fois partis de Jedlicka, que l'on pense que nous demandions de l'aide ; nous voulions montrer que nous ne perdions pas courage. Nous ne voulions pas que l'on dise « ce sont des handicapés, il faut que quelqu'un s'occupe d'eux ». Nous nous sommes débrouillés jusqu'à ce que Monsieur Bakulé puisse acheter le terrain et commencer la construction de l'Institut. Nous ne voulions pas que l'on dise « puisqu'il faut les aider, ils n'avaient qu'à rester chez Jedlicka ».

Ce n'est que beaucoup plus tard que nous avons accepté l'aide de Masaryk. Au moment où nous partions pour l'Amérique, le Président nous donna de quoi nous équiper. On était chez Masaryk et on discutait avec lui de ce voyage en Amérique. Il ne devait pas être considéré comme une affaire commerciale, nous chanterions gratuitement, sauf un concert dans chaque ville pour payer les frais de déplacement.

Quels voyages avez-vous faits ?

Ruda : A peu près tous (il décrit les endroits).

Entretien avec Sarkan et Ruda (10-10-1973)

Nous avons demandé à Ruda de nous accompagner chez Sarkan. Sarkan est devenu un peintre de renom, il habite une coquette villa à une quarantaine de kilomètres de Prague. Les deux amis ne s'étaient pas revus depuis plusieurs années, leurs retrouvailles sont émouvantes.

Faites-vous toujours des dessins ?

Sarkan : Oui ! (Il montre ce qu'il vient de faire, ses dernières lithographies : des fleurs.) Les gens ont besoin de la nature, de couleurs tendres dans leur appartement.

Sarkan explique comment il fait ses gravures, ses peintures, etc., il a fabriqué lui-même sa presse en récupérant à droite à gauche les matériaux nécessaires.

Il fait ses essais de gravure dans son atelier.

Sarkan : Il faut combiner les possibilités techniques, ses envies, son goût.

Vous vous demandez la raison de notre venue ?

Sarkan : Je suis content que vous soyez venus et en plus de si loin ! Vous me rappelez de bons souvenirs. Je dois être très vieux si vous êtes maintenant adulte !

Quel est votre âge ?

Sarkan : 66 ans ! On a l'âge de ses artères. Quelquefois je me sens beaucoup plus âgé que mes 66 ans, mais je ne peux pas me plaindre.

Il nous présente sa femme Lida, nous montre les meubles de son atelier, les statuettes, les tableaux, il a tout fait lui-même. Il aime bricoler.

Nous lui faisons part de notre projet de faire connaître l'œuvre de Bakulé ; pour cela nous désirons rencontrer les anciens élèves et recueillir leurs témoignages.

Sarkan : Vous avez absolument raison, il faut faire un livre sur la pédagogie de Bakulé et sur son groupe. Je sens en moi-même que ce qu'il a fait, serait bon à répercuter. Nous avons une bonne base, nous savons toujours nous débrouiller. Bakulé nous a appris à le faire sans complexe d'infériorité, on se sent une personne parmi un grand nombre.

Il me paraît essentiel plus que jamais de faire connaître l'expérience de Bakulé au moment où tant d'idées intellectuelles nous écartent de la vie.

Sarkan : C'est un acte de foi de vouloir éditer ce livre et nous allons essayer de vous trouver le matériel nécessaire.

Ruda : J'ai déjà donné à François Faucher les photos, les dessins que j'avais. Il n'y en a malheureusement pas beaucoup. Nous avons fait une bêtise de donner tout ce que nous avions au musée Naprstek [4]. Le musée a demandé qu'on dépose les

---

4. Impossible d'obtenir quoi que ce soit du Musée Naprstek.

objets. Je le regrette. Si j'avais su je les aurais gardés pour vous.

Sarkan : Ce qui était bon dans l'enseignement de Bakulé, c'est qu'il nous lançait dans la vie, il nous laissait faire en nous disant « montre ce dont tu es capable ! ».

Quand avez-vous vu Bakulé pour la première fois ?

Sarkan : Je n'avais pas tout à fait six ans. Il a commencé à prendre d'autres enfants. J'étais le deuxième à venir après Vojta.

Chez Bakulé, ce n'était pas une école comme les autres. Il nous laissait sans nous forcer à apprendre. Quand nous avions un but, nous apprenions d'autant plus vite.

Quand nous avions envie de faire quelque chose, nous le faisions très rapidement.

Vous savez sans doute comment nous avons appris à écrire et à lire. Moi j'aimais bien jouer et puis casser des choses.

Vous rappelez-vous de votre jacinthe ?

Sarkan : Oui, c'était après une opération d'appendicite. Lida m'a apporté une jacinthe qui sentait très bon.

Ruda : D'abord, c'est moi qui ai été opéré de l'appendicite, opération assez compliquée car prise très tard. Quand le Docteur Jedlicka a vu cela, il a dit : « Bon, je vais enlever l'appendice à tout le monde, comme ça on sera tranquille ! » Alors on a fait des appendicectomies à la chaîne.

Sarkan : En fait, il opérait dès qu'il y avait le moindre doute.

Avez-vous conservé des dessins de cette époque ?

Sarkan : Non. J'ai commencé à dessiner sur papier pour la première fois après un spectacle à l'opéra « La fiancée vendue » de Smetana.

Ne dessiniez-vous pas déjà des locomotives sur la buée des carreaux ?

Sarkan : Si, mais je n'appelle pas ça vraiment dessiner. Ma mère était veuve avec quatre garçons. Vous connaissez sûrement mon histoire. Bakulé l'a racontée.

Avez-vous conservé des jouets ?

Sarkan : Non, rien du tout.

Et des documents ?

Sarkan : Non, rien non plus. Il n'y avait pas de raison de les garder. C'étaient des choses ordinaires, des choses de la vie de tous les jours.

Vous souvenez-vous du journal « Le Vampire » ?

Sarkan : Non !

Ruda : Mais si, je l'ai déjà raconté.

Sarkan : Ah oui, je sais qu'on imprimait quelque chose.

Ruda : J'ai encore une photo.

Il décrit la photo (la salle de rédaction).

Sarkan : Ah oui, je me rappelle quand même. Vous savez, toutes les sottises que j'ai pu faire, je m'en rappelle encore un peu. Les choses sérieuses moins.

Ruda : Mais si, si, rappelle-toi, on avait un journal, mais toi tu étais en opposition pour une raison quelconque et tu as commencé ton journal à toi.

Sarkan : Ben, je ne me rappelle pas tellement.

Est-ce que vous vous souvenez de la couverture du journal de la Croix-Rouge américaine ?

Sarkan : Oui, je m'en souviens. Il y avait un globe et puis des enfants de toutes les couleurs et de tous les pays, qui se tenaient par la main, autour de l'équateur, des Esquimaux, des Chinois, etc.

195

Est-ce que vous vous souvenez de la « coopérative de jouets » ?

Sarkan : Non, je ne me rappelle pas.

Ruda : Oui, j'ai tous les détails.

Sarkan : Moi je ne m'intéressais jamais au côté administratif.

Ruda : Ça a commencé chez Jedlicka, c'est après la lecture d'un article sur les coopératives, et puis nous avons décidé qu'au fond nous pourrions également former une coopérative et commercialiser notre production.

Nous étions des enfants, de jeunes garçons ; nous avons élu un président, un administrateur, etc. Nous tenions nos livres de compte et produisions. Pendant les différentes visites, nous exposions nos produits : des boîtes en bois sculpté, des tuteurs pour les fleurs, sculptés ou non, des petits objets de bois que nous vendions comme ça aux visiteurs.

Nous n'avions jamais de salaire, mais nous achetions du matériel pour continuer et améliorer la production.

Sarkan : Je ne me rappelle pas beaucoup de tout ça.

Ruda : Si, si, après, il y eut une autre coopérative qui a été formée dans la première colonie de vacances à Nemecky Brod.

Il y avait près de cette colonie un laboratoire de Sciences Naturelles. Nous devions collectionner les différents insectes et les préparer pour ce laboratoire. On nous a confié du cyanure. Cela a fait un grand drame, car on s'est rendu compte qu'on confiait ça à des enfants et ce fut interdit. Nous faisions un élevage de papillons. Nous préparions des tableaux de l'évolution d'un papillon. Nous avons construit des nids. Cette deuxième coopérative s'appelait « Sphinx Linguistu ».

Sarkan : Je ne me rappelle pas beaucoup de tout ça.

Ruda : Si, si, si j'avais ma photo ici, tu verrais que tu es dessus. (Ruda excuse Sarkan) : moi j'étais plus âgé donc je me rappelle mieux les détails.

Sarkan : Un jour, nous sommes partis nous baigner avec d'autres enfants, il y eut un orage avec de la grêle. Tous les enfants sont partis. Il ne restait plus que moi et un autre handicapé qui ne pouvions courir aussi vite. Nous étions dans la prairie sous la pluie battante. Je vois encore Bakulé arrivant et nous prêtant son manteau pour nous abriter et nous ramener à la maison.

Je me rappelle mieux les choses qui m'ont marqué ou qui avaient un aspect dramatique pour moi.

Vous vous souvenez de l'arrivée des soldats chez Jedlicka ?

Sarkan : Oui un peu.

Vous souvenez-vous de l'époque de chez Jedlicka ?

Sarkan : J'ai des souvenirs fragmentaires : chez Bakulé, l'enseignement était sous forme de discussion, de conversation. On passait du coq à l'âne. Bien sûr il dirigeait la conversation, il nous amenait là où il voulait en venir. Nous, nous n'avions pas l'impression d'un programme fixe.

En même temps, les conversations étaient tout le temps intéressantes, je me rappelle encore de cette époque certaines notions de géographie, car il y avait un grand planisphère sur les murs et nous le consultions fréquemment. Ce ne sont que des notions, mais je sais où se trouve tel ou tel pays. On suivait ce qui se passait dans le monde et puis de la même façon on apprenait les sciences naturelles, la grammaire.

Je me rappelle qu'on passait d'une matière à l'autre, on n'attendait pas la sonnerie pour aller dans la cour comme dans les autres écoles. On n'avait aucune idée de l'heure obligatoire de classe. Nous étions contents d'être en classe, nous apprenions des choses.

Et votre voyage en France ? Qu'en pensez-vous ?

Sarkan : J'ai des souvenirs d'enfant. Je me moquais de la cuisine française. On nous apportait quelques rondelles de saucisson, puis quelques rondelles de ceci ou de cela. Nous étions habitués à un grand plat unique. Les artichauts, étaient un sujet d'hilarité, juste quelques petites feuilles à lécher : il n'y avait rien à manger, c'était de la cuisine pour rire !

Comment revoyez-vous le départ de chez Jedlicka ?

Sarkan : Nous étions très excités, nous étions avec Monsieur le Directeur Bakulé chez Jedlicka depuis six ans, puis Monsieur Bakulé nous a dit qu'il allait partir. Nous nous sommes révoltés en disant que nous ne resterions pas non plus si lui partait. De plus, c'était le moment où chez Jedlicka, on voulait faire régner l'ordre scolaire classique. On voulait créer une vraie école et ça ne nous intéressait pas. Nous étions trop habitués à vivre libres et puis, même aujourd'hui je n'aime pas être dirigé. Si on me dit : « il faut, tu es obligé », je me rebiffe.

Ruda : Nous avons donné un ultimatum : « Ou bien Monsieur le Directeur Bakulé reste, ou bien nous partons aussi. »

Sarkan : Quand nos parents nous ont donné la permission écrite nous avons quitté l'Institut. Vous savez, les mamans sont les mamans, elles cèdent, se laissent toujours influencer par leurs enfants !

Est-ce que les mamans le faisaient pour faire plaisir aux enfants ou croyaient-elles en Bakulé ?

Sarkan : Elles croyaient en Bakulé.

Ruda : Nous ne sommes pas partis tous ensemble, d'abord les aînés (moi avant Sarkan). Il y avait le problème du logement à régler ! Nous habitions d'abord dans un appartement. Bakulé avait une pièce et une cuisine.

Sarkan : Je me rappelle que la sœur de Ruda a pris chez elle deux ou trois enfants. Après, il y a eu Madame Novak, veuve d'un peintre, qui nous a prêté son atelier. Nous dormions sur des paillasses que nous entassions dans la journée et nous les étalions par terre le soir pour nous coucher.

Je trouve que c'était très bien, je me suis bien amusé, c'était comme chez les bohémiens, c'était très drôle.

Ruda : Et puis, dans la journée, on faisait de la place pour pouvoir travailler.

Sarkan : Cela nous plaisait beaucoup, nous étions ensemble.

Vous souvenez-vous de la visite au Président Masaryk ?

Sarkan : Je me rappelle que nous voulions toujours avoir de quoi vivre de nos mains, subvenir nous-mêmes à nos besoins.

Nous allions inviter des gens aux conférences de Bakulé. Je me rappelle que nous sommes allés chez le président. Je me rappelle comment il était, il nous disait : « C'est bien les enfants ce que vous faites et je ne vous oublie pas. » Il y avait deux huissiers qui gardaient l'entrée, ils nous ouvraient les portes, etc., ils nous ont fait le salut militaire, cela m'a impressionné.

Nous sommes allés à Lany, résidence d'été du président Masaryk, mais c'est bien plus tard.

A l'atelier de Madame Novak, il y a eu la visite d'une dame fonctionnaire de la Croix-Rouge tchécoslovaque. Cette dame venait nous inviter à aller en colonie de vacances en Slovaquie. Monsieur Bakulé était content car pendant deux mois il n'allait pas nous avoir sur le dos. Il serait tranquille.

Ruda : Bakulé accepta avec plaisir, pendant ce temps-là il pourrait chercher un autre logement. Les enfants étaient très contents de partir à la campagne et à la montagne et pour la première fois de voyager jusque dans les Tatras. Cette colonie était organisée par la Croix-Rouge américaine pour les enfants qui avaient souffert de la guerre.

Nous avons attiré l'attention des éducateurs et monitrices, car nous étions très débrouillards, nos ateliers intéressaient également beaucoup. Nous bougions sans cesse, nous étions très agitateurs mais pas dans le mauvais sens du mot. Nous étions comme des gens normaux. Je me suis battu férocement avec un bien portant et je suis sorti vainqueur de cette bataille.

C'est de là que vient notre invitation, bien plus tard pour les Etats-Unis. Mais lorsque nous sommes rentrés à la fin des vacances, nous ne savions pas où aller.

Nous sommes allés à Celadna, assez loin de Prague.

J'ai arrangé ce séjour avec l'instituteur Goldfinger. C'est

à partir de là que j'ai commencé à m'occuper du groupe quand Monsieur le Directeur Bakulé était absent.

Pendant que Monsieur le Directeur Bakulé cherchait un logement à Prague, nous donnions à l'Ecole Normale des cours de travaux manuels aux futurs instituteurs. Nous étions payés et logés pour ce travail. Puis les vacances sont arrivées et nous n'avions à nouveau plus de travail.

Sarkan : Moi, du séjour dans les Tatras, je ne me rappelle que les bêtises que j'ai pu faire. Je faisais tout ce qu'il ne fallait pas faire. Si on me disait : « Ne vas pas dans les bois, il y a les sangliers », alors j'y allais justement pour les voir. J'aurais beaucoup aimé voir un sanglier. Finalement des sangliers il n'y en avait pas ! J'en ai vu bien plus tard dans un jardin zoologique.

Des gars m'ont dit que dans une chapelle, il y a un cercueil, et dedans un squelette. J'avais très peur mais je voulais voir le squelette ; l'envie était plus forte que la peur. J'ai passé toute une journée pour aller à la chapelle, en rampant, en me cachant, en me battant contre moi-même, je finis par y arriver ! J'ouvre le cercueil, il n'y avait que de la paille ! J'étais horriblement déçu.

Vous souvenez-vous de la tournée des marionnettes ?

Sarkan . Je m'en souviens.

Ruda : Il n'était pas tellement avec nous, mais il se trouvait à Ostrava.

Sarkan : Nous étions logés dans un cloître. Je n'avais pas très envie d'être là, les autres m'ont laissé la première journée dans le cloître pendant qu'ils faisaient la tournée. Je faisais de mon mieux pour faire enrager les bonnes sœurs. Je me suis fait renvoyer.

Moi j'avais partout des malheurs (Ruda et Sarkan se font des clins d'œil et ils évoquent un incident à Olomouc qu'ils ne racontent pas ; clins d'œil et rire entre eux). Moi j'étais content de partir. Car les autres petits du groupe (les non-vagabonds) étaient dans les montagnes de Moravie et là il y avait la pêche, la campagne. Nous nous amusions bien. C'était beaucoup mieux que chez les sœurs.

J'avais la patience de rester des heures au bord de l'eau.

Ruda : Un jour nous étions partagés en deux groupes, Sarkan d'un côté de la rivière, nous de l'autre. Il était sur le ventre, sa fourchette à la main. Nous avons vu que le garde-chasse s'approchait de Sarkan. Alors nous sommes partis nous cacher. Nous manquions d'esprit de camaraderie dans ces occasions là ! Nous regardions ce qui allait se passer pour Sarkan. Le garde-chasse poussait du pied Sarkan qui tellement pris par sa passion du poisson ne s'en aperçut pas tout de suite. Tout d'un coup Sarkan se rendit compte qu'on le poussait et il dit : « Idiot, laisse-moi ! laisse-moi ! » Le garde-forestier l'a attrapé, l'a mis debout en lui disant : « Je vais t'en faire voir des idiots. » Il nous connaissait, le garde, il nous aimait bien mais il disait : « Ne pêchez pas comme ça les gars, pas à la fourchette. »

Maintenant il y a des milliers d'histoires qui bouillonnent dans ma tête.

Vous rappelez-vous d'avoir joué des marionnettes ? Sauriez-vous encore le faire ?

Sarkan : Oui, bien sûr. Je ne sais si cela serait artistique, mais je jouerai quelque chose.

Avez-vous joué depuis ?

Sarkan : Non, mais j'ai fabriqué des marionnettes. J'ai travaillé longtemps dans l'atelier de Trnka.

Avez-vous fait parti du chœur ?

Sarkan : Juste un peu quand j'en avais envie.

Moi, me forcer à chanter, vous savez ! Quand cela ne me plaisait pas, je faisais semblant ! J'ouvrais la bouche, c'est tout.

Pour faire des blagues, j'étais toujours là.

Quels voyages avez-vous fait ?

Sarkan : En France, en Suisse, au Danemark, en Allemagne et en Amérique.

Vous chantiez à ce moment-là ?

Sarkan : Là oui ! en principe.

Ruda : Sarkan est toujours comme ça, quand il veut, tout va, quand il ne veut pas, il faut s'y faire.

Sarkan : Quand la chanson était très triste et que tout le monde pleurait, surtout pour la chanson « l'Orphelin », je me mettais derrière et je chatouillais les jambes des filles. Les filles tenaient bon jusqu'à ce que le rideau tombe et là la bagarre éclatait. Si on relevait le rideau tout le monde se remettait à sa place et saluait très sérieusement.

Tous les garçons ont fait cela, les troisième et quatrième voix attaquaient les autres.

Quel est votre meilleur souvenir ?

Sarkan : Dans mes souvenirs cela commence à se mélanger entre les différents voyages. Le premier paquebot, être sur la mer, les gratte-ciel en Amérique, Paris, toutes les nouveautés que nous pouvions voir, Marseille et la mer, la plage, les grands bateaux à voile (il décrit aussitôt la voilure). Les marins sur les bateaux qui astiquaient les cuivres, s'ils nous avaient dit « venez avec nous les gars », je crois que nous serions partis. C'était quelque chose de fantastique, de tout nouveau pour nous.

Quand l'Institut s'est-il construit ?

Sarkan : Je m'en souviens très bien de cette photo.
Je devais être quelque part derrière, je me rappelle les bâtiments, on construisait pendant un an, après il n'y avait plus d'argent, puis on recommençait. Je me rappelle le bâtiment non fini, avec des traverses partout, on grimpait dessus, on sautait partout, on se balançait.

Ruda : Oh toi, tu es plus jeune que moi, alors tu as d'autres souvenirs ! Toi tu faisais des bêtises et puis nous, nous étions obligés de travailler sérieusement.

Un jour, l'Institut a eu un toit.

Sarkan : Une partie seulement.

Cela n'a jamais été totalement fini. C'était très grand. Maintenant c'est un sana ou quelque chose comme ça, un hôpital.

Ruda : Sarkan, c'était l'enfant terrible de l'Institut ; quand il avait une idée, il fallait qu'il la mène jusqu'au bout, il n'y avait pas d'autre issue.

Des histoires sur lui il y en aurait des milliers. C'est des petits souvenirs comme ça ; je ne sais pas si Lida en parle dans « Sarkan ». Par exemple le jour où il s'est fait traiter d'égoutier par la troupe, car il s'appuyait sur un tuyau.

Vous souvenez-vous des visiteurs importants ?

Sarkan : Non. Nous nous sauvions dans le jardin quand il y avait des visiteurs parce que ça ne nous intéressait pas beaucoup. Ils voulaient voir Bakulé, et après, quand Monsieur le Directeur Bakulé disait : « Sarkan, viens te montrer. » Oh ! je n'aimais pas être appelé, cela m'était très désagréable. J'avais horreur de ça. Quand je sentais un visiteur venir, je me cachais.

Je me rappelle de Tagore non pas à cause de ses écrits, mais parce qu'il avait une grande barbe.

Et quand l'Institut a été terminé quelles ont été vos responsabilités ?

Ruda : J'étais un très bon artiste créateur. Je vais vous apporter quelque chose, j'étais élève à l'école graphique, à ce moment-là.

Sarkan : Je travaillais avec les autres à l'atelier mais en plus je suivais des cours. Dans nos ateliers, nous fabriquions des meubles, des lampes, toutes sortes d'objets pour gagner de l'argent.

Ruda : A cette époque nous n'étions plus si terribles !
C'était une très belle époque, il y avait des gens qui venaient
parmi nous, non pour travailler, mais pour être avec nous.
Ils s'asseyaient là. On était bien tous.

Sarkan : Mais je n'avais pas de métier, c'est pourquoi
je suis allé à l'école graphique pour avoir un diplôme de
relieur.

Vous habitiez toujours à l'Institut ?

Sarkan : Oui, bien sûr !

Quand vous êtes-vous marié ?

Sarkan : Bien plus tard, quand j'ai eu quarante ans.
Je connaissais l'art de la reliure dans tous les détails mais
finalement la vie, c'est autre chose ! Quand il faut relier
une centaine de livres par semaine pour une bibliothèque,
ce n'est plus l'art de relier que l'on pratique. Cela ne me
plaisait pas. Si j'avais pu faire uniquement de belles reliures,
je crois que je serais resté fidèle à mon métier.

Les cent livres à la semaine, était-ce chez Bakulé ?

Sarkan : Non, c'était plus tard, lorsque Bakulé nous a
lâchés dans la vie en disant : « Vous êtes assez grands pour
vous débrouiller avec vos diplômes, montrez ce que vous
savez faire ! »

Quand j'ai voulu changer de métier, j'ai passé des
examens pour faire autre chose.

Habitiez-vous encore à l'Institut après sa vente ?

Sarkan : Ce n'était plus vraiment l'Institut mais un
foyer. Il n'y avait plus de chanteurs, chacun allait travailler
de son côté, mais on habitait dans la maison. C'était au
moment où l'Institut était déjà vendu. Puisque Bakulé n'y
était plus, tout a disparu. Nous y habitions parce que le
nouveau propriétaire ne pouvait pas nous mettre dehors.

Pourquoi l'Institut s'est-il arrêté ?

Ruda : Je crois que c'est très, très compliqué. C'était des affaires personnelles, financières, je les raconterais volontiers mais cela prendrait trop de temps.

C'est une affaire de journalistes.

Sarkan : Je ne me rappelle qu'un seul fait : tout ce qui était beau disparaissait.

Parmi tous vos souvenirs, les vagabonds, le chœur, l'Institut Jedlicka, l'Institut, quel est votre souvenir le plus chaud ?

Sarkan : Je diviserai mes souvenirs en étapes : c'était d'abord l'enfance, quand on avait les ateliers. Après, ce sont tous de très bons souvenirs. Je ne peux pas évaluer ce qui est mieux, ce qui nous faisait plaisir à seize ans ne nous aurait pas plu quand nous étions petits.

N'est-ce pas comme ça, Ruda ? Tout était beau quand nous étions ensemble et quand nous étions séparés, un peu moins.

Avec certains, nous avons continué à nous voir assez souvent, avec d'autres moins, selon les affinités. La vie nous a écartelés.

Avez-vous revu Frantisek [5] après ?

Sarkan : Il est parti très tôt de l'Institut. Avant sa mort il était quelque part en Moravie. Nous l'avons perdu de vue.

Quand avez-vous vu Bakulé pour la dernière fois ?

Sarkan : A l'enterrement de la femme de Ruda.

Avez-vous eu l'occasion de former des jeunes ?

Ruda : C'était quelque chose d'extraordinaire.

---

5. Frantisek Fillip a fait une allocution à la radio à l'occasion de la mort de Frantisek Bakulé. (Nous n'avons pas pu nous procurer le texte.)

Sarkan : Avant la guerre, j'enseignais aux enfants de toutes sortes dans un camp de vacances. En échange, j'étais nourri avec eux. C'était beau.

Qu'avez-vous fait après ? Que faites-vous maintenant ?

Sarkan : Je suis allé à l'Académie des Beaux-Arts, cela m'imposait beaucoup car tout le monde avait une blouse blanche et se prenait très au sérieux. C'était pour passer l'examen d'entrée ; tout le monde semblait mieux équipé que moi, du point de vue du travail comme du point de vue pratique. Comme modèle nous avions une jeune fille nue, ce qui me fit perdre tous mes moyens. Je ne savais même plus dessiner. J'étais très triste, car je n'ai pas été reçu. J'étais très déprimé, prêt à jeter pinceaux et couleurs dans la Vltava. Je rencontre un ami qui était à l'Académie, il me dit que ce n'est pas comme ça que je dois essayer d'y rentrer : « Il faut aller voir le professeur avec tes dessins ». C'est ce que j'ai fait et j'ai été admis « par derrière », pris à l'essai. C'est comme ça que je suis entré dans un vrai atelier pour la première fois ; ça sentait bon la thérébentine et il y avait des escabeaux et des chevalets de toutes sortes. Tous les élèves étaient en blouse blanche, tout le monde se donnait la main pour dire bonjour...

Au bout d'un moment, je me suis rendu compte que les autres élèves étaient des gens comme moi.

A la fin de mes études, la guerre a éclaté. Alors, j'ai vécu comme j'ai pu, comme peintre, dessinateur. Quelquefois ça allait mieux, quelquefois ça allait mal.

Et puis maintenant, je continue à travailler, je fais des maquettes pour les expositions, des feuillets publicitaires. J'ai travaillé chez Trnka pendant trois années.

J'ai toujours besoin de travailler librement, d'être mon propre maître.

Vous continuez à faire de la décoration ? Des objets ? Des gravures ?

Sarkan montre des modèles de jouets articulés, des cartes de vœux.

Ruda : Quand Sarkan n'avait plus envie de se battre ou quand sa peine était trop grande, il venait s'abriter chez moi. J'étais son aîné. Nous sommes très liés tous les deux.

Vous travaillez ici ?

Sarkan : Oui, dans mon atelier. Les gens m'envoient leurs projets et moi, selon leurs possibilités, je prépare des maquettes, je fais des photos. Avant je faisais des objets souvenirs (animaux articulés vendus dans les zoos). On n'a pas continué la fabrication car c'est trop difficile à fabriquer à la chaîne. Ce sont des objets à construire avec amour, à fignoler. Quand ça sort industriellement, c'est quelque chose de tout à fait différent. C'est à un demi ton près, comme pour une symphonie. Si un violoniste décide de jouer un demi ton plus bas ou un demi ton plus haut, la symphonie perd de sa beauté. Ce n'est plus ça.

Il faut travailler vite, gagner de l'argent et moi, je fignole.

Avez-vous revu des anciens élèves ?

Sarkan : Seulement Ruda. Nous nous sommes tous mariés et nous avions d'autres soucis que celui de nous revoir.

Aujourd'hui, avez-vous une critique à faire sur l'éducation pratiquée par Bakulé ?

Sarkan : Au contraire ! Quand je vois aujourd'hui les handicapés ; chez nous, ils vivent derrière un mur où ils ont tout, et de temps en temps on les emmène à la campagne. Et puis on les fait jouer au ballon comme s'ils étaient pauvres d'esprit. Quand je vois ça, je les plains beaucoup. Nous avions une vie beaucoup plus riche, car si nous voulions aller faire du bateau, il fallait d'abord construire notre bateau. Monsieur Bakulé nous laissait faire et puisque nous étions sur l'eau, au cas où le bateau se retournerait, il nous fallait apprendre à nager. Personne du groupe ne s'est jamais noyé !

Les enfants handicapés, de nos jours, sont privés de toutes les joies que nous avons vécues. C'est une faute élémentaire que l'on fait maintenant, de trop les choyer.

Nous grandissions absolument sans complexe d'infériorité, habitués à toujours vivre avec les bien portants et à toujours défendre nos positions.

Le fait que Bakulé n'ait pu maintenir son Institut ne montre-t-il pas qu'il y avait une faille ?

Sarkan : Ce sont des conflits de personnes qui ont joué, surtout des intérêts personnels.

Ruda : Bakulé était une concurrence pour Jedlicka. C'était une expérience différente. Après la rupture, il y a eu deux institutions pour handicapés ; une officielle, celle de Jedlicka et la nôtre. Chez Jedlicka, on a repris tout ce que Bakulé ne voulait pas en éducation et c'est Jedlicka qui a eu le soutien officiel du gouvernement.

Pourquoi l'Institut a-t-il sombré puisqu'il avait l'appui total du Président Masaryk ?

Ruda : Masaryk et le personnel des Ministères de l'Education et de la Santé, ce n'était pas la même chose, c'étaient des gens très différents.

Bakulé ne savait pas se soumettre, quand il pensait avoir raison il allait jusqu'au bout. Pour le Ministre, Bakulé était quelqu'un qui ne voulait jamais se soumettre. Au sein du Ministère, il y avait un clan qui s'était donné pour but de couler Bakulé et d'aider Jedlicka.

Si Bakulé n'avait pas été soutenu par Masaryk, il aurait été coulé plus tôt. C'est après la mort de Masaryk (en 1937) que les ennemis de Bakulé se sont vraiment déchaînés.

Entretien avec Jurka [6] (le 10/10/1973)

Jurka : Qui avez-vous rencontré ?

---

6. Jurka fut longtemps soliste dans le chœur Bakulé. L'évocation de l'époque de l'Institut fut bouleversante.

Ruda, Sarkan, Madame Bakulé.

Jurka : Vous avez bien fait d'aller les voir. Ils ont été à l'Institut beaucoup plus longtemps que moi, ils se rappellent sûrement beaucoup de choses. Je suis partie quand je me suis mariée et j'ai un petit peu perdu le contact.

Vous rappelez-vous, quand vous avez connu Bakulé ?

Jurka : Bien sûr, je m'en souviens. C'était juste quand Bakulé est parti de chez Jedlicka avec certains de ses enfants. Je ne me rappelle plus combien. On lui a prêté un hôpital désaffecté.

Vous souvenez-vous des visiteurs venus à l'Institut ?

Jurka : Jules Romain, Ilya Ehrenbourg, et à notre retour de France, tout un groupe d'enseignants français, mais je ne me rappelle plus du tout des détails.

A quel âge, avez-vous rencontré Bakulé ?

Jurka : J'avais environ treize ans. Maman travaillait. Nous habitions Smichov, nous allions à l'école. C'était pendant la première guerre mondiale, papa était soldat et après l'école, maman ne savait pas quoi faire de nous. Elle était contente de nous envoyer chez Bakulé.

Qu'y faisiez-vous ?

Jurka : (...) Mais dans les « Enfants Pauvres », tout est marqué [7] !

Je souhaiterais des souvenirs personnels.

Jurka : Il y a très longtemps tout ça.
Au début nous y allions après l'école, tout simplement pour être quelque part. Avant l'heure du retour de maman, de son travail, nous allions dans une sorte de garderie qui

---

7. Jurka a dactylographié les divers manuscrits de Bakulé et assurait une partie de sa correspondance.

se trouvait dans un hôpital désaffecté. Et c'est cet hôpital qui a été proposé à Bakulé pour ses enfants. J'ai continué à y aller sous la tutelle de Bakulé. Quand Monsieur le Directeur nous a vus là-bas, notre petit groupe, il a demandé si nous savions chanter. On lui chantait, l'un après l'autre, ce qu'on voulait. C'est là qu'a commencé le chœur.

Vous souvenez-vous des voyages ?

Jurka : Bien sûr, je m'en souviens de beaucoup, mais c'est difficile de les raconter comme ça. Le premier voyage, c'était celui aux Etats-Unis, j'avais seize ans. Nous y sommes restés deux ou trois mois.

Avez-vous habité l'Institut ?

Jurka : Oui. Quand j'ai terminé l'école, à quatorze ans, Monsieur le Directeur m'a prise chez lui, à l'Institut et j'y suis restée jusqu'à mon mariage, en 1932.

Au début, c'était très pauvre. Nous étions à Klamovka et nous logions dans des dortoirs. Nous n'étions pas très nombreux, mais c'était quand même très, très beau, mais pauvre. C'est de là que nous avons commencé les voyages avec les chanteurs. Nous faisions des voyages autour de Prague et en Tchécoslovaquie, nous donnions des concerts le samedi et le dimanche. Quand nous avons gagné assez d'argent, avec nos concerts, Monsieur le Directeur Bakulé a commencé la construction de l'Institut dont il rêvait depuis toujours.

Comment Bakulé vous a-t-il appris à chanter ?

Jurka : Il ne nous apprenait pas les notes, il ne nous apprenait pas le chant professionnel. Il nous apprenait plutôt à déclamer, à réciter, à bien prononcer. Même au fond, il ne connaissait pas lui-même la technique du chant. Nous chantions comme nous parlions, naturellement.

L'Institut s'appelait « l'Institut pour l'Education par le travail et par la vie ». Il y avait tous les enfants partis de chez Jedlicka et certains chanteurs. Nous avions des ateliers et nous travaillions toute la journée.

Moi j'étais modiste, les uns faisaient des chapeaux, d'autres des meubles. Après 1932, pendant deux ans, nous louions avec mon mari, un appartement dans l'Institut et je continuais à chanter.

Avez-vous revu d'autres chanteurs ?

Jurka : Bien sûr. Nous avons continué à voir Monsieur Bakulé jusqu'à sa mort. Il venait souvent nous voir avec d'autres chanteurs.

Chantez-vous encore pour vous-même ?

Jurka : Oui, je chante encore.

En 1942, Monsieur Bakulé a essayé de former un petit groupe de huit ou neuf chanteurs. Cela n'a pas duré longtemps, à peu près un ou deux ans. Ce fut vraiment la fin des chanteurs.

Quel a été le plus grand succès du chœur ?

Jurka : Nous avions un peu partout des succès. Il est difficile de comparer ; aux Etats-Unis, en France, chez nous.

Je ne peux que dire mon souvenir personnel. C'était un concert au Danemark. A la fin du concert personne n'a applaudi. Ils se sont tous levés et ils ont commencé à agiter de petits foulards pour nous dire « adieu ». J'ai trouvé cela très impressionnant.

Est-ce que cette expérience a marqué votre vie ?

Jurka : Beaucoup ! Beaucoup !

Nous venions tous de familles très modestes. Monsieur Bakulé avait beaucoup d'influence sur nous. Il nous apprenait à regarder le monde, à connaître les choses et les gens.

Pourquoi Bakulé parle-t-il de « braillards de faubourgs » ?

Jurka : Nous étions des enfants de familles très modestes, qui auraient pu devenir des délinquants, s'ils avaient été laissés dans les rues.

Nous étions des enfants de familles normales, mais pauvres où les deux parents étaient obligés de travailler. Donc, après l'école, les enfants allaient dans les rues et dans les squares et ils s'amusaient, criaient. Ce n'est que dans ce sens-là qu'on peut parler de « braillards ».

Comment étaient les relations entre les chanteurs et les handicapés ?

Jurka : Nous nous entendions bien.

Vous rappelez-vous de Frantisek ?

Jurka : Bien entendu ! Je me rappelle, qu'à première vue, cela m'a secouée un peu de le voir, mais nous nous sommes habitués. Il n'y avait pas de différence entre nous.

Duquel d'entre eux, vous souvenez-vous le mieux ?

Jurka : J'aimais beaucoup Sarkan. Il était très gai. Tant qu'il habitait Prague, il venait me voir. Cela fait au moins un an que je ne l'ai pas vu. Beaucoup sont morts.

Je vais essayer de téléphoner à Hornicek [8]. Peut-être est-il à Prague. Vous pourriez le rencontrer.

Comment cela s'est-il terminé ?

Jurka : Je ne me rappelle plus très bien. Je sais qu'il n'y avait plus d'argent pour entretenir l'Institut. La construction a coûté terriblement cher. Elle n'était même pas terminée. Nous dépensions beaucoup pour nos voyages. Il n'y avait ni subvention, ni donation.

Finalement, l'Institut, pas encore terminé, a été abandonné à l'Etat. C'est maintenant un hôpital.

Que pensez-vous aujourd'hui de l'expérience de Bakulé ?

Jurka : Quand j'étais jeune, je l'adorais. Toutes nous

---

8. Un des chanteurs, devenu le beau-frère de Jurka.

l'adorions, et même aujourd'hui encore, je pense que c'était un homme extraordinaire. Il était très dévoué. Il aimait tous les enfants. Je ne sais pas, je crois que c'est tout ce que je peux vous dire sur lui. Je ne l'oublierai jamais !

Pourtant, Bakulé avait des ennemis !

Jurka : Non, pas tellement quand même !

Avez-vous une critique à formuler qui expliquerait le fait qu'il avait des ennemis ?

Jurka : Lorsque quelqu'un est dans le malheur, il se trouve toujours des gens pour lui jeter la pierre. On lui reprochait d'appliquer des méthodes pas assez scientifiques, de faire un travail d'amateur.

Moi personnellement, je ne lui reproche rien.

Quand j'y étais, ce n'était pas une institution comme les autres. Peut-être que l'on reprochait de dépenser trop. Nous mangions toujours bien, pas comme dans certaines institutions où on donnait à peine de quoi manger aux enfants. Lui-même ne tirait aucun profit de l'Institut, mais il nous gardait toujours aussi confortablement et aussi bien nourris que possible. Cela semblait à certains trop luxueux. Bakulé a fini ses jours avec une très mince pension.

Pourquoi Frantisek a-t-il quitté l'Institut ?

Jurka : Je ne sais trop. Mais je crois que Frantisek avait des idées un peu bizarres.

Et la mixité ? Etait-ce un problème ou non ?

Jurka : Non, en aucun cas. Ceux qui s'aimaient se sont mariés, voilà tout. Par exemple, Ruda avec Marjanka.

Pour le reste, ce n'étaient que des ragots.

Pourquoi, ne parle-t-on plus aujourd'hui de Bakulé ?

Jurka : Moi, je crois que beaucoup de gens l'enviaient. Aujourd'hui, de toute façon, tout est nationalisé. De nos jours, on n'a plus le temps de s'encombrer des choses passées.

Personne aujourd'hui, n'écrira plus la vérité.

Pour en venir au chœur Bakulé, il était formé de plusieurs petits quartets et j'étais peut-être dans le même que Maria [9]. Par exemple pour chanter la chanson de « l'Orphelin » nous chantions par groupes de quatre.

Pouvez-vous donner une conclusion sur Bakulé ?

Jurka : Je ne pourrai pas, non, c'est très difficile. Ce sont de très bons souvenirs. Je ne regrette absolument rien, mais c'était quelquefois du travail très dur.

Etait-ce difficile de chanter ?

Jurka : Non, ce n'était pas difficile de chanter, mais ce qui était épuisant, c'était d'avoir jusqu'à quatre concerts par jour. Ce n'était peut-être pas des concerts entiers mais des exhibitions dans trois ou quatre écoles et le soir un grand concert. Souvent en France, nous avons travaillé très dur. Nous avons voyagé de ville en ville et puis nous avons chanté très souvent.

Ce que nous avons aimé en France, c'est que dès notre arrivée, dès la gare, nous allions à une réception où il y avait plein de petits fours, de jus de fruits et du vin. Nous les aînés, avions le droit de boire un peu de vin.

Entretien avec Jurka [10] et Hornicek (le 11/10/73)

Le lendemain, nous retournions chez Jurka. Hornicek son beau-frère était là. Il s'est exprimé en français tout au long de l'entretien.

---

9. Maria Fleischerova, autre chanteuse du chœur Bakulé, qui a suivi Lida en France.
10. Jurka est décédée en décembre 1973.

Quand avez-vous connu Bakulé ?

Hornicek : J'avais une dizaine d'années, c'était vers les années 1919, je crois.

Que faisaient vos parents ?

Hornicek : Mon père était portier dans une grande usine. Nous n'habitions pas loin de l'hôpital désaffecté. On nous avait dit : « Il y a un jeune homme qui travaille et qui n'a pas de mains. » Nous sommes allés pour voir. Nous étions trois enfants, tous les trois nous avons chanté dans le chœur. Tous les trois nous sommes allés en Amérique. Nous avons participé à tous les voyages.

Comment Bakulé s'y prenait-il pour vous apprendre à chanter ?

Hornicek : Oh ! C'était difficile, car beaucoup d'enfants sont venus pour chanter : il fallait avoir de l'oreille.

C'était beaucoup plus difficile de chanter à quatre voix, à huit voix qu'à l'unisson.

Avez-vous continué à vous revoir et à chanter après 1943 ?

Hornicek : Oui, quand les conditions y sont, je chante encore. A la maison, je chante quelquefois, mais tout seul. Comme la famille se moque de moi, il faut que j'attende qu'ils soient tous sortis.

Que retirez-vous de votre rencontre avec Bakulé ?

Hornicek : Cela m'a beaucoup apporté, sans Bakulé je n'aurai rien vu du monde extérieur. Il nous a permis de voyager et puis il nous a donné une ouverture d'esprit sur beaucoup de choses. Nous avions la possibilité d'une éducation beaucoup plus ouverte que celle offerte à nos camarades restés à l'école traditionnelle. Chez Bakulé, nous apprenions à nous mouvoir dans n'importe quelle société. Nous étions à l'aise dans n'importe quelle ocasion : que ce soit chez nous ou en Amérique, invités par des personnalités ou accueillis dans des familles.

Pensez-vous souvent à cette époque ?

Hornicek : Très souvent. Je rêve de ce temps.

Quel est votre meilleur souvenir ?

Hornicek : Mon meilleur souvenir, c'est très difficile à dire, il était partout. Ce sont tous des meilleurs souvenirs. En France, en Suisse, en Amérique.

Quel est le moment qui vous a le plus impressionné ?

Hornicek : Quand nous partions en Amérique. J'avais quatorze ans. Si vous saviez tout ce que cela représentait ici, après la première guerre.

Un moment difficile pour vous ?

Hornicek : Oui, j'avais des difficultés à garder un travail stable car souvent les patrons n'aimaient pas me donner des permissions pour partir chanter. Quand ils ne voulaient pas, il me fallait à nouveau changer de travail. Au bout de deux ou trois semaines j'étais forcé de partir.

J'ai commencé à travailler comme ajusteur, puis comme outilleur auto-monteur et tourneur. En France, j'ai travaillé comme ajusteur-monteur et j'ai appris le français.

Vous souvenez-vous de Sarkan ?

Hornicek : Oui, il venait très souvent chez moi, maintenant qu'il n'habite plus Prague, je ne le vois plus.

Et Ruda ?

Hornicek : Oh oui ! Vous l'avez vu ?

De qui vous souvenez-vous encore ?

Hornicek : De Sylva, qui est mort.

Quels étaient les rapports entre les enfants infirmes et vous ?

Hornicek : Nous ne voyions pas de différence. Ils étaient comme nous. On s'aidait mutuellement.

Que pensez-vous aujourd'hui de Bakulé ?

Hornicek : Bakulé était trop en avance pour son époque. S'il vivait de nos jours, il serait davantage aidé. Ce qui est triste à mon avis, c'est que tout le mal que nous nous sommes donnés pour créer l'Institut, tous nos espoirs, sont partis dans une vente aux enchères.

Pourquoi ?

Hornicek : Pour beaucoup de raisons, principalement pour des raisons financières. La jalousie aussi, nous ne faisions pas assez de bénéfices pour tenir. Le Professeur Prihoda [11] qui a repris l'Institut à son compte, avait toujours été jaloux des succès de Bakulé.

Avez-vous constitué une association pour défendre Bakulé ?

Hornicek : Non, c'était difficile car au moment de la crise, nous avions les uns et les autres beaucoup de soucis personnels liés à la dissolution de l'Institut, car nous logions là-bas et l'on nous avait donné congé. Il fallait chercher à se loger ailleurs, trouver du travail. Nous nous battions chacun pour notre existence. C'était au moment de la crise économique, et puis après il y eut la seconde guerre.

Et ce n'est que pendant la guerre que nous avons essayé de nous regrouper et de chanter encore. Là nous avons donné quelques concerts, dans les usines et en public.

Que serait-il souhaitable de faire pour la mémoire de Bakulé ?

Hornicek : Une petite chose a déjà été faite. A Druzec il y a une statue. Chez nous il serait difficile d'éditer un livre sur Bakulé car pour toute œuvre éditée il faut avoir un

---

11. Tous nos essais pour rencontrer le professeur Prihoda sont restés vains.

accord d'en haut. Et de toute façon, je me demande si quelqu'un le lirait. Cela n'intéresserait plus personne. Au fond, on devrait faire quelque chose, mais nous n'y arriverions pas.

Comme Bakulé a été de longues années malade, il est tombé peu à peu dans l'oubli.

Avez-vous une critique à émettre ?

Hornicek : Après la bataille perdue, chacun a un point de vue sur la façon dont il aurait fallu mener la guerre. Je crois qu'il a fait le maximum de ce qui était faisable à son époque. Actuellement, un chœur d'enfants dirigé par le professeur Kuhn, chante à la radio. On facilite son travail, on met tout à sa disposition, malgré tout cela il ne réussit pas aussi bien que Bakulé. Les enfants qui arrivent chez Kuhn, connaissent déjà la musique, le solfège. Notre chœur a fait beaucoup pour la nation tchèque par ses voyages.

Quelle est la personne dont vous vous souvenez le mieux, après Bakulé ?

Hornicek : Votre mère, Lida. Je la voyais toujours comme une enfant. Il me semblait qu'elle ne vieillissait pas.

On ne pouvait pas s'imaginer Lida sans Bakulé et Bakulé sans Lida. Elle s'occupait de toutes les démarches officielles. Elle était secrétaire, mais elle s'occupait de beaucoup plus de choses qu'une secrétaire habituelle. Elle trouvait toujours l'introuvable quand elle voulait quelque chose.

Un petit exemple : je faisais mon service militaire, j'étais dans la Bohême du Nord et pendant mes quelques jours de permission, je suis revenu chez les chanteurs. Monsieur Bakulé, en blaguant, me demande : « Alors, tu reviens chanter chez nous ? » Je lui réponds : « Avec plaisir, dès que je serais débarrassé de mon service. »

Eh bien ! La semaine suivante, j'étais bel et bien débarrassé de mon service, à peu près trois mois avant la date officielle. Ce qui était pour l'époque quelque chose d'exceptionnel ! C'est que Lida était allée voir le Ministre de la Défense Nationale qui a donné l'ordre de me libérer plus tôt.

Quelle est votre chanson préférée ?

Jurka : « Le vieux berger » (Ja som baca [12]).
Hornicek : « Tece voda tece [13] ».
Ce que nous préférions, c'étaient les chansons populaires.

Chantez-vous encore de temps en temps ces chansons-là ?

Jurka : Cela m'arrive, j'ai une voix très grave maintenant, alors qu'avant j'étais soprano.

Voulez-vous chanter ? Juste un petit peu, juste pour le souvenir, pour faire revivre les chanteurs ?

Après discussions entre eux, Jurka et Hornicek interprètent à une puis à deux voix, d'une façon bouleversante, les airs d'autrefois.

Hornicek : Ce n'est pas la même chose que dans le chœur, vous savez.

Entrevue avec Kupka [14] (le 11/10/73)

Nous sommes venus à Prague pour essayer de recueillir quelques souvenirs sur Bakulé.

Kupka : Je m'attendais à voir Paul Faucher. C'est avec plaisir que je répondrais à vos questions.

Quand avez-vous rencontré Bakulé ?

Kupka : La première fois, pendant mes études à l'Ecole Normale, puis lorsque Bakulé est parti de chez Jedlicka. C'était en 1919, à Pribram, lors d'une conférence de Bakulé.

---

12 et 13. Ces deux chants sont reproduits sur bande magnétique (voir p. 184).
14. Kupka a été instituteur chez Bakulé, de 1923 à la fin de l'Institut.

Après la conférence, je suis allé le voir pour lui dire que cela m'intéressait de me joindre à lui.

Pendant les vacances, nous étions en Slovaquie et nous nous sommes beaucoup rapprochés. Tout le groupe Bakulé était là ; et quand Monsieur Bakulé est venu nous retrouver, il m'a dit : « Quand j'aurai mon Institut, il faudra venir enseigner chez moi. » Après cela, je suis arrivé à l'Institut en 1923 et j'y suis resté neuf ou dix ans. C'était quand l'Institut était à Smichov, rue Mozart.

Bakulé a-t-il terminé la construction de l'Institut ?

Kupka : Oui, il l'a terminé, il y avait déjà des enfants. C'étaient des enfants non handicapés. Bakulé essayait d'avoir des enfants de gens riches qui pourraient payer plus pour compenser la pension modeste des autres. Il a passé des annonces dans les journaux : « L'Institut accepte de nouveaux élèves. »

Quels étaient vos responsabilités à l'Institut ?

Kupka : Tout ! (Et il rit.) Chacun faisait ce qu'il y avait à faire au moment donné : l'enseignement, les travaux d'administration, l'accueil des visiteurs, etc.

Nous habitions ma femme et moi dans la chambre voisine de celle de Monsieur le Directeur.

L'idée directrice était bien exprimée par la devise donnée par Bakulé à l'Institut « l'Education par la vie et par le travail ». Ne pas créer des situations scolaires artificielles. C'était déjà quelque chose de pas commun. On lui permettait certains écarts dans l'enseignement tant qu'il s'agissait d'handicapés. Nous préparions les programmes selon les nécessités du moment. Chez nous, certains petits lisaient et écrivaient bien avant l'âge des autres écoles, d'autres enfants bien plus âgés étaient encore analphabètes.

A votre avis, quelles sont les raisons de la fin de l'Institut ?

Kupka : Je ne sais pas quoi dire. Je pense que votre mère vous l'a raconté. Ce fut une maladresse. L'Institut

Bakulé avait une base officielle dans une Association. Le président de l'Association était Monsieur Prihoda qui a trouvé un jour certaines irrégularités sur le plan économique et financier. Peu après, on en est arrivé à vendre l'Institut aux enchères.

Témoignage de Suza Desnoyer [15] (5 janvier 1970)

Avant 1929, je ne connaissais Bakulé que de réputation. Cette année-là, j'ai eu la chance d'accompagner le chœur des petits chanteurs à travers la France en qualité d'interprète et j'ai pu vivre avec eux pendant trois mois, comme si je faisais partie de cette grande famille. Nous étions soixante en tout. Des enfants âgés de dix à dix-neuf ans, des infirmes et des non-handicapés. Tous ceux qui ont entendu ces chanteurs en ont gardé un souvenir inoubliable. Ce qui caractérisait leur interprétation, c'était que chaque chanson était vraiment vécue par eux, d'où l'effet produit sur le public. J'ai vu des salles entières (indifférentes et froides à notre arrivée sur la scène), pleurer aux chants de « L'Orphelin », du « Canard blessé [16] », du « Soldat qui partait à la guerre [17] », et rire et trépigner de joie pour les danses et chansons gaies. Chaque fois, avant chaque chanson, Bakulé en expliquait le contenu, pour mettre le public, aussi bien que les chanteurs, dans l'atmosphère de cette chanson. (Je devais traduire en même temps qu'il parlait, de sorte que le public français suivait le texte en entendant sa voix chaude et sensible.)

Cette méthode était appliquée chez lui dans tout ce qu'il enseignait. Il s'attachait surtout à développer chez l'enfant l'intelligence, la sensibilité, l'intérêt pour toutes choses. Ne jamais rien faire sans comprendre, avec indifférence. Vibrer devant les belles choses qui nous entourent, s'attendrir, rire

---

15. Suza Desnoyer, secrétaire du Président Masaryk, interprète du groupe Bakulé pendant son voyage en France, professeur de français à l'Institut Bakulé jusqu'à son mariage avec le peintre François Desnoyer qui séjourna quelque temps à l'Institut Bakulé.

16 et 17. Ces chants sont reproduits dans le disque « Le chœur Bakulé ».

sainement quand la vie offrait des spectacles gais. En faire, en somme, des êtres heureux et utiles.

Tout ce qui était nouveau pendant ce voyage, que ce soient, les villes françaises (nous en avons visité quarante et partout on s'est efforcé de nous montrer ce qui les caractérisait), les paysages (aucun enfant n'avait connu la mer), les œuvres d'art (les musées, les monuments), l'histoire du pays, la faune, la flore, la nourriture nouvelle, etc., tout cela faisait l'objet de grandes conversations entre Bakulé et ses compagnons, entre les concerts, aux repas, dans le train. Quelle animation pendant ces instants ! Les remarques des enfants n'étaient jamais ridiculisées, tous y prenaient part, tous étaient écoutés et participaient aux conclusions finales. Vous pouvez imaginer l'enrichissement que pouvaient retirer ces enfants d'un tel voyage.

Bakulé avait avec lui une collaboratrice remarquable, en Lida. C'était la personne la plus vivante, dynamique, généreuse que j'ai jamais connue. Elle aussi aimait et comprenait les enfants et avait le don de les intéresser.

Eh bien, ce qui se passait à Prague n'était pas différent de ce que j'ai vu pendant le voyage. Les enfants y étaient amenés à s'intéresser à la vie du pays, à sa culture. On les menait visiter des expositions, des concerts et des spectacles de qualité. Bakulé leur lisait ou leur faisait lire de bons livres. Toute la classe, ainsi que ceux des ateliers, en discutaient. Il y avait aux murs de l'école de grands panneaux en liège sur lesquels les enfants fixaient chaque semaine ce qui les avait spécialement frappés, événements du jour, images, poèmes qu'ils avaient composés, etc. Bakulé commentait ce journal de leur composition en y faisant participer toute la classe. On ouvrait le dictionnaire, on feuilletait l'atlas, on parcourait les cartes, des livres d'art ou de littérature.

A notre retour de France j'ai été chargée d'enseigner le français à l'Ecole Bakulé. La composition de la classe était très hétéroclyte.

Des garçons, des filles d'âge et de milieux différents. La base se composait d'enfants du quartier, en général de familles modestes, ou sans famille, vivant à l'Institut. Il y avait quelques enfants infirmes.

Une petite fille suivait les cours couchée sur une civière, les enfants valides l'entouraient de prévenances. Plusieurs enfants étaient des caractériels, renvoyés de tous les établissements. Le plus âgé, un gros garçon d'une quinzaine d'années, Guy, avait désespéré ses parents parce que renvoyé de tous les établissements pour sa paresse et sa mauvaise volonté.

Lorsqu'il arriva, Bakulé lui dit : « Je suis heureux enfin d'avoir un grand garçon comme toi à mes côtés. Tu m'aideras efficacement, tu seras mon assistant ! » Le gosse devient un brillant élève et, au bout de deux ans, put rattraper le temps perdu et faire des études supérieures.

Un autre, Paul, fils unique d'une famille aisée, un peu malingre, avec des lunettes, pleurnichard, quoique intelligent. Il était partout le souffre-douleur de son entourage. Bakulé et sa collaboratrice Lida l'encouragèrent à se défendre, à rendre les coups, à se battre, même. Au bout de peu de temps, il fut respecté et bientôt aimé. Ses anciens tortionnaires devinrent des camarades, car il ne fut plus méprisé. Un garçon, Jan, était cleptomane. Bakulé lui donna des missions de confiance, lui confia des travaux de comptabilité, des courses avec achats. La coutume de la classe était, en partant, de serrer la main de Bakulé. C'était une terrible punition quand Bakulé refusait de tendre la main à l'un des élèves. Au commencement, cela arriva à plusieurs reprises au petit Jan, mais, rapidement, il perdit ses mauvaises habitudes car il voulait obtenir, à tout prix l'estime de son maître.

Les enfants avaient une salle de classe des plus agréable, avec vue sur la belle ville de Prague. Bakulé avait fait faire, avec l'aide d'un orthopédiste ami, dans les ateliers de l'Institut, des pupitres très étudiés, s'adaptant à chaque élève ; des pieds réglables rehaussaient ou abaissaient la tablette, le dossier se réglait d'après le dos de l'enfant et servait à corriger certaines malformations.

Ces pupitres étaient donc, en cours d'année, propriété

individuelle de chaque enfant. Etant assez grands, ils pouvaient les organiser à leur goût (même y cultiver une plante : à une exposition de cactus, Bakulé avait fait choisir à chaque élève une plante dont chacun était responsable), les garder nus, y mettre de beaux buvards, les orner, etc.

Au bout d'un certain temps ces tables en disaient long sur chacun de leurs occupants : ordre, désordre, saleté, propreté, négligence, maladresse, besoin d'abîmer, etc. On en faisait le commentaire sans acrimonie, plutôt avec humour, ce qui agissait beaucoup mieux que les punitions.

Nos leçons de français étaient, comme tout ce qui se faisait à l'Institut, très animées. Bakulé me secondait, tout en étant, en même temps, élève. Nous avions composé, en partant des phrases les plus élémentaires comme « bonjour », « au revoir », « merci », toute une histoire, plutôt une pièce, avec aventures passionnantes que les enfants jouaient, en y ajoutant à chaque leçon, une suite. Tout le monde y participait.

Les phrases françaises se fixaient naturellement dans leurs oreilles (développées par la musique). A la fin de l'année des Français vinrent visiter l'école. Ils furent tout étonnés de voir à quel point les enfants comprenaient leurs questions et y répondaient avec aisance, au bout de six mois d'études seulement.

Je quittai malheureusement l'Institut l'année suivante pour me marier en France. Très longtemps, je reçus des enfants des lettres charmantes en français.

J'ai de la peine à vous raconter la suite de l'histoire de l'Institut Bakulé. Il n'avait pas l'approbation unanime dans la société qui l'entourait, ses méthodes étaient trop en avance sur son temps et Bakulé était trop indépendant pour se plier à telle ou autre tendance.

Une cabale fut déclenchée contre lui en 1934. Une violente campagne de médisance dans la presse des boulevards réussit à ébranler le public. La crise économique et la guerre achevèrent son œuvre de destruction. L'Institut, ce bel Institut, bâti grâce au travail magnifique des ateliers (menuiserie, couture, etc.), grâce aux concerts du chœur

(Amérique, Allemagne, Hongrie, France et Tchécoslovaquie), grâce à quelques dons généreux, fut vendu.

Je revis Bakulé après la guerre, toujours courageux, toujours optimiste malgré tout, entouré tout de même par ses anciens élèves, dont la plupart ne l'oubliaient pas. Il écrivait un livre magnifique sur ses expériences pédagogiques [18].

Faut-il conclure ?

Les Vagabonds avaient bien mérité un toit.

Ils se l'étaient construit eux-mêmes.

La société le leur a retiré.

L'épopée se termine lamentablement.

Qu'en reste-t-il aujourd'hui ?

En apparence peu de choses : des photos jaunies, plusieurs boîtes de documents reléguées dans le coin poussiéreux d'un musée, quelques disques 78 tours usés, rayés, bouleversants, un bâtiment dont on a effacé l'inscription.

Mais en réalité, l'extraordinaire rayonnement de Bakulé se maintient au cœur de ceux qui l'ont connu. A leur tour ils nous le communiquent.

Bakulé, au delà du temps, peut encore nous animer. Il nous rappelle qu'en éducation, il est une dimension à ne pas négliger, une dimension trop souvent dédaignée et pourtant plus indispensable que jamais, une dimension qui échappe à la raison, à la logique, au « bel esprit », celle du cœur.

Annexes

Annexe 1 : Textes libres les ondins (suite de la page 33)

CHEZ L'ONDIN (texte de Madela).

(1) Le bruit, dans la vieille chambre de l'ondin Thomas, se faisait de plus en plus considérable. (2) Quelques commères en jupes vertes et rouges, caquetaient avec animation et multipliaient les potins. (3) La chambre était en ordre. (4) La ménagère, aux cheveux verts et rares, faisait cuire au fond, sur le fourneau, une quantité de têtes humaines et faisait frire des âmes. (5) Le maître de la maison était assis en quelque endroit du jardin, car il ne voulait pas écouter, — comme il disait — le « journal vivant ». (6) Plusieurs enfants se tassaient dans un coin, et les doigts dans la bouche, considéraient le rôti d'un œil avide.

(7) On entendait un fracas dans la salle à côté. C'était l'ondin Thomas qui rentrait du jardin. (8) Avant de pénétrer dans la chambre, il moucha dans un mouchoir bleu son nez infiniment long. (9) Puis il salua les commères : « Bien le bonjour vous autres. » (10) Il fut s'asseoir lourdement sur un banc,

après avoir eu un geste de mauvaise humeur, jeté sur la fenêtre sa pipe, et ce « de sécession ». (11) Les commères se calmèrent un peu ; une seule continua à parler, pour dire qu'il y avait plusieurs jours que son papa n'avait rien pris. (12) « Ses filets sont en train de pourrir dans les osiers, et lui ne fait que ronfler à la maison », dit-elle, en se mouchant dans son jupon de dessous...

(13) Enfin les dames prirent congé. (14) Elles ne parlèrent de rien d'autre que de la cuisine, et en particulier des âmes qui étaient brûlées et qui, disaient-elles, n'étaient même pas salées. (15) Et le vieux, ajoutaient-elles, était horriblement grincheux. Ah non, elles n'y remettraient plus les pieds — « pour cette bouchée ».

(16) Ça va en faire, des cancans !

(17) Pendant ce temps, le mari de l'ondine-amphytrione continuait à se balancer d'un air taciturne. (18) Sa pipe pendait de sa poche. (19) Son regard se plongeait obstinément dans l'eau cristalline. (20) Il partit à la chasse...

— Et maintenant que, vous vous rendez compte de ce que Madela a voulu dépeindre et de la manière dont elle a dû vouloir le faire, je vais vous relire le tout, phrase par phrase, et vous corrigerez au fur et à mesure :

— « Le bruit, dans la vieille chambre de l'ondin Thomas, se faisait de plus en plus considérable. »

— ... se faisait de plus en plus considérable », répéta Joseph d'une voix lente, avec une légère moue railleuse.

— J'aurais dit, s'écria Joseph : « Dans la vieille chambre de l'ondin Thomas, c'était comme à Babel, ou bien comme à la foire. »

— Soit, c'est plus concis et plus expressif !

« Quelques commères en jupes vertes et rouges, caquetaient avec animation et multipliaient les potins. »

Frantisek Muller leva la main :

— Pourquoi délayer comme ça : « caquetaient avec

animation et multipliaient les potins » ? Il suffit de dire :
« Quelques commères en jupes rouges et vertes potinaient
à qui mieux mieux »...

Quant à la phrase (3) : « la chambre était en ordre »,
les enfants décidèrent qu'elle pouvait rester telle quelle.

— « La ménagère, aux cheveux verts et rares, faisait
cuire au fond sur le fourneau, une quantité de têtes
humaines et faisait frire des âmes. »

On proposa de remplacer : « faisait cuire une quantité
de têtes humaines » par : « faisait cuire dans une marmite
énorme des têtes humaines ». Vania, spécialiste de la cuisine,
voulut absolument que les âmes fussent sautées au beurre
et passées au four, et enroulées dans des œufs et de la
chapelure. Ensuite, comme j'avais fait remarquer qu'il vau-
drait sans doute mieux que cette phrase soit davantage liée
avec la troisième, pour former un ensemble descriptif avec
celle-ci et la suivante, les enfants firent passer « au fond »
en tête de la phrase, qui prit alors l'aspect que voici : « au
fond, la ménagère aux cheveux rares et verts, faisait cuire
sur son fourneau, dans une marmite énorme, des têtes
humaines, et rôtir dans le four, avec du beurre, des âmes
roulées dans des œufs et de la chapelure. »

— « Le maître de la maison était assis en quelque endroit
du jardin, car il ne voulait pas écouter, — comme il disait —
le « journal vivant ».

Joseph demanda le remplacement de « en quelque endroit
du jardin » par « quelque part dans le jardin », « en quelque
endroit de », dans le style de Madela, lui paraissait manquer
de simplicité.

Plusieurs enfants tombèrent d'accord pour faire disparaître, comme superflus, les mots : « comme il disait ».

— « Plusieurs enfants se tassaient dans un coin, et, les
doigts dans la bouche, considéraient le rôti d'un œil avide. »

Ces « plusieurs » enfants, Jan aurait voulu les voir décrits
d'une façon plus précise. Qu'on mette là, disait-il, un gamin
qui ait une vieille culotte avec des bretelles neuves, une
gamine crasseuse, et puis encore un tout petit mioche en

chemise. Ses propositions rencontrèrent l'assentiment général, car le dessin et la peinture réalistes, — surtout des personnages — sont fort en faveur dans notre classe. Mais, le fond étant changé, la forme devait l'être aussi. C'est ce que nous fîmes de la manière suivante : « Dans un coin se tenait un gamin vêtu d'une vieille culotte avec des bretelles brodées toutes neuves, une fillette maigre et sale, et un petit bambin en chemise. Ce dernier se fourrait une main dans la bouche et se tenait à la jupe de la fillette. Tous les trois fixaient leurs yeux avides sur le four où rôtissaient les âmes... »

Dans la phrase (8), on mit « son long nez » et on effaça « infiniment » comme une exagération peu spirituelle.

Dans la phrase (10) : « Il fut s'asseoir lourdement sur un banc, après avoir, en un geste de mauvaise humeur, jeté sur la fenêtre sa pipe, et ce de sécession », on décida que Thomas, tout simplement, s'assit, sans : « il fut » et qu'on laisserait tomber l'espèce d'emplâtre de la fin « et ce de sécession ».

La remarque (16) : « On va en faire des cancans », nous fit l'impression d'avoir été mise là par l'auteur en dehors de son récit, et à propos de ce récit lui-même. Aussi supprima-t-on la phrase incriminée comme nuisible à l'unité d'action.

A propos de la phrase (17) : « Pendant ce temps le mari de l'ondine amphytrionne continuait à se balancer d'un air taciturne », j'incitai les enfants à se demander quelle valeur avait, dans l'action marquée par cette phrase, le mot « continuait à », et s'il était bien à sa place ici. Quelques-uns, les plus vifs d'esprit, se rendirent compte aussitôt que ce mot ne pourrait rester dans la phrase que si l'on avait déjà parlé antérieurement du balancement de l'ondin. Autrement, il y avait lieu de le remplacer par une autre expression, ou de le supprimer.

Je conseillai encore de séparer les phrases (18) et (19) par une simple virgule au lieu d'un point : « Sa pipe lui pendait de la poche, son regard se plongeait obstinément dans l'eau cristalline », ce qui devait mieux en montrer la simultanéité et isoler davantage la phrase suivante, explicative (20) :

« Il alla à la chasse », et la correction de la composition de Madela se trouva terminée.

— Hein ! si on t'a bien arrangé ça ! fit Vania à Madela en se moquant, ce à quoi elle répliqua :

— S'il y avait deux ans comme toi que j'apprenne à écrire, et que tu ne sois dans notre classe que de cette année, je pourrais bien aussi t'arranger tes compositions !

Je lus le travail de Anna Simkova.

L'ONDIN

« Un ondin était assis sur un saule. Ses habits avaient l'éclat de l'eau scintillante sous la lumière blême de la lune, qui roulait comme une boule d'étain parmi les nuages gris de fer. L'ondin avait ses cheveux mouillés qui frisaient à leur extrémité dans l'air tiède qui s'exhalait de l'eau.

Il resta longtemps assis, immobile dans l'atmosphère apaisée. Autour de sa figure humide, aux yeux perdus dans un rêve, voletait seulement un essaim de moustiques, bourdonnant une fine musique, — comme si là-bas, dans les bois, quelqu'un frôlait une corde mystérieuse.

Soudain les feuilles du saule s'agitèrent doucement, et, s'embrassant tendrement, bruirent. Réveillé de son rêve, l'ondin tourna la tête, effrayé, puis, décrivant un grand arc de cercle, il plongea dans les profondeurs. De blanches bulles d'air montèrent à la surface. Elles crevèrent, et il y eut un silence tel qu'on n'en a jamais connu... »

La sentimentalité du récit plut aux enfants, ils demandèrent de leur relire, pour l'écouter en fermant les yeux.

Puis ils admirèrent la forme. Frantisek Muller louait la manière dont Anna avait dépeint le clair de lune. Je fis remarquer aux enfants que la comparaison dont elle s'était servie pour la lune et les nuages avait une double valeur : elle était non seulement visuelle, colorée — la lune d'un blanc-gris brillant (boule d'étain), et les nuages d'un noir bleuâtre (de fer) — mais elle éveillait encore l'impression

235

de la matérialité pesamment froide des objets décrits (métaux froids).

Joseph vanta encore la fin du travail. Anna avait réussi à rendre avec beaucoup de bonheur le silence insolite, on entendait dans son récit crever les bulles d'air...

Je pris la composition de Muller. Il n'y était pas non plus question d'ondine, mais, — comme celle de Simkova, elle peignait surtout un paysage au crépuscule.

AU BORD DE L'ÉTANG

« Un ondin était assis sur un saule bossu et rabougri. Il regardait de son œil unique le vaste et profond étang. Son autre œil était parti.

Tout ce lieu était dans la pénombre. Les rayons du soleil ne pénétraient pas jusque-là. L'eau devenait noirâtre. Le silence y régnait. Seul un petit ruisselet tout frétillant y murmurait et gazouillait faiblement en se jetant dans l'étang qui ne respirait pas. Tout à l'entour, des roseaux épais avaient poussé dans un vaste marécage.

L'ondin balançait ses jambes. Ses habits perdaient leur couleur. L'obscurité profonde avait fini par envahir aussi ce coin. L'ondin marmonna : « Qu'est-ce que je vais avoir à dîner ? La maman va attendre, l'eau va bouillir, et moi je n'aurai pas la moindre petite âme à jeter dans la marmite ! »

Il sauta dans l'eau. Une vague se fit, qui s'élargit dans tout l'étang, et l'ondin disparut. Le silence et l'obscurité commencèrent à régner... »

Cette composition plut. Vania loua l'idée de l'ondin borgne. Quelques garçons s'intéressèrent aux changements de couleur que provoque la diminution de lumière. Ils se mirent aussitôt à se faire part les uns aux autres de leur expérience à ce sujet.

— Mais ce qu'il y a de mieux dans le travail de Frantisek, c'est « l'étang qui ne respirait pas », n'est-ce pas ? dit Tonka en se tournant vers moi, le calme de l'étang ne saurait être exprimé mieux que comme ça.

— Et l'impression en est d'autant plus forte, qu'à côté de l'étendue, du silence et du calme de l'étang, Frantisek a mis immédiatement un contraste : « le mince ruisselet sautillant et murmurant ». Des contrastes placés au voisinage l'un de l'autre se renforcent toujours.

Lorsque j'annonçai le travail de Jan, il se fit un mouvement parmi les enfants. Les visages à l'air railleur laissaient entendre ce que leurs propriétaires attendaient de la plume de Platek.

L'ONDIN JOSEPH HABRDA, BOUCHER DU TROU-AUX-TANCHES

« C'était un jour brûlant d'été. Le soleil grillait et ses rayons frappaient les yeux impitoyablement. En contre-bas du bois il y a un étang. La surface de l'eau brille sous les rayons. Autour de la vanne de l'écluse se creuse un trou profond... Un poisson s'approcha. Il s'arrêta au-dessus du trou. Soudain l'eau bouillonna. Un ondin massif et tout gonflé, au corps couvert d'une toison verte, se lançait à la chasse du poisson. Sa main puissante aux longs doigts réunis dans des membranes s'empara du poisson et le jeta dans la gibecière que l'ondin portait sur son dos. Il écarta les bras, et se laissa descendre lentement au fond du profond abîme.

Il se trouva bientôt devant une misérable demeure au toit percé de trous. La porte, à laquelle une ficelle servait de gonds, s'ouvrit, et dans l'ouverture apparut la femme de l'ondin.

— Tu m'apportes quelque chose ? lui cria-t-elle, en roulant des yeux terribles.

— Oui-da, répondit l'ondin en brandissant sa gibecière.

L'ondine s'en saisit, et ils entrèrent dans la salle. Près de la porte était attaché à la chaîne, avec un boyau sec, un rat. Celui-ci rongeait un morceau de peau, et ses dents grinçaient horriblement. L'ondin se retourna, leva la jambe et lui décocha un tel coup de pied que le pauvre rat roula

237

sur le sol, où il resta une demi-heure sans souffle. L'ondin retira sa veste de chasse, se retroussa les manches, alluma un havane et pénétra dans son abattoir. Car il était boucher. Il ne prenait des poissons que pour permettre à sa vieille d'améliorer le menu de leurs pensionnaires de marque.

Dans l'abattoir, il y avait un billot, sur lequel se trouvaient une hache, et un mortier avec son pilon. Dans un coin de la chambre se trouvait une cheminée toute noircie par la fumée. Dans un autre coin s'ouvrait l'entrée du garde-manger. Au mur, sur une planche, s'alignaient six pots sans anses. Chacun portait une inscription, le premier : « Ame du vieux du moulin », le second : « Ame du cordonnier de Lhota » ; le troisième « Ame de la chèvre tachetée de la ferme », le quatrième : « Vinaigre, et tripes de cordonnier en conserve », le cinquième : « Pieds de la chèvre » ; le sixième : « Condiments divers, et lard du cordonnier ».
A la paroi opposée pendait à un porte-manteau le vieux du moulin. Il avait une longue barbe, les yeux révulsés, la figure pourrie, de gros souliers, un pardessus, le ventre ouvert et les boyaux enlevés. A côté pendait la chèvre, sans oreilles, sans pieds et sans queue. Du cordonnier, il ne restait déjà plus que la tête. L'ondin la prit, coupa au vieux le menton, à la chèvre les babouines et jeta le tout dans une marmite ; puis il versa sur le tout du vinaigre et plaça la marmite sur le fourneau. Ensuite il se rhabilla et retourna s'asseoir au fond du trou. »

Les enfants se mirent à échanger des plaisanteries sur l'ondin-boucher. Je m'abstenai et mon abstention frappa bientôt quelques-uns d'entre eux.

— Le travail de Platek ne vous plaît pas ? finit par demander Muller.

— Avec des réserves, répondis-je, et les enfants attendirent avec une vive curiosité ce que j'allais bien pouvoir dire.

Je dois avouer à Platek que sa description naturaliste, sa représentation des vilains côtés du ménage de l'ondin font impression, mais je lui en voudrais d'avoir mis toutes ces horreurs dans sa composition comme des plaisanteries pour amuser. La peinture naturaliste des laideurs les plus repoussantes ne me choque pas lorsqu'elle se propose de rendre simplement la vérité de ce qui existe ; mais elle me répugne lorsque je découvre chez l'auteur le désir d'amuser avec des horreurs. Or, c'est justement le soupçon qui me vient en lisant quelques-unes des inscriptions mises sur les pots de l'ondin de Platek. Par ailleurs, je trouve bonne la composition de Jan.

— Eh bien, moi je la trouve excellente, déclara Vania, et ce qui m'y plaît le plus, ce sont justement les inscriptions.

Je regardai Vania. On voyait qu'il pensait ce qu'il avait dit. Je lui répondis donc :

— Je ne peux, ni ne veux non plus t'empêcher de juger ainsi. C'est affaire de goût. Lorsque ton goût sera devenu plus délicat, plus fin, ton jugement se modifiera en conséquence.

Nous passâmes alors au travail de Tonka Vacardova :

LA FAMILLE DE L'ONDIN

« C'est par une claire nuit d'été. La lune brille argentée. La surface du lac luit comme un miroir. Silence...

Dans les branches d'un vieux saule, on voit quelque chose de sombre. Voici que cela se dresse, regarde de tous côtés et — flac ! saute dans l'eau. Des vagues s'élevèrent, et des ronds s'élargirent sur le lac. C'était un ondin qui rentrait chez lui, de mauvaise humeur. Dans la cour, devant sa chaumière délabrée, il s'arrêta et promena ses regards autour de lui. Il mit les mains dans ses poches, hocha la tête, puis baissant celle-ci, il pénétra tout pensif dans la chaumière...

Au milieu d'une grande chambre, une femme pâle et mince est agenouillée auprès d'un berceau et s'occupait à calmer un petit ondin. « Ne pleure pas, mon petit trésor, ne pleure pas. Ta maman est près de toi. » Mais le bébé pleure toujours. Ce n'est que quand sa maman le prend dans ses bras et se promène avec lui dans la chambre qu'il s'apaise et s'endort. Elle replaça l'enfant dans son berceau et s'assit tout près sur un banc. Elle lui caresse d'un doigt léger ses cheveux verts et essuie la sueur sur le petit front brûlant. De grosses larmes coulent rapidement — l'une après l'autre — le long de ses joues pâles.

Des pas se firent entendre dans la salle d'entrée, et le vieil ondin entra dans la chambre. Il s'assit à table sur un banc. « Le dîner », fit-il d'un ton grognon. La femme releva la tête, mit un doigt sur ses lèvres et montra l'enfant malade. L'homme se leva avec précaution, se pencha par-dessus la table et considéra le berceau.

« Il dort ? » demanda-t-il à voix basse. Sa femme fit « oui » de la tête et se dirigea vers le fourneau. Elle prit le dîner l'apporta à l'ondin.

« Il va mieux ? » demanda encore l'homme avec sollicitude. Le petit ondin se mit à pleurer dans son berceau.

« Un petit peu », répondit la femme en se précipitant vers l'enfant. Elle s'efforce de nouveau de calmer l'enfant. Celui-ci finit par s'apaiser. Le berceau se balance encore un instant, puis il s'arrête. La mère s'endort et l'enfant aussi. Le silence règne dans la chambre...

L'ondin est asssi immobile devant son dîner intact. Ses regards sont fichés là où se trouvent sa femme et son enfant. La table eut un léger craquement. L'ondin sortit de sa torpeur, tourna la tête, et, sans bruit, prit sur la fenêtre sa pipe et son tabac. Posant ses lourds souliers avec précaution sur le plancher, il contourna sa femme et son enfant endormis. Il sortit sur le seuil et s'y assit... »

Les enfants aimèrent beaucoup la jolie façon dont Tonka avait peint la tendresse et le dévouement de la maman du petit ondin, ainsi que la sollicitude de l'ondin pour son enfant malade, et que ses attentions à l'égard de sa femme épuisée de fatigue.

Dès que j'eus achevé la lecture de la composition de Tonka, je m'étais aperçu que Joseph et Frantisek Muller penchaient la tête l'un vers l'autre. Maintenant, Frantisek se levait et d'un air extrêmement grave, déclarait que Tonka avait commis un acte « qui relevait du code ». Le passage des « vagues s'élevèrent et des ronds s'élargirent sur le lac » était disait-il, copié sur l'Ondin d'Erben [1]. Et il y avait bien d'autres passages encore qui en étaient pris.

— Ce n'est pas vrai ! se défendit Tonka en citant l'Ondin qu'elle savait par cœur, dans Erben il y a : « Des vagues s'élevèrent du fond de l'eau et s'étendirent en larges ronds. »

J'intervins dans le débat :

— Il va de soi que ces passages se ressemblent mais cela ne saurait encore s'appeler plagiat. Il n'est pas niable que l'influence de L'Ondin d'Erben se fasse sentir sur le travail de Tonka Vacardova. On s'en aperçoit dès l'abord au choix des personnages et du sujet : l'ondin, la femme de l'ondin et leur enfant ; l'attitude de l'un et de l'autre envers l'enfant ; la scène même de la mère auprès du berceau du petit ondin. Mais malgré tout cela on ne peut que reconnaître que ce qu'a écrit Tonka, est de son cru. Déjà la peinture du ménage de l'ondin est différente chez Vacardova et plus précise que dans la poésie d'Erben ; le caractère des deux ondins diffère aussi, et, ce qui est l'essentiel, l'œuvre d'Erben est fondée sur le thème de l'amour filial, tandis que Tonka dépeint l'amour maternel, la sollicitude de la mère pour son enfant malade. Ainsi donc, on peut parler ici d'une influence littéraire sur l'auteur, mais on ne saurait du tout parler de plagiat.

Après la composition de Tonka, on lut celle de Joseph et celle d'Etienne Vacard.

Celle de Joseph était un exemple des propos tenus par les gens superstitieux. Pour se montrer le plus fidèle possible, Joseph a fait usage d'un parler populaire.

LE DIABLE DES EAUX

« Une fois, me raconta une vieille dame, y avait là, en face de l'île des seigneurs, du bois. Dame ! y avait pas souvent quelqu'un pour le garder, aussi y en avait de volé

---

1. Erben, voir note p. 25.

toutes les nuits. Pisque les autres y vont ben, que je m'ai dit, ma foi je vas y aller aussi ! C'était à l'automne, la lune ne brillait pas cette nuit-là, et y avait de la crue. Je marchais au bord de l'eau en regardant bien si personne ne m'épiait. J'avais comme une sorte d'angoisse. Je suis arrivée à l'île. Y avait par bonheur personne. Je fais mon chargement de bois, et regarde autour de moi. Crois-moi si tu veux ! J'aperçois devant moi une espèce de petit homme, grand à peu près comme moi en culotte de velours vert et sans veston. Il avait les mains dans les poches, les jambes écartées et il riait... Mais j'avais déjà pris mes jambes à mon cou, et j'ai couru jusqu'à la maison, où je suis arrivée pâle comme la mort.

— Et qu'est-ce que c'était ? demandai-je.

— Ce que c'était ? C'était le diable des eaux, pardi ! Et après tu viendras dire qu'il n'existe rien de pareil. Bouge pas, un jour il t'arrivera à toi aussi quelque chose du même genre. Pour sûr... »

Etienne Vacard avait fait une esquisse pleine de verve, du foyer de l'ondin et de la vie qu'on y menait.

L'ONDIN

« Dans une chaumière en ruine demeurait Monsieur Ondin père avec sa femme et ses deux gamins. Ils vivaient bien. Le père partait tous les matins de bonne heure à la chasse, et vous savez, il rapportait au moins quelque grand-père ou quelque grand-mère qui ne voulait plus se tourmenter ici-bas.

Un matin, comme il sortait de la maison, la mère cria :

« Tu entends, le vieux, Toinot veut aller avec toi. »

« Nom d'un chien, qu'il s'amène, il apprendra ! »

Le soir, le papa et Toinot rentrèrent de bonne heure à la maison. Ils rapportaient une fillette noyée, que Toinot avait tirée par un pied jusqu'au fond.

« Mon gars, un jour on fera de toi un boucher », avait dit le père en le félicitant.

« Papa, dit le garçon, Jean le gars aux Vrzal, a un fluteau avec des trous, je voudrais bien l'avoir. »

« Demain tu l'attraperas, tu le noieras et tu prendras son fluteau comme ça, oui, comme ça »... »

Nous lûmes encore d'autres compositions.

— Et alors vous, vous n'avez fait aucune composition ? demanda Madela quand j'eus rangé les manuscrits des enfants. Vous n'étiez pas en forme ?

— Je n'ai pas essayé.

— Et nous, on y a été obligés — ça n'est pas juste, insinua Vania en souriant.

— Mon ami, répondis-je en me défendant, n'accuse pas à faux, vous n'y avez pas été obligés, je ne vous l'avais pas commandé ; seuls ceux qui ont voulu écrire ont écrit. Mais pour que tu ne puisses même pas m'accuser de paresse, j'écrirai aussi ma composition. Je tâcherai d'y mettre ce qui manque à vos travaux.

— Mais ils sont pleins de vie, c'est vous-même qui l'avez dit ! fit observer Tonka.

— Je le reconnais, mais ils ont un autre défaut. Votre désir était, je pense, de faire des récits, genre conte de fées, et en attendant vous avez écrit des peintures purement réalistes. J'essaierai de réussir là où vous n'avez pas réussi. J'apporterai mon œuvre devant votre tribunal...

— Voudrais-tu faire les illustrations ? demandai-je à Joseph. Il hocha sa grosse tête et allongea le bras pour prendre les manuscrits.

Annexe 2 : La puissance de l'éducation
Plan du premier projet d'ouvrage de Bakulé

LA PUISSANCE DE L'ÉDUCATION : Comment éveiller, développer, diriger les forces créatrices de l'enfant.

(Réflexions pédagogiques et exemples concrets d'enseignement et d'éducation tirés de la pratique de l'auteur.)

I - *Introduction :*

Objet du livre et méthode suivie :
les moyens d'assurer l'éveil et la formation des facultés créatrices dans les domaines littéraire, artistique, musical et dans l'art de vivre.

II - *Confession de l'auteur :*

1 - Analyse de sa vie par lui-même.

2 - Sa manière d'envisager le problème de l'éducation.

3 - L'éducation des facultés créatrices et ses problèmes.

4 - Comment un enseignement avec concentration de la matière sert à l'éducation des facultés créatrices.

5 - Un enseignement éducatif ne prend pas comme point de départ l'Emploi du Temps, mais la liberté de l'écolier, sa sensibilité, son intérêt et son affection.

6 - Travail collectif des écoliers.

III - *La création littéraire :*

1 - Ce qui a poussé l'auteur à sa tentative : importance de la littérature dans la vie.

2 - Le style est l'art le plus usuel èt le plus nécessaire.

3 - Le style scolaire n'est que l'étude d'une routine toute formelle.

4 - Le « style libre » mène à l'expression de la personnalité et peut être un art.

5 - Méthode :

a) laisser libres les manifestations de l'enfant ; le parler de l'enfant et du peuple est le point de départ ;

b) offrir les occasions les plus fréquentes possibles d'expression verbale ;

c) cultiver l'imagination ;

d) apprendre à connaître et à utiliser les ornements poétiques ;

e) se servir pour les fins précitées de l'œuvre littéraire : récitation et lecture collective, analyses, littérature comparée, essais de création propre par l'imitation, par le contraste.

6 - Exemples concrets de cette éducation : la génèse de « Nos Ondins », etc.

7 - Œuvres de mes élèves, présentées comme résultats de mes essais d'éducation.

IV - *La création artistique :*

1 - Souvenirs personnels : ce qui dans mon enfance a éveillé et développé mon intérêt pour les beaux-arts, et quelles en furent les conséquences.

2 - Valeur éducative des beaux-arts : du tableau, de la statue, du monument.

3 - Comment mettre l'enfant en contact avec l'œuvre d'art.

4 - Méthode

    a) j'enseigne à « voir »,

    b) propos sur l'œuvre vue,

    c) analyses,

    d) beauté de la nature et beauté de l'œuvre d'art,

    e) considération des lignes, surfaces et volumes dans l'œuvre contemplée,

    f) l'enfant s'essaie à abstraire la ligne, la surface, le volume de l'objet considéré et à les faire passer dans les extrémités de ses doigts,

    g) copie et création.

5 - Importance du jeu dans l'éducation des facultés artistiques.

6 - Exemples de mes expériences d'éducation artistique :

    — Conversations et analyses d'œuvres d'art de peintres, de sculpteurs et d'architectes ;

    — Genèse de notre « Enfance de l'Eléphant » de

Kipling, des « Marionnettes de Jirsàk », et de la « Guerre ».

7 - Exemples des résultats obtenus par mes élèves :
— Dessins de Joseph.
— Développement de Sarkan dans le dessin d'illustration.

V - *La musique dans l'éducation :*

1 - Comment l'auteur a appris à aimer la musique, et les conclusions qu'il en a tirées pour son œuvre d'éducateur.

2 - Deux buts de la création musicale : créer une nouvelle musique, créer une expression de la musique existante.

3 - Genèse de mon essai d'éducation musicale, et histoire de la formation du Chœur Bakulé.

4 - La chanson populaire point de départ de l'éducation musicale.

5 - De la musique de programme à la musique pure.

6 - Ma méthode : La marche à suivre et les moyens mis en œuvre ne sauraient être sèchement scientifiques, mais ils doivent être vivants, psychologiques. Ce n'est donc pas un traité, mais nos chanteurs populaires qui donnent le modèle de la marche à suivre.

a) Education du langage musical chez l'enfant.

b) La douceur de la mélodie et la vivacité dramatique de l'expression attachent l'enfant à la chanson.

c) La recherche des motifs de la genèse de la chanson approfondit l'intérêt.

d) Etude de la chanson comme musique de programme, et conséquences qui en résultent.

e) Collaboration de l'enfant aux analyses et en même temps à la création de l'expression.

f) Education des facultés d'expression.

g) Après la mélodie, l'harmonie.

h) Le débit de la chanson chorale est le résultat du travail collectif des écoliers.

7 - Exemples des résultats.

VI - *L'art de vivre* :

1 - Son expérience de l'éducation scolaire a montré à l'auteur que l'art primordial était l'art de vivre, et que la création la plus précieuse était celle de sa propre existence.

2 - La vie s'appuie sur l'activité du cerveau et des muscles. Il faut une éducation qui forme la vie par la vie, au travail par le travail.

3 - Méthode :

a) observer les faits de la vie,

b) juger,

c) essayer (accumuler des opinions et des expériences),

d) passer du jeu au travail,

e) assimiler les tours de main,

f) systématiser les notions acquises,

g) s'élever à de larges horizons et prendre une vue d'ensemble de ses connaissances,

h) avoir la libre disposition de sa propriété physique et intellectuelle, être indépendant.

4 - Exemples des résultats : exemples pris à l'histoire du groupe Bakulé.

Annexe 3 : Notes additives aux « Enfants Pauvres ».

En 1954, Bakulé complète et modifie son manuscrit « Les Enfants Pauvres » qu'il espère faire publier depuis 1948.

Extraits de la Nouvelle préface des Enfants Pauvres ; 1954

(...) Mes notes ne sont pas un roman. C'est une partie de notre histoire pédagogique.

Mon action éducative est en relation étroite avec ma vie privée. Je suis donc obligé de vous parler de ma vie. (...)

Ce que je décris dans ce livre, est le résultat du travail et des recherches de toute ma vie, que je vous présente ici comme une *tranche limitée à six ans*. Ce qui précède et termine cette expérience, c'est-à-dire les essais littéraires à Mala Skala et les essais musicaux avec les enfants des faubourgs de Smichov et Kosiré, je les décrirai dans « les Chanteurs ».

Dans cette préface, je ne veux que confesser quelle était ma situation personnelle et quelle était l'ambition générale de cette époque.

Je ne suis pas un scientifique et je ne veux pas prétendre l'être. J'ai bien davantage de penchants artistiques, créateurs, et j'avoue que beaucoup de ce que j'ai essayé au début en éducation, n'avait pas de base scientifique mais prenait sa source dans une sorte d'intuition.

Je ne le ferais plus de nos jours, car aujourd'hui chaque travailleur pédagogique a toutes les occasions possibles pour faire connaissance avec les principes de la pédagogie scientifique dans le cadre du matérialisme dialectique. Il a toute la liberté de chercher la meilleure forme qui mène vers une éducation réussie et qui atteint les buts de l'enseignement : le socialisme et le communisme.

Il y a cinquante ans, je n'avais pas ces possibilités... j'improvisais donc, mais je ne veux pas dire par là, que je me laissais guider par les idées du moment. Mon travail avait un programme et était motivé... peu importaient les moyens et les méthodes. Il est vrai que ma manière de résoudre les problèmes prenait quelquefois un style romantico-dramatique. Les personnes pour qui une autorité pédagogique ne pouvait être qu'un vieillard sérieux et barbu, m'appelaient « l'aventurier pédagogique ». Je ne voyais pas les questions pédagogiques, dans la pénombre de ma chambre, bien alignées sur une feuille de papier. Pour moi, ces questions étaient des bêtes féroces, vivantes, que je rencontrais dehors, sur les chemins de la vraie vie..., et il fallait les combattre. (...)

Les années passent et je me calme... mon travail prend une forme plus posée et devient plus systématique.

Je me laisse toujours guider par les besoins du milieu dans lequel vivent mes élèves. Ceci sera très visible dans les notes sur mon travail à Kladno et Mala Skala. (...) Je le répète, je ne suis pas un scientifique, je suis un homme simple (même si beaucoup de gens disent le contraire), je suis une personne pratique et j'ai toujours aimé innover. Je crois que j'ai donc le droit, et même le devoir, de dire et d'écrire ce que j'ai fait et comment. Le droit et le devoir des critiques pédagogiques et des éducateurs scientifiques est de trier... et de dire ce qui, dans mon expérience, est utile et utilisable pour l'éducation d'aujourd'hui. Je regrette de ne plus pouvoir continuer, qu'à quatre-vingts ans je ne puisse plus donner ce que je sais, ce que je connais, au service de notre éducation socialiste. Je ne peux plus servir, mais je pense pouvoir aider en décrivant combien il faut travailler pour l'avenir de l'école nouvelle et quelle joie peut vivre celui qui se dévoue entièrement avec tout son cœur et toute sa volonté à une telle tâche.

Note à ajouter au chapitre 1 : (1954)

Il est nécessaire de dire par quels chemins, je suis arrivé à mon programme mi-idéaliste, mi-socialiste que j'ai essayé de réaliser en tant qu'enseignant avant de quitter l'enseignement classique pour aller chez les handicapés. Idéaliste, je l'étais déjà au début de ma carrière en 1897 quand j'ai pris mon premier poste à Rapice près de Kladno.. « Eduquer l'homme pour lui donner envie de savoir, d'apprendre, pour en faire un homme bon et noble » est ma devise, quand, âgé de vingt ans à peine, je me trouve devant ma première classe de quatre-vingts garçons qui n'ont que six à huit ans de moins que moi.

Mon éducation antérieure, trop scolastique, sans liens avec la vie, et ma formation scolaire ne m'ont pas permis d'avoir une opinion personnelle sur le monde. Dans ma tête, les différentes notions sur la vie n'étaient qu'amalgamées, dans mon cœur une seule envie « donner à mes garçons le plus de connaissances possible et faire d'eux des hommes de bien ».

Mais je ne savais ni enseigner, ni éduquer et le bilan de ma première année est source de tristesse pour moi. Mes garçons issus de familles prolétaires de mineurs de la périphérie de Kladno, après une année dans mon école et malgré mon travail honnête, étaient bien loin d'être des savants et encore moins des anges.

Par une autocritique, j'arrive à me rendre compte des raisons de mon échec. Je ne peux pas arriver à des résultats positifs, surtout en éducation, sans connaître la vie intime et le milieu socio-culturel de mes enfants. Dans mon deuxième lieu d'action, à Druzec, près de Kladno, je me suis appliqué à connaître d'abord les idées de mes enfants et à gagner leur cœur. Je les ai suivis jusque dans leur famille.

L'horreur de leur situation économique et sociale que j'ai rencontrée là, a fait de moi un homme profondément socialiste ; et c'est là, qu'à la première partie de mon programme d'enseignement, j'ajoutai la seconde : éveiller chez ces enfants l'envie de devenir des membres valables de la société humaine et de les armer pour en faire des combattants pour un avenir meilleur.

Mes intérêts individualistes se sont tournés vers un esprit collectif. L'éducation n'était plus un but en soi, je commençai à éveiller et à armer mes enfants pour la vie. Et par l'éducation, j'ai développé en eux tout ce qui me semblait nécessaire pour l'avenir de ces défenseurs et conquérants des droits de l'homme futur.

Mais, à cause de mes convictions, je suis renvoyé de Druzec à Kozly, en 1900. C'est un pays de petits agriculteurs où la misère sociale et économique est moins frappante. Ceci a fait que mon élan socialiste diminue hélas, en force. (...)

Mon séjour à Kozly est court, à cause de mes conflits avec l'église.

De là, j'arrive à Mala Skala. La nature très belle donne aux enfants de ce pays des dons artistiques et une âme très sensible. Travailler parmi ces enfants est une vraie satisfaction pour moi. La joie que j'ai devant les œuvres d'art m'a donné l'idée d'intéresser les enfants, de leur apprendre à assimiler et à comprendre une œuvre d'art et à prendre plaisir à la contempler. Ce qui n'est pas mal en soi, si j'avais fait de l'art, uniquement un moyen d'éducation. Mais mon idée était malheureuse car j'ai voulu faire de l'art une drogue, j'amenai mes enfants à se soûler d'art et à oublier leur vie malheureuse, à se dédommager des misères économiques et sociales par des orgies artistiques. C'est la faute de ma mauvaise éducation, qui manquait de système. Mes idées philosophiques sont glanées par ci, par là. La faute en est aussi à une littérature décadante qui fleurit en cette fin du XIXᵉ siècle et ce début du XXᵉ siècle. Tout ceci fait que je suis tombé de nouveau dans des tendances individualistes. Mes fréquentes rencontres avec des anarchistes théoriciens de l'époque ont sûrement eu une influence sur moi. Je suis devenu un propagateur acharné d'une humanité libre, les enfants de ma classe contribuant par leurs travaux littéraires et leurs dessins à un journal anarchiste pour enfants. Plus tard, je me sens de nouveau intéressé par la vie collective et par le travail pour une société socialiste. Ces intérêts-là sont davantage basés sur mes sentiments personnels que sur une éducation politique. Mais moi, à cette époque, je haïssais la politique que je connaissais davantage par la pratique des politiciens d'alors que par la théorie. Ces pratiques me semblaient être un mic-mac idéologique, une activité pas très honnête, pas très propre.

Je me suis donc plutôt éloigné de ces exemples politiques que j'avais devant les yeux et j'admirais surtout la théorie fantastique des utopistes anarchistes et socialistes, dont je lisais les journaux, revues et livres. Ils me satisfaisaient par leur romantisme et leur poésie.

Et comme je m'imprégnais davantage de leur parfum que de leur contenu réel, je ne suis devenu ni un vrai anarchiste ni un vrai communiste. Je suis resté du point de vue politique, un conglomérat de deux contradictions : l'individualisme et le socialisme. Une personne pas mûre, pas équilibrée, pas ancrée. En tout cas une personne pas satisfaite de la société bourgeoise qui me déplaisait en tant que citoyen, et aussi en tant qu'instituteur. (...)

Malgré tout ce que je viens de dire sur l'éducation par la vie et par le travail, je ne voudrais pas être mis, sous l'étiquette « pragmatistes », dans le même panier que Dewey. Je ne nie pas tout ce que ce pédagogue américain a inventé sur « l'éducation pour la vie » et « l'éducation pour le travail » mais je voudrais tout de même que l'on sache qu'il y a une différence... En effet, mes premiers essais d'éducation par la vie et par le travail datent d'une époque à laquelle Dewey m'était totalement inconnu. Et j'étais motivé par d'autres buts à atteindre que ceux de Dewey. Et cela me semble important. Déjà au cours des dernières années du XIXᵉ siècle et des premières années du XXᵉ, en tant que libre-penseur, j'étais irrité par le système scolastique de l'enseignement. Après avoir connu, au cours de mes trois premières années d'enseignements, trois milieux socio-culturels très différents, mais où l'enseignement et l'éducation devaient être basés sur les mêmes théories, je me suis aperçu de la nécessité d'adapter l'enseignement aux enfants. Faire un enseignement vivant et ne pas nourrir ces jeunes êtres que de paroles... leur faire connaître le travail qui les attendait plus tard... Il n'est pas difficile de montrer aux enfants comment suivre les faits de la vie, de leur milieu, d'y réfléchir, d'en parler et même de diriger leur point de vue selon nos idées, si l'instituteur veut s'y risquer.

Mes idées sur une réforme scolaire sont nées... mais personne dans l'administration scolaire de l'époque ne me suit. L'école de mes rêves (à l'époque, une utopie, tout à fait irréalisable), mènerait les enfants à comprendre la vie et à souhaiter une vie autre que celle pour laquelle ils sont éduqués par l'école du système capitaliste du début du siècle. Une vie dans le sens matérialiste, comme elle est réellement. Une école qui apprendrait aux enfants à se défendre contre une vie dominée par un dirigisme métaphysique, tel que l'école de l'époque soutenue par une philosophie idéaliste, leur préprésentait. Ceci veut également dire, qu'il faut présenter le travail aux enfants autrement que comme une malédiction envoyée par le Dieu tout-puissant, pour punir les arrières-grands-parents, grands-parents, etc.

Je me suis dis que même si je ne pouvais pas immédiatement généraliser toutes mes idées et points de vue, je pouvais au moins essayer... C'est pour cela que j'étais heureux de venir enseigner chez le professeur Jedlicka.

(...) Dewey, réaliste, philosophe, veut organiser les expériences des enfants de façon à leur faire accepter le système capitaliste. Dewey éduque ses élèves pour en faire de très bons travailleurs, de très bons ouvriers pour les usines capitalistes car il n'en connaît pas d'autres.

J'ai organisé la vie de mes enfants chez le professeur Jedlicka de manière à ce que leur situation ressemble le plus possible à la vie dans une société socialiste. Je leur ai fait connaître la joie du travail accompli librement. (...)

Dewey veut une vie heureuse de l'individu dans la société dans laquelle il vit, mon but est le bonheur de chaque individu utile dans une société socialiste.

Il y a donc une différence fondamentale entre le but de Dewey et le mien.

(...) Si un jour, par mes recherches sur l'éducation par la vie et par le travail, j'arrive à être placé dans un musée pédagogique, je ne voudrais pas être placé dans le même coin poussiéreux que John Dewey.

F I N

Bakulé et Sarkan

Les documents sonores et écrits du dossier Bakulé peuvent être consultés.

Nous souhaitons les compléter par d'autres documents, par d'autres témoignages.

Le dossier Bakulé reste ouvert.

Ecrire.

Bibliographie

Ouvrages en langue française :

A. Ferrière : Trois pionniers de l'éducation nouvelle, Flammarion, Paris, 1929.

« Bakulé : expérience pédagogique », in N° 17, *Pour l'Ère nouvelle*, oct. 1925.

« Bakulé : l'éducation par le travail manuel », in *Ecole Libératrice*, 1934 (p. 250-51).

M. Maucourant : « F. Bakulé et son école de Prague », in *Ecole et la vie*, 27 février 1928.

J. Husson : « Bakulé » in *Education nouvelle populaire*, N° 33, décembre 1947.

M. Wolf : « Bakulé, un éducateur populaire », in *Larousse mensuel*, N° 276, février 1930.

M.L. Cavalier : « Les chanteurs de Bakulé », in *Enseignement primaire*, 12 mai 1929 (p. 403-406).

M. Rosset : « A propos de Bakulé », in *Bulletin des instituteurs*, N° 102, 15 mai 1929 (p. 1-5).

« L'éducateur Bakulé », in *Foi et vie*, N° 11 (p. 597-601).

M. Balvet : « Les chanteurs de Bakulé à Lyon », in *Syndicat laïc du Rhône*, N° 252, juin 1929 (p. 1-5).

E. Orth : « Un exemple de pédagogie par les méthodes actives, Frantisek Bakulé », in *Les cahiers de l'Enfance inadaptée*, n° 7, avril 1970, (p. 31-40).

255

Ouvrages en langues étrangères :

Sborník Vysoké Skoly pedagogické v Olomouci in Pedagogika-psychologie (III) Praha 1957 (p. 113-144).

Sklenař Václav : « František Bakule » in Učitelé v Práci a v boji Praha 1971 PRÁCE (p. 226-241).

Bakule, František - Durdíková, Lída : Včelí obec. Praha, Unie, 1937.

Durdíková Lída : Děti zhaslých očí. Praha, Bakuluv ústav, 1929.

Durdíková Lída : Sarkán. Psycologické obrázky nejmladšího z Bakulovy druziny. Praha, Bakulova druzina, 1922.

Durdíková Lída : Tuláci. Praha, Bakulova druzina, 1926.

Durdiková Lída : Zde se vrazdí... Případ Bakuluv. Praha, nákladem « Sdruzeni přátel », Věstník Bakulova ústavu, 1934.

Hohendorf, Gerd : Die pädagogische Bewegung in den ersten Jahren der Weimarer Republik. Volk un Wissen volkseigener Verlag, Berlin, 1954.

Příhoda, Václav : Třicet let Bakulovy práce pokusné. Praha, Sdruzeni přátel výchovy zivotem a prací, 1927 (Otisk článku z Pedagogických rozhledu. Viz čís. 43).

Stuerm, Francis H. : Training in democracy. New-York, Inor, Published under the Auspices of the Progressive Education Association, 1938.

Washburne, Carleton Wolsey : Progressive Tendencies in European Education. Washington, Bureau of Education, 1923.

Zájezd Bakulovy druziny do Spojených státu severoamerických na jaře roku 1923. Praha, Bakuluv ústav, 1923.

Bakule, František : Ceské děti a president Wilson. Casopis pro o abčanskou nauku a výchovu, roč. I, 1924 (p. 18-19).

Bakule, František : Jak jsme se v Jedličkově ústavu učili číst a psát. Pedagogické rozhledy, roč XXVIII, 1918 (p. 33-41).

Bakule, František : Kreslení a uzité uměni v učitelské praksi. Tvořivá škola. roč. IV, 1928/29 (p. 5-9).

Bakule, František : O uměleckovýchovných pokusech na Malé Skále. Kulturni sluzba roč. II, 1947/47 (p. 68/71, 88-92, 105-107, 123-125, 139-142, 149-150).

Bakule, František : Ústavní výchova zmrzačelých. První sjezd československého učitelstva a přátel školství v osvobozené vlasti. 1921, p. 495-497).

Bakule, František : Výchova zivotem a prací. První sjezd československého učitelstva a přátel školství v osvobozené vlasti. 1921 (p. 222-224).

Bakule, František : Z mých výchovných pokusu. Komenský roč. XXXVI, 1908 (p. 2-3, 19-21).

Bakule, František : Z našeho zivota a práce. Věstnik pedagogický, roč IV, 1926 (p. 19-21).

Bakule, František : Z výchovných pokusu Bakulových. Spirála, příloha (p. 1-16).

Příhoda, Václav : Třicet let Bakulovy práce pokusné. Pedagogické rozhledy, roč. XXXVII, 1927 (p. 281-296).

Příhoda, Václav : O Bakulovi a o Bakule. Nové školy, roč. II, 1928 (p. 128-136).

Bakuluv referát k 100. výroči druzecké školy, vzpomínky záku Sefčika a Juna.

Beneš Vojta : Bakulova padesátka, leták vydaný Bakulovým ústavem.

Manuscrits et documents de F. Bakulé :

Bakulé : « Les enfants pauvres », version 1948 avec additifs de 1954 (manuscrit inédit).

Bakulé : « Le chœur Bakulé » (manuscrit inédit).

Bakulé : Conférence donnée à Heidelberg, 1925 (inédit).

Bakulé : Communication faite, avec démonstrations, au VIe Congrès International de Dessin, d'Education artistique et d'Arts appliqués, Prague, 1928.

Correspondance et archives de l'auteur.

Achevé d'imprimer
le 24 février 1975
sur les presses
de l'imprimerie Cino del Duca,
18, rue de Folin, à Biarritz.

Les hors-texte ont été
réalisés grâce au concours
de la Photogravure Bussières
56 bis, rue des Plantes, 75014 Paris.

Dépôt légal : 1ᵉʳ trimestre 1975
N° d'édition : F 75 039   N° d'impression : 891

Enda Šimlová · Tona Vašardová · Nácík Plátec · Frantík Müller · L. Nýrdlová · Pepa Cvíček · Aadla Skrynclová

2

3

5

1 - Bakulé au début de sa carrière d'instituteur.
2 - Bakulé entouré de quelques-uns de ses élèves,
    auteurs des « Ondins », à Mala Skala, vers 1912.
3 - Lida Durdikova et Frantisek, vers 1915.

4 - Bakulé à Paris, en 1947.
5 - Les premiers élèves handicapés de l'Institut
    Jedlicka.

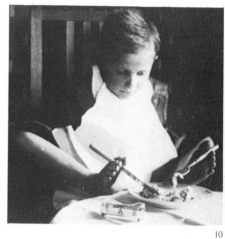

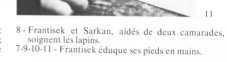

6 - Dans le groupe, on reconnaît au premier plan : Frantisek ; à l'extrême-gauche : Sylva Marvan ; au fond de droite à gauche : Jenda, Vojta et le professeur Jedlicka.

8 - Frantisek et Sarkan, aidés de deux camarades, soignent les lapins.

7-9-10-11 - Frantisek éduque ses pieds en mains.

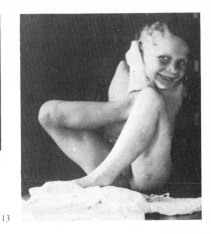

12

14   13

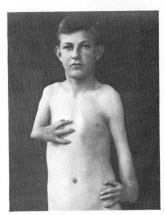

15

17

16

12-13-14-15 - Frantisek, né sans bras, se débrouille seul.
16 - Vojta.

17 - Vojta, apprenti lithographe.

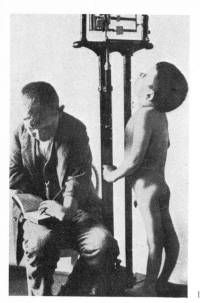

19

18

22

20

21

23

18 - Sarkan se pèse, Vojta note son poids.
19 - Jenda devient vannier professionnel.
20 - Scéance de marionnettes sur les fortifications de
    Vysehrad.

21 - Frantisek et Sarkan avec Lida.
22 - Sarkan.
23 - Jenda apprend à écrire.

24 - La coopérative de jouets.
25 - Les vanniers (au fond Frantisek).

26 - Les petits apprentis.
27 - L'atelier d'orthopédie : les enfants et les soldats mutilés travaillent ensemble.

28

29

30

32

LOUTKOVÉ DIVADLO
BAKULOVY DRUŽINY.

DNES ODPOLEDNE
HRAJE SE V „DĚTSKÉM DOMOVĚ"
PERNÍKOVÁ
CHALOUPKA

ZAČÁTEK O 3. HOD.
19 12/10 19.

28 - « Les vagabonds », dessin de Ruda ; en tête, Sarkan
  en dragon russe.
29 - Bakulé et les « Vagabonds » après leur départ de
  l'Institut. Ruda à gauche, Sarkan au premier plan.
30 - Le capitaine Voska, Tchèque d'Amérique, visite
  l'atelier Bakulé à ses débuts.
31 - Visite de Miss Harrison vers 1920 : de gauche à
  droite, Ruda, Marjanka (que Ruda épousera plus
  tard), Frantisek, Sarkan, Miss Harrison, Bakulé,
  Lida, Sylva Marvan, Miluska (que Bakulé épousera peu avant sa mort).

32 - Le chœur Bakulé à ses débuts.
33 - Affiche du théâtre de marionnettes, dessinée pa
  Ruda. Au programme, « La maison de pai
  d'épices ».

34

35

36

37

38

34 - Construction de l'Institut Bakulé : le rêve se réalise.
35 - Des volontaires viennent participer à la construction.
36 - Rabindranath Tagore visite l'Institut.

37 - « Le président de la république tchécoslovaque, T.G. Masaryk, entouré des jeunes gens et jeunes filles du chœur Bakulé, écoute, dans sa résidence d'été, le rapport de Monsieur Bakulé, le directeur, sur le voyage de propagande pacifiste de son chœur chez les enfants d'Allemagne et du Danemark ». (Légende de l'époque).
38 - Cheval, prêté à l'Institut, et qui ne supportait sur son dos que les handicapés.

39

40

41

42

44

43

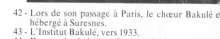

39 - Le chœur Bakulé avant son départ pour les
    Etats-Unis.
40 - Bakulé et le Père Castor (Paul Faucher).
41 - « Le petit Frantisek donne une leçon au vieux
    pédagogue ». Bakulé.

42 - Lors de son passage à Paris, le chœur Bakulé e
    hébergé à Suresnes.
43 - L'Institut Bakulé, vers 1933.
44 - De gauche à droite : Ruda et Sarkan, en octob
    1973.